COLLECTION FOLIO

Alexandre Soljénitsyne

Août quatorze

Premier nœud

*

Traduit du russe
par Alfreda et Michel Aucouturier,
Georges Nivat, Jean-Paul Sémon

Éditions du Seuil

Titre original :

АВГУСТ ЧЕТЫРНАДЦАТОГО

Dans le mois précédant la bataille de la Marne, l'armée russe attaque l'Allemagne en Prusse orientale. Déjà les armées convergentes de Rennenkampf et Samsonov forcent l'armée prussienne à battre en retraite vers la Vistule. C'est alors que le général Hindenburg prend le commandement du front, intercepte les ordres que Samsonov donne par radio en clair *à ses unités et, coupant l'armée russe, lui inflige une terrible défaite. Les Allemands donnèrent à leur victoire le nom de Tannenberg, là même où, en 1410, les Polonais s'étaient heurtés aux Chevaliers teutoniques.*

Enfin, la bataille des Lacs Mazures contraint à une retraite désordonnée l'armée de Rennenkampf et écarte du front oriental la menace de l'armée du tsar. Août quatorze, « premier nœud » *d'une œuvre que d'emblée l'on compare à* Guerre et Paix *de Tolstoï, est d'abord le récit de la campagne militaire par ses participants. Mais c'est aussi, et de façon grandiose, le premier volet d'une fresque qui représente, en Russie et à travers les Russes, la fin d'un monde qu'achèvera la révolution de 1917. Dans le lent et vaste glissement de cette masse d'hommes dans la fuite ou la mort et à travers une série de familles et de personnages dont l'impitoyable observation ne manque jamais de tendresse, le génie de Soljénitsyne discerne avec une ironie supérieure le mouvement profond de l'Histoire.*

Ce sont donc là les premières mesures de l'œuvre qu'Alexandre Soljénitsyne préparait depuis l'adolescence avec l'ambition de rétablir dans sa continuité heurtée, et au-delà des ruptures de circonstance, l'histoire, c'est-à-dire la vie même de son pays.

ALEXANDRE SOLJÉNITSYNE. Né le 11 décembre 1918 à Kislovodsk (Caucase). Physicien et mathématicien. Fait la Seconde Guerre mondiale dans l'artillerie, d'octobre 1941 à février 1945. Arrêté en 1945 pour ses opinions sur Staline. Camp de redressement par le travail jusqu'en 1953. Condamné à la « relégation perpétuelle ». Réhabilité en 1956. Prix Nobel de littérature en 1970. Le prix n'a pu lui être officiellement remis. Soljénitsyne a été explusé d'U.R.S.S. le 13 février 1974.

Août quatorze, « *premier nœud* », a paru en langue russe à Paris en juillet 1971.

NOTE

POUR L'ÉDITION SÉPARÉE DU PREMIER NŒUD

Ce livre ne représente que la première partie (le premier nœud) d'un ouvrage en plusieurs tomes. C'est pourquoi il ne prétend nullement à la perfection, je dirais même que les personnages sont loin d'y être développés : en dehors de l'opération de l'Armée de Samsonov, il ne s'agit ici que d'une première mise en place.

Cependant, ce travail dans son ensemble risque de prendre une vingtaine d'années, et le plus vraisemblable est que ma vie n'y suffira pas.

Or j'ai besoin, étant donné la difficulté d'une telle narration historique, de la collaboration des lecteurs qui se rappellent encore cette époque. C'est pourquoi je me décide à publier chaque nœud séparément.

A. S.

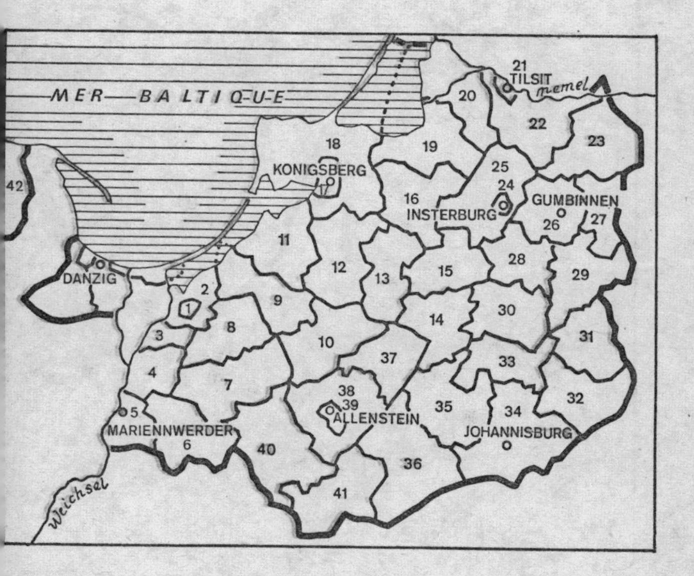
MER BALTIQUE
TILSIT
memel
KONIGSBERG
INSTERBURG
GUMBINNEN
DANZIG
ALLENSTEIN
JOHANNISBURG
MARIENNWERDER
Weichsel
1
2
3
4
5
6
7
8
9
10
11
12
13
14
15
16
17
18
19
20
21
22
23
24
25
26
27
28
29
30
31
32
33
34
35
36
37
38
39
40
41
42

Lac Mahrung
Lac Eissing
FORÊT DE JABLONKEN
Lac Schilling
Passarge
Osterod
vers Thorn
Grieslienen
Hohenstein
N
O
E
S
Muhlen
Marwalde
Tannenberg
Waplitz
Gd Lac Damerau
Gardienen
Gilgenburg
VOIE FERRÉE ET GARE
ROUTE
FORÊT
LAC
MARAIS
FRONTIÈRE
Usdau
Soldau
Neide
0
10 KM
v. Mlawa

Alle
Lac Wadang
Lac Daddai
vers Gumbinnen
Bischofsburg
Wartenburg
Lac Okull
Allenstein
Thomsdorfer ou Wulping
Mensguth
FORÊT DE LANSKEROTEN
F.T DE PURDEN
F. DE HOHENS.
Passenheim
RAMUCK
G.d Lac Schoben
Lac Lehlesker
Plauzig
Lansk
Lac Gimmen
FORÊT DE RAMUCK
FORÊT DE HARTINGSWALDER
Ortelsburg
Lac Narth
Maransen
P.t Lac Schoben
Omulefofen
Malga
FORÊT DE KOMMUSINER
Orlau
F.T DE KALTEN-BORNER
Grunfliess
Willenberg
Neidenburg
Jagersdorf
Janowo
Orschutz
Chorzele
v. Ostrolenka

1

Ils quittèrent la *stanitsa* [1] à l'aurore d'une matinée diaphane quand, au premier soleil, les Crêtes d'une blancheur éclatante se dressaient si prochaines, avec leurs replis bleu sombre et chacune de leurs échancrures si visible qu'un homme inaverti eût pensé les atteindre en deux heures de cheval.

Elles jaillissaient si grandes dans le monde des petites choses humaines, si miraculeusement naturelles dans le monde des choses fabriquées!... Tous les hommes, autant qu'ils furent à naître dans les âges, eussent-ils apporté pour en faire de gros tas, bras écartés à lâcher prise, tout ce qu'ils inventèrent ou même imaginèrent jamais, qu'ils n'auraient pu élever chaîne de montagnes aussi invraisemblable.

De la stanitsa à la gare, leur itinéraire était tel que les Crêtes restaient toujours droit devant eux; c'est vers elles qu'ils allaient, c'est elles qu'ils voyaient : étendues neigeuses, saillies rocheuses dénudées, ombre où l'on devinait des défilés. Mais d'heure en heure,

1. Nom des villages cosaques dans les régions méridionales (Don, Kouban, Térek...). On est ici au pied du versant septentrional du Caucase. (*N.d.T.*)

elles fondirent à la base, se séparant de la terre, non plus posées mais suspendues au tiers du ciel; elles se voilèrent, perdirent leurs cicatrices et leurs brisures, et jusqu'à leur apparence de montagnes pour ressembler à d'immenses nuées blanches compactes. Puis à de fausses traînées de nuages qu'on ne distinguait plus des vraies. Enfin ces lambeaux mêmes furent dissous et les Crêtes s'effacèrent complètement, telle une vision céleste; devant eux, comme de toutes parts, il n'y eut plus que le ciel, grisé, blanchâtre, qui concentrait ses ardeurs. Sans changer de direction, ils allèrent ainsi plus de cinquante verstes [1], jusqu'au-delà de midi — mais il ne semblait plus y avoir devant eux de montagnes géantes, seuls surgissaient à leur approche les premiers petits monts arrondis : le Chameau, le Taureau, le Serpenteau pelé et le Mont-au-Fer bouclé de forêts.

Ils étaient partis aux heures où la route n'est pas encore poussiéreuse, quand la terre est fraîche de rosée. Ils avaient passé en chemin celles où la steppe résonne, gazouille et prend son essor, le temps des sifflets, des craquètements et des froufrous. Maintenant proches des Eaux-Minérales, ils traînaient à leur suite, au plus mort de l'après-midi, comme une colonne de fumée paresseuse; un seul bruit demeurait distinct, le cahotement régulier de la carriole, bois contre bois, — on n'entendait presque plus le sabot des chevaux posé dans la poudre du chemin. De toutes les senteurs subtiles dont l'herbe avait tour à tour embaumé leur voyage, il s'était dégagé un parfum unique, ardent,

1. Une verste équivaut à 1,06 km. (*N.d.T.*)

à la fois soleil et poussière, — c'était celui de leur carriole et de sa litière, c'était leur parfum ; attachés qu'ils étaient à la steppe par leurs premiers souvenirs, ils le trouvaient agréable — et la chaleur ne les fatiguait pas.

Leur père avait reculé à leur prêter sa calèche à ressorts, il en prenait grand soin ; aussi, cahotés, brinquebaliés, avaient-ils fait la plus grande partie de la route au pas. Ils avaient traversé des blés et des troupeaux, passé des salines pelées, monté la pente douce des collines, franchi des ravins abrupts à l'eau parfois prochaine et parfois desséchés, mais ils n'avaient pas vu une seule vraie rivière ni une seule grande stanitsa, ils n'avaient croisé presque personne et n'avaient guère été dépassés dans le désert dominical. Isaac, toujours patient, l'était ce jour-là particulièrement, autant par humeur que par résolution ; il n'avait pas trouvé pénibles ces huit heures ; il en aurait passé le double à voyager de la sorte, coiffé de son chapeau de paille troué, à regarder la route entre les oreilles du cheval en soutenant d'une main les rênes inutiles.

Evstrachka, son cadet, le fils de sa belle-mère (la nuit suivante, il referait toute la route en sens inverse), Evstrachka avait commencé par dormir dans le foin derrière son dos, mais depuis longtemps il ne tenait plus en place : il se levait, regardait quelque chose dans l'herbe et, sautant de la voiture, s'en éloignait pour la rattraper à la course ; il avait tant à faire, tant à raconter, à demander : « Et pourquoi, quand on ferme les yeux, on dirait qu'on repart en arrière? »

Eustrate venait d'entrer en seconde [1] au gymnase

1. A peu près notre 6e. Les classes étaient numérotées à l'inverse des nôtres ; on entrait en 1re vers huit-neuf ans. (*N.d.T.*)

de Piatigorsk; comme Isaac, son père avait d'abord refusé de le laisser partir plus loin que le pro-gymnase voisin; les aînés, filles et garçons, n'avaient jamais vu que la terre, les vaches et les moutons et « ça ne les empêchait pas de vivre »... Isaac avait commencé ses études avec un an de retard; après le gymnase, toute une année, son père avait barguigné, refusant d'admettre qu'il lui fallût désormais l'Université. Mais, comme le bœuf qui étale son effort pour déplacer sa charge au lieu de l'arracher, c'est par la douceur qu'Isaac prenait son père, obstinément, sans être jamais brutal.

Il aimait son Sabre natal, leur ferme à dix verstes de là, et les travaux des champs. Quand il était en vacances, il ne rechignait plus jamais à faucher ou à battre. Son avenir, tel qu'il l'envisageait, était l'alliance réussie de sa vie primitive avec le bénéfice de ses années d'études. Or, chaque année, il constatait au contraire que l'enseignement le séparait de plus en plus irrémédiablement de son passé, des gens du pays et de sa famille.

Du pays, ils n'étaient que deux à étudier. Leurs raisonnements, leurs allures suscitaient les rires et l'étonnement. Sitôt arrivés, ils se hâtaient de repasser leurs vieux habits. Il faut pourtant dire que quelque chose flattait Isaac : l'opinion l'avait pour quelque raison distingué de l'autre en le surnommant, non sans malice, bien sûr, le *populiste*. Qui l'avait le premier affublé de ce sobriquet? Comment cela s'était-il fait? Toujours est-il qu'à cette heure, personne ne l'appelait plus autrement. Des populistes, depuis beau temps la Russie n'en comptait plus et Isaac ne se serait jamais présenté comme tel à personne. Pourtant, c'est sans doute au fond ce qu'il se voulait : un populiste qui, ses études faites pour le peuple, « retourne au peuple », livres en main, paroles aux lèvres, amour au cœur.

Hélas, même dans sa propre famille, ce retour était presque impossible. Les vues qu'Isaac avaient empruntées à l'enseignement du comte Tolstoï supposaient probité et sincérité, alors que dans ses rapports avec les siens elles le forçaient au mensonge. En effet, il ne pouvait tout de go dire à son père que la liturgie est un spectacle indigne de la foi, ou même, à considérer certains prêtres, une abominable dérision; qu'il n'allait à l'église que pour lui épargner d'avoir à rougir de lui et qu'il eût de beaucoup préféré s'en abstenir... Devenu végétarien, pouvait-il faire entendre à son père, aux parents, aux gens du pays que c'était là une affaire de conscience, qu'on n'a pas le droit de tuer ce qui vit, ni par conséquent celui de le manger : rires et moqueries auraient partout fusé, chez les siens comme chez les autres; aussi Isaac prétendait-il mensongèrement que le régime sans viande était la toute dernière invention de la médecine allemande, le gage d'une vie prolongée, et qu'il avait décidé, pour voir, de l'expérimenter. Il était épuisé, torturé par ses mensonges, mais s'il n'avait pas menti, c'eût été bien pire encore.

D'ailleurs, son père!... A l'image de la maîtresse femme avide qu'était sa seconde épouse, d'année en année, il était devenu pour Isaac un étranger. Quant à la maison paternelle, ses frères et ses sœurs aînés ayant maintenant leur propre foyer, elle était devenue celle de sa belle-mère et de ses enfants. Tout cela lui avait rendu plus facile sa décision, sans pour autant lui permettre de se montrer tel qu'il était, tant le mensonge le tenait entravé. Encore un coup, il avait dû feindre et se prétendre convoqué plus tôt que prévu à l'Université pour y faire son *stage*, un stage qu'il avait d'abord dû s'imaginer pour mieux convaincre ensuite son père de sa nécessité.

Depuis trois semaines, la guerre ne s'était guère manifestée à la stanitsa : il y avait eu les deux proclamations impériales, l'une contre l'Allemagne, l'autre contre l'Autriche, qu'on avait lues toutes deux aux fidèles avant de les afficher sur la place de l'église; il y avait eu aussi les deux départs de réservistes et l'expédition particulière des chevaux réquisitionnés vers le chef-lieu, car on considérait les gens de leur stanitsa comme de vrais Russes, des *Katsaps*, et non comme des Cosaques du Térek. A part cela, qui eût dit qu'on était en guerre? Les journaux n'avaient jamais atteint le village et il était encore trop tôt pour que des lettres arrivent de l'armée en campagne; d'ailleurs, le concept même de « lettre » n'existait pas encore : dans le pays, « recevoir des lettres » avait toujours été tenu pour de la prétention; soucieux de ne pas se faire remarquer, Isaac s'arrangeait pour ne jamais en recevoir. Chez les Lajenitsyne, on n'avait pris personne : le frère aîné avait passé l'âge et son fils était de toute façon dans l'active, le second frère avait des doigts en moins, Isaac était à l'Université, quant aux enfants du second lit, ils étaient trop jeunes.

Ce jour-là non plus, durant leur long voyage au travers de la steppe immense, aucun signe de la guerre ne leur fut adressé.

Le pont de la Kouma franchi, la terre brûlée de la

double voie de chemin de fer traversée sur un dos d'âne pierreux, ils suivaient maintenant la rue herbeuse des Eaux-Minérales, l'ancienne Stanitsa de la Kouma — et nulle part ils ne remarquaient les symptômes ordinaires de la guerre. Qui avait envie de bouleverser la vie ! Partout où elle le pouvait, elle poursuivait son cours, murmurante et cachée.

A l'ombre d'un grand orme, auprès d'un puits, ils firent halte. Avant de pousser jusqu'à la gare, Evstrachka attendrait là que les chevaux fussent abreuvés et refaits. Isaac se lava à grande eau ; quand il en eut épuisé deux seaux à s'arroser le torse et que son frère lui eut plusieurs fois versé sur le dos le contenu glacial d'un pot de fer bruni, il se frictionna, enfila une chemise toute blanche à la ceinture brodée et, laissant ses affaires dans la carriole, il s'en fut vers la gare, dégagé, en prenant garde à la poussière.

Aux Eaux-Minérales, la place de la gare avait des allures villageoises ; sur les bords, des poules y grattaient la terre et devant la longue bâtisse, chariots et chars à bancs venaient se ranger en soulevant dans l'air un voile de poussière.

Au contraire, le quai principal, frais et éventé, abrité de bout en bout sous un auvent léger aux fines colonnettes peintes, donnait toujours un avant-goût prometteur des stations estivales de l'arrière-pays. La vigne vierge s'enroulait aux colonnes, tout respirait le loisir et la gaieté ; on eût dit que personne ici n'avait entendu parler de la guerre. Des dames en robes claires, des messieurs en complets de chantoung suivaient les porteurs vers la correspondance de Kislovodsk. On vendait des glaces, de l'eau de Narzan, des ballons multicolores — et des journaux. Sania, lui aussi, en acheta plusieurs qu'il commença de déplier tout en marchant. Il continua de les feuilleter sur un banc du quai de banlieue. Et sur son visage toujours tendrement pensif et bienveillant apparut soudain l'âpreté de l'enthousiasme captivé. Malgré son caractère posé, il ne lisait plus les communiqués jusqu'au bout, il sautait d'une colonne à l'autre, dépliait un second journal, passait à un troisième. Bien, bien! « Notre grande victoire de Gumbinnen! L'ennemi va devoir évacuer toute la Prusse... » En Autriche aussi tout allait bien... Les Serbes eux aussi étaient victorieux!...

Il était assis sur son banc, épanoui, oubliant même qu'il devait aller au guichet, quand soudain une voix enjouée le héla et quelqu'un le saisit par l'épaule — Varia! une vieille amie de Piatigorsk, jadis une petite tête étroite d'orpheline bien lissée, aujourd'hui des cheveux bouffants en largeur — et, tout excitée :

— Sania! Vous?! Quelle coïncidence! Et moi qui comme ça, depuis Pétersbourg, ne faisait que penser au moyen de vous rencontrer! Tout en me disant que ce n'était pas possible. Je voulais même vous envoyer un télégramme au Sabre, mais je sais que vous n'aimez pas ça...

Et la tête bien droite, pour ne pas laisser voir le profil aquilin de son nez excessif, ni son menton planté comme celui d'un homme. Il eût été malhonnête de les remarquer quand on lui faisait une telle fête.

Sania manifesta sa joie, mais de façon distraite. Ils s'assirent l'un à côté de l'autre.

— Vous vous rappelez, Sania, quand nous nous rencontrions à Piatigorsk, par hasard?... Vous partez?... Vous attendez quelqu'un?

Il n'avait pourtant pas l'air trop jeune, ni trop enfantin, mais tout bronzé dans sa chemise blanche si propre, il appartenait tellement à la steppe, comme les ondes à peine assagies de ses cheveux couleur de blé mûr qu'on eût dits roussis par le soleil. Et ces ourire amical entre le triangle de ses petites moustaches, et la promesse sauvageonne de ce qui n'était pas encore une barbe blonde.

— Non, je pars... — La joie de ses yeux n'était jamais simplette et sans mélange, elle reflétait toujours un effort intérieur. — Pour Moscou. — Il regardait autour d'elle, par terre. Comme s'il était fautif. Ou qu'il craignît de la peiner. — Je passerai d'abord par Rostov, j'y ai un ami. D'ailleurs vous le connaissez : Kotia, Constantin.

— Mais vous avez encore trois semaines!... A moins que... Vous pensez qu'on vous?... dit-elle, soudain inquiète. Un étudiant de quatrième année? Mais non... Pourquoi partez-vous, alors? Pour quelle raison?

Il souriait, confus.

— Bien... vous savez... j-je ne tiens plus en place... à la ferme...

C'est vrai, ils s'étaient rencontrés jadis sans même se fixer de rendez-vous. Pleine d'un espoir inavoué, une jeune collégienne sortait avec le soir dans l'avenue principale de Piatigorsk, et c'est le sort qui menait au-devant d'elle un lycéen de trois ans son aîné et qu'elle connaissait bien.

Retrouvés, ils discutaient. Des conversations intelligentes et sévères, pour Varia très importantes : elle n'avait jamais eu d'ami plus âgé qu'elle. Et quand la nuit tombante empêchait éducatrices et pédagogues de les apercevoir, donnant loisir à Sania de lui prendre le bras, il ne le faisait pas. Et elle le vénérait singulièrement pour une si bonne conduite. (Peut-être aurait-il tout de même pu lui prendre le bras, quitte à la respecter moins?)

Plus tard, ils allaient parfois ensemble aux bals des écoles ou à d'autres réunions, mais là encore ils ne faisaient que parler, sans jamais danser. Sania disait que les étreintes de la valse éveillent des désirs que le développement du sentiment n'a pas préparés, et le comte Tolstoï voyait là quelque chose de pernicieux. Varia, soumise à la douceur de ses explications circonstanciées, s'était elle aussi convaincue qu'elle n'avait pas envie de danser.

Par la suite, ils entretinrent encore une correspondance pendant plusieurs années; il écrivait des lettres si raisonnables. Durant ses études, les horizons de Varia s'étaient beaucoup élargis, elle connaissait maintenant toute sorte de gens intelligents, pourtant elle continuait de penser souvent à lui et il lui tardait de le revoir. Malheureusement, retenue par ses leçons, elle ne quittait jamais Pétersbourg en été. Et Sania n'allait jamais là-bas.

C'est pour cela que trois semaines plus tôt, quand elle avait lu, collée sur un kiosque de son île Saint-Basile, la proclamation impériale et qu'ayant traversé la Néva en tramway, elle avait vu sur la place Saint-Isaac les patriotes saccager l'ambassade d'Allemagne et tout le monde se réjouir alentour comme pour fêter, non point la guerre, mais un événement heureux — en cet instant troublé, devant les colonnes brunâtres de Saint-Isaac, le désir imprévu de revoir Sania l'avait soudain tenaillée. D'ailleurs, son souvenir lui revenait toujours quand elle passait devant la cathédrale : Sania, qui n'aimait pas son prénom, disait plaisamment que Pierre le Grand était son homonyme (n'était-il pas né le jour de la Saint-Isaac, d'où la cathédrale?); seulement, on avait choisi pour l'empereur un prénom moins malsonnant, ce qu'on n'avait pas fait pour le petit garçon des steppes.

Varia avait été appelée à Piatigorsk à l'improviste : son tuteur, ou plutôt le riche bienfaiteur qui avait sacrifié de ses biens à son éducation et à celle de beaucoup d'autres orphelines, était tombé malade et l'on avait jugé qu'elle devait le visiter, quoiqu'il n'eût point gardé souvenir de toutes celles qu'il avait gratifiées de ses largesses et que l'arrivée d'une jeune fille inconnue à la gratitude refroidie fût incapable de le ravigoter. Et c'est comme cela qu'à force de s'ennuyer pendant quatre jours à traverser de train en train toute l'immensité de l'empire, l'idée lui était venue d'adjurer le sort (« Sania, rencontre-moi ! Sania, rencontre-moi ! »), comme le faisait jadis la collégienne à la petite tête anguleuse et aux cheveux tirés quand elle remontait de bout en bout la grande avenue de Piatigorsk.

Elle se sentait seule et angoissée. Si sa vie n'avait jamais battu son plein, au moins était-elle consciente de la plénitude du flot qui l'emportait. Or un abîme venait de s'ouvrir et le flot s'y engouffrait en un hurlant maelström; avant que tout ne fût à sec, il fallait faire vite, vite!

Et encore : comprendre — pourquoi tout basculait soudain — où les entraînait l'avalanche. Un mois plus tôt, trois semaines seulement, quel citoyen doué de raison eût douté que le chef de la Russie était une créature méprisable, indigne même d'être mentionnée sérieusement? Qui l'eût cité, sinon pour rire de ses propos? Et soudain, en un jour ou deux, tout avait changé. Des gens qu'on eût dits cultivés, plutôt intelligents, sans que rien les y obligeât, s'attroupaient gravement autour des kiosques — et du haut de ces stupides colosses cylindriques, les interminables titres du monarque ne leur semblaient plus le moins du monde ridicules; sans que rien les y obligeât, des lecteurs bénévoles clamaient à voix haute et claire :

« Face à l'ennemi, la Russie provoquée se lève; elle se dresse pour combattre, le glaive à la main, la croix sur le cœur... Le Seigneur sait que nous prenons les armes sans desseins bellicistes, dédaigneux des ambitions de ce monde, et qu'en luttant pour la dignité et la sécurité de notre Empire protégé de Dieu, c'est une juste cause que nous défendons... »

Tout au long de son voyage, Varia avait pu observer l'appareil de la guerre : la formation des convois militaires, les adieux aux partants. C'est surtout dans les petites gares que les adieux à la russe prenaient un air de fête : au son de la balalaïka, les réservistes dansaient en soulevant la poussière du sol battu et criaient sans retenue comme des hommes ivres tandis que les familles les bénissaient avec des lamentations. Et quand un train de marchandises bourré d'appelés en croisait un autre, il s'élevait des deux trains un hourra fraternel qui s'étirait, insensé, extravagant, forcené, d'un bout à l'autre des deux convois.

Et personne ne manifestait contre le tsar.

Et voici que Sania lui-même ne répondait pas à son angoisse : où cette avalanche les entraînait-elle? Il se laissait emporter lui aussi par le tourbillon qui aspirait tout vers l'abîme. L'ancien directeur de conscience attitré avait-il perdu son bon sens? La clarté d'esprit et la fermeté qu'elle tenait de lui, elle brûlait de les lui restituer, elle brûlait de l'arracher à ce maelström de toute la pauvre force de ses maigres bras... Elle était prise au dépourvu, mais les mots venaient d'eux-mêmes... Ces décennies de « littérature civique », ces idéaux de l'intelligentsia, ce populisme du monde estudiantin, comment en un seul jour abandonner tout cela à l'étouffement? Comment faire litière de ce... Lavrov, et de Mikhaïlovski [1]?... D'ailleurs, n'avait-il pas lui-même dit un jour... ?

Un étranger aurait pensé que c'était elle la belliqueuse qu'il dissuadait doucement de faire la guerre. Elle s'était échauffée; son visage offrait cette rudesse naturelle d'expression, cette âpreté du sourire qui ne le quittaient presque jamais et qui l'enlaidissaient. L'énergie du désespoir avait fait monter puis glisser son chapeau, le plus simple et le moins cher des chapeaux, qu'elle avait choisi non pour son attrait mais pour se protéger du soleil.

1. Pierre L. Lavrov (1823-1900) et Nicolas K. Mikhaïlovski (1842-1904), deux publicistes appartenant à des mouvements populistes, le premier radical, le second libéral. (*N.d.T.*)

Sania laissa retomber son journal. Ne trouvant pas d'arguments à lui opposer, il se justifia gauchement :

— Ce n'est pas la guerre du Japon... On nous a tout de même attaqués. Et qu'est-ce qu'on leur avait fait?

C'était du joli! Se laisser aller de cette façon à des sentiments patriotiques d'un autre âge! Lâcher tous ses principes! Ce n'était pas un révolutionnaire, soit, mais il avait toujours été pacifiste!

Les journaux tenaient sur ses genoux. Il s'était calmement croisé les bras. Il ne se défendait pas et regardait gentiment, approuvant même parfois de la tête. Quelle tristesse.

Et son silence l'épouvanta; elle devina :

— Dites-moi, vous n'iriez pas vous engager comme volontaire?!

Sania fit oui de la tête. Il eut un sourire honteux :

— J'ai de la peine... pour la Russie...

Le flot grondait, rageait, s'engouffrait dans l'abîme!

— Comment pour la Russie? — Elle était touchée au vif. — Pour quelle Russie? Ce crétin d'empereur? Ces Cent-noirs [1] de minotiers? Ces corbeaux noirs de curés?

Sania ne répondait pas, il n'avait rien à répondre. Il écoutait. Mais le fouaillement des reproches ne l'exaspérait pas : il tenait la conversation pour un moyen d'éprouver son caractère, quel que fût son interlocuteur.

— D'ailleurs, est-ce que vous avez le tempérament qu'il faut pour la guerre?

1. Les Cent-noirs (en russe : *tchernossotentsy*), surnom des organisations d'extrême droite ultra nationalistes, souvent impliquées dans les pogromes antisémites vers 1905-1907. (*N.d.T.*)

Elle faisait flèche de tout bois.

Pour la première fois elle se sentait plus intelligente, plus mûre, plus critique, mais le froid du divorce ne l'en poignait que mieux.

— Et Tolstoï! trouva-t-elle encore à dire, pour finir. Qu'est-ce qu'il aurait dit de tout cela, Léon Tolstoï, vous y avez pensé? Où sont vos principes? Où est passée votre logique?

Dans le visage hâlé de Sania, tout bleus entre ses sourcils et ses moustaches dorées, ses yeux tristes et limpides n'avaient pas d'assurance.

Il ne trouva rien à dire. Sinon, après avoir à peine haussé puis rabaissé les épaules :

— J'ai de la peine pour la Russie...

2

Il n'était pas nouveau, pour Sania, de s'empêtrer dans la contradiction, d'avoir des idées qui contrariaient ses sentiments. Il aurait dû, sans doute, commencer par les mettre en accord, mais rien n'était plus difficile.

Avec quelle sincérité il disait que le théâtre et la danse sont des divertissements titillants, pernicieux; pourtant le théâtre l'attirait, et la danse plus encore, ne fût-ce que comme spectateur. Avec quelle rigueur morale il se gardait de manger de la viande alors que son corps en tremblait de besoin, surtout quand il n'en pouvait plus d'avoir passé les gerbes. Dans son hostilité contre la guerre, il était tout aussi honnête. Mais la viande est régulièrement servie dans toutes les assiettes, la viande est une réalité quotidienne; en se battant avec elle, on peut jour après jour, mois après mois, forger son endurance et vérifier ses idées. La guerre, personne ne la lui avait jamais vantée, proposée ou promise, personne ne l'en avait menacé, elle semblait tout bonnement impensable en ce siècle épanoui de civilisation; aussi n'avait-il jamais eu à s'y préparer. Sur la guerre, il n'avait qu'une idée familière : que c'est un péché. A ne pas y regarder de plus près, il était facile de s'en tenir là. Mais pour la première fois, une guerre venait d'éclater et dans l'immensité paisible de la steppe, sous le ciel sans nuages, il entendait son appel. Désemparé, il sentait qu'il ne saurait s'affranchir de cette guerre-là; non seulement il irait, il aurait été lâche d'y manquer, mais il devait même s'engager au plus tôt. A la stanitsa, on ne jugeait pas, on ne discutait pas de la guerre comme d'un événement auquel on pût commander, quelque chose qu'on pût accepter ou rejeter. La guerre et l'appel y étaient reçus par tous comme la volonté même de Dieu, comme la tourmente de neige ou les vents de poussière. En revanche, personne n'arrivait à admettre qu'on pût s'engager comme volontaire. Et après la longue route qu'il avait ce jour-là parcourue, cahoté par la carriole et brûlé par le soleil, Sania n'était pas encore parvenu à une décision claire et définitive. En écoutant Varia, en soutenant le choc des arguments de l'intelligentsia, il n'avait rien découvert de péremptoire : rien qui pût jeter un pont sur le ténébreux abîme qui s'ouvrait devant la Russie. Et il quitta Varia beaucoup plus convaincu qu'avant de la nécessité de s'engager.

Il lui restait encore à demander l'avis de Constantin, son ami de Rostov.

Dans l'omnibus de Bakou, il passa la moitié de la nuit à retourner cela dans sa tête, sur la couchette longitudinale supérieure où il avait tout juste la place de se déplier tout entier. Ils étaient partis très tard des Eaux-Minérales, aux chandelles. La guerre bourrait les trains; en troisième classe, presque toutes les couchettes étaient prises, il était rare d'en trouver une de libre. On étouffait dans les wagons, mais Sania, qui était sur la droite dans le sens de la marche, avait le droit d'abaisser sa fenêtre; il se donna un peu d'air et descendit la grille mobile pour ne pas tomber. Aux fréquents arrêts, des gens traversaient le wagon, accrochaient au passage sa vareuse d'étudiant étendue sur lui, parlaient sur le quai en face de sa fenêtre : il se réveillait, immédiatement assiégé par le pressentiment d'une catastrophe qui n'était pas moins grande du fait qu'elle ne lui était pas personnelle. Quand il jetait un coup d'œil à la bougie de stéarine qui, d'un entre-deux vitré, éclairait à la fois deux compartiments, il devinait à voir la cire coulée combien de temps était déjà passé. La marche du train faisait trembler la flamme et des ombres épaisses oscillaient sous les abattants des couchettes.

Parfois il entendait le nom d'une gare ou cherchait à l'apercevoir par les interstices de la grille : il les connaissait toutes et pouvait les énumérer de mémoire jusqu'aux plus petites, de Prokhladnaïa à Rostov, dans les deux sens.

Il aimait toutes ces stations, toute la région lui était familière : une de ses sœurs mariées vivait à Nagoutskaïa, une autre à Koursavka. Mais, ces dernières années, son affection s'était partagée, depuis qu'il avait fait connaissance avec la Russie originelle, la Russie des forêts, la vraie, celle qui ne commence qu'à Voronej.

C'est des alentours de Voronej qu'étaient issus les Lajenitsyne. Et, pendant son année d'oisiveté entre le gymnase et l'Université, Sania avait obtenu de son père l'autorisation d'aller visiter la patrie de leurs ancêtres (il comptait bien aussi se faire recevoir par Léon Tolstoï).

Le grand-père Euphème, du temps qu'il était encore en vie, racontait comment le tsar Pierre s'en était pris à son arrière-grand-père Philippe qui avait osé s'établir ailleurs sans autorisation : il l'avait expulsé et son courroux était tel qu'il avait fait brûler tout le faubourg. Quant au père de son grand-père, il avait été déporté pour mutinerie loin de la province de Voronej; ils étaient un certain nombre de paysans dans ce cas-là. Mais une fois arrivés, ils n'avaient pas été mis aux fers, dispersés dans des colonies militaires ou encore asservis, on les avait simplement lâchés dans les steppes sauvages d'outre-Kouma, et ils avaient vécu là, indépendants les uns des autres, éloignés par l'abondance de la terre qu'ils n'avaient pas besoin de se partager, labourant et semant çà et là, sillonnant la steppe avec leurs chignoles ou tondant leurs brebis. Ils avaient fait souche.

Par les interstices de la grille, Sania ne voyait que le noir. Soudain, le ciel se mit à claircir, encore et encore. Bientôt il eut supplanté la bougie que l'homme de service vint éteindre. Le blanc fut touché d'une pointe de rose et Sania n'essaya plus de se rendormir; il remonta la grille vers le plafond; en se contournant, il enfila sa vareuse et, tout inondé par le courant d'air froid, il attendit le lever du soleil. Le rose s'ouvrit peu à peu en deux vastes pans, saisissant d'un éclat particulier les menus flocons qu'il rencontrait dans le ciel tandis qu'en son foyer sans cesse attisé il devenait incandescent, vermeil et cramoisi. Enfin irrésistible, il poussa hors de soi un soleil en fusion. A la face du monde, l'astre déploya la rouge prodigalité de ses énergies, submergeant sous sa pourpre l'immensité des steppes, sans rien oublier, sans négliger la moindre parcelle, jusqu'aux confins occidentaux.

Dans l'autre Russie, on voyait beaucoup de beauté, modérée, morcelée, encadrée par les forêts et les collines, mais cet incendie, ce déluge du soleil sur l'univers — jamais.

C'est par un petit matin plaisant comme celui-ci, juste après l'aurore, avant les six heures et, comme maintenant, dans les premiers jours d'août que, quatre ans plus tôt, Sania avait quitté la gare de Kozlova Zasseka pour aller voir Tolstoï. Le pays était plus plein de sève et de fraîcheur que le Kouban en été. Après s'être renseigné à la gare, Sania descendit dans une ravine, gravit l'autre versant et se retrouva dans un bois — vaste, antique, avec de larges troncs majestueusement alignés, un vrai parc, — un bois qu'un homme du sud n'aurait pu s'imaginer, comme Sania n'en avait même jamais vu représenté. Sous la rosée laiteuse, puis irisée, cette forêt détournait le passant du droit chemin, l'invitait à errer, à s'asseoir, s'allonger, rester là pour ne plus s'en aller; elle semblait aussi particulière du fait que l'esprit du Prophète y planait : en effet, Tolstoï devait la traverser à pied ou en voiture pour se rendre à la gare; il ne pouvait pas ne pas y passer, elle était à la limite de son domaine!

Mais non, la forêt montait jusqu'à la grand-route d'Orel et s'y arrêtait. Sania comprit son erreur : ce n'est qu'après avoir franchi la route qu'il redescendit vers le parc de Iasnaïa Poliana. Et il le longea. Le parc était séparé du chemin par un fossé doublé d'une haie touffue. Plus loin, après un tournant, on voyait les colonnes de pierre blanche de l'entrée.

Alors Sania fut saisi par la timidité. Il n'eut pas le courage de passer le portail, de remonter la grande allée, de répondre aux questions des gens qu'il allait rencontrer. Et puis, on pouvait fort bien lui interdire l'approche du Grand Homme, c'était même tout à fait vraisemblable. Aussi lui parut-il plus facile de sauter le fossé et de se faufiler au travers de la haie — pour marcher simplement à l'aventure dans le parc où, sans plus d'erreur possible, Tolstoï avait l'habitude de se promener; pour s'asseoir là où Tolstoï s'asseyait.

Il vit là des sentiers zigzagants, un étang, un autre étang, des passerelles enjambant des eaux dormantes couvertes de lentilles vertes, une tonnelle. Mais, nulle part, ni maison ni personne. Et tandis qu'il errait, longuement, ou qu'il restait assis, contemplatif, dans les reflets et les menues mouchetures du soleil matinal, son désir fut comme assouvi. Comme s'il pouvait déjà repartir pour son Midi, comme s'il eût déjà rendu visite à Tolstoï.

Pourtant il remonta encore une allée de bouleaux, longue, droite, étroite comme un corridor. Après les bouleaux vinrent des érables, puis des tilleuls. Il déboucha sur quelque chose qui n'était pas une clairière, mais une éclaircie du parc prise dans un rectangle de tilleuls et traversée encore en long, en large et en travers par de petites allées. Et quelqu'un qu'on voyait par intermittence y marchait d'une allure assez vive. Sania se cacha derrière un gros tronc, aux aguets. Et il *le* vit : c'était *lui*, l'homme aux cheveux blancs, l'homme à la barbe blanche! avec sa longue chemise russe à ceinture étroite. Plus bas de taille qu'il ne l'aurait dit, mais si semblable à ses portraits qu'il crut en avoir la berlue.

Tolstoï avait une canne à la main, il regardait à ses pieds. Sa canne, soudain, se coinça, il s'arrêta et, près d'une minute, resta immobile à fixer le sol au même endroit. Il repartit. Sa tête pénétrait tour à tour dans l'ombre épaisse du matin et dans la lumière du soleil; la casquette en toile qui l'enserrait lui faisait alors comme un nimbe resplendissant. Il fit ainsi le tour du rectangle, puis recommença, passant dans l'un des coins tout à côté de Sania.

Celui-ci était captivé. Il aurait pu rester une heure ainsi, la poitrine appuyée contre l'arbre, les doigts refermés sur les sillons de l'écorce, à tendre le cou pour mieux voir. Il ne voulait pas gêner la méditation matutinale du Prophète. Mais il eut peur : si Tolstoï allait passer devant lui pour la dernière fois et repartir vers la maison? Si quelqu'un survenait et commençait à parler avec lui?

Alors, la témérité cognant à grands coups dans sa poitrine, il sortit dans l'allée, à bonne distance pour que Tolstoï ne fût pas saisi à l'improviste. Il ôta sa casquette de collégien (qu'il devait porter toute l'année, jusqu'à ce que son père lui eût permis d'aller à l'Université) et resta planté là, muet.

Tolstoï avait vu. Tout en s'approchant, il regarda la casquette ôtée bas, la chemise non réglementaire boutonnée sur le côté. Il fit une pause. Que de soucis sur son visage! son front en restait tout plissé.

C'est pourtant lui qui dut saluer le premier son adorateur muet :

— Bonjour, collégien.

Lequel des deux venait voir l'autre? Qui des deux cherchait l'autre?

Comme s'il eût entendu Dieu le Père en personne, Sania, la gorge sèche, répondit faiblement :

— Bonjour, Léon Nikolaïevitch!

Et ne trouva rien d'autre à dire. Tolstoï dut s'arracher à ses réflexions pour se concentrer ailleurs. Il en avait vu, de ces visiteurs, de ces collégiens; il savait par avance ce qu'ils pourraient lui demander et ce qu'il devait leur répondre, toutes choses qu'ils auraient pu lire dans ses œuvres et que, pour quelque raison, ils ne voulaient pas lire, mais entendre de sa bouche.

— D'où êtes-vous donc, collégien? demandait poliment le grand vieillard, sans poursuivre sa route.

— Du pays de Stavropol, district d'Alexandrovskoïe, dit Sania d'une voix toujours rauque, mais redevenue audible. — Et il retrouva ses esprits; toussant pour s'éclaircir la gorge, il se hâta de dire : Léon Nikolaïevitch, je sais, je trouble vos pensées, votre promenade, excusez-moi, mais je suis venu de si loin... je n'attends de vous que quelques mots : dites-moi si j'ai bien compris... Quelle est la fin de l'existence humaine sur cette terre?

Mais il ne dit pas comment il la comprenait, et attendit. Les lèvres de Tolstoï, qui n'étaient pas complètement noyées dans sa barbe, se joignirent sans effort pour redire les paroles mille fois dites :

— Servir le bien. Et ce faisant, contribuer à l'établissement du Royaume de Dieu sur la terre.

— Oui, je comprends bien! dit Sania, en proie à l'émotion. Mais, dites-moi, servir le bien — comment? Par l'amour? Nécessairement par l'amour?

— Sans doute. Uniquement par l'amour.

— Uniquement? — C'est cela que Sania était venu chercher. Il se sentait désormais plus à l'aise, il parlait plus librement, retrouvant déjà sa manière flegmatique. Il posait une question pour la forme, mais elle contenait en partie sa réponse et il en profitait, selon un trait propre aux adolescents, pour signifier à son auguste interlocuteur une opinion qui n'était pas si négligeable : Léon Nikolaïevitch, êtes-vous bien certain de ne pas exagérer la puissance d'amour contenue en l'homme? Du moins celle qui subsiste dans l'homme moderne? Qu'est-ce qui se passera si l'amour n'est pas aussi fort, pas aussi fatalement nécessaire chez tous les hommes et s'il ne prend pas le dessus? Parce qu'alors votre enseignement s'avérerait... stérile? Du moins — très-très prématuré? Est-ce qu'il ne faudrait pas prévoir quelque stade intermédiaire où les exigences seraient plus modestes?... On pourrait par exemple commencer par inciter les hommes à la bienveillance universelle? Et ensuite seulement à l'amour? — Et, avant que Tolstoï ne lui réponde, au tout dernier moment : Parce que, comme j'ai pu le constater, chez nous, dans le sud, eh bien, la bienveillance universelle, elle n'existe pas, Léon Nikolaïevitch, elle n'existe pas!

Ses propres soucis n'avaient pas encore abandonné le front sillonné du vieil homme et ce collégien venait de lui poser une question qui n'arrangeait pas les choses. Pourtant, après un regard ferme dardé sous la broussaille de ses sourcils, le maître à penser lança, imperturbable, la vérité qu'il avait toute sa vie contrôlée, portée en lui :

— Uniquement par l'amour! Uniquement. Personne ne trouvera jamais rien de plus juste.

Et il sembla ne plus vouloir parler. Comme s'il se fût éteint, comme s'il était vexé pour sa vérité. Il voulait poursuivre sa promenade rectangulaire et reprendre le fil de sa réflexion.

Souffrant d'avoir chagriné l'homme qu'il adorait, déjà prêt à remiser le problème qui lui tenait le plus à cœur, l'édulcorant non sans tenter d'en sauver pour lui-même un petit quelque chose, Sania reprit à la hâte :

— Moi, bien sûr, je ne veux pas autre chose, par l'amour! Et c'est comme ça que je ferai. C'est comme ça que j'essaierai de vivre — pour le bien. Mais il y a encore autre chose, Léon Nikolaïevitch. Je suis attiré par la poésie et... j'écris des vers. Dites-moi : je peux?

Ou bien est-ce quelque chose d'absolument incompatible?

Le regard du vieillard s'adoucit, mais sans plus de gaieté :

— Quel plaisir pouvez-vous trouver à disposer les mots en rang comme des soldats pour que les sons soient en écho? C'est là un jeu d'enfant. Ce n'est pas naturel. Les mots sont faits pour exprimer des idées!... Avez-vous jamais rencontré beaucoup d'idées dans les vers? Lisez vingt poèmes, essayez ensuite de vous souvenir de quoi ils traitent : vous mélangerez tout. C'est comme les anecdotes : on les entend un jour et le lendemain elles sont oubliées. — Le front de Tolstoï s'assombrit encore plus. Son regard passait à côté du collégien. — On écrit beaucoup de vers aujourd'hui. Mais à quoi sont-ils bons? A rien.

Contrarié, il repartit de son pas traînant, sa canne à la main.

Sania n'attendait pas autre chose à propos de la poésie, il n'avait pas été surpris. Malgré Tolstoï, il se sentait attiré en secret par les rythmes et les rimes, et il inscrivait parfois quelques vers pour rire dans l'album d'une jeune fille. Mais il avait beau ne pas se livrer tout entier à la poésie, il ne faisait aucune économie sensible de temps et n'en découvrait pas pour cela le moyen le plus rapide d'instaurer sur terre le Royaume de Dieu.

Il se trouvait coincé par les vers dans la même contradiction que par les femmes. Car si les femmes l'attiraient, ce n'étaient certes pas les bonnes, les intelligentes, celles dont la conduite était la meilleure. Ainsi Varia : il aurait pu lui apporter la lumière, il aurait pu sans peine la maintenir sur la bonne voie, mais il ne lui écrivait que rarement et, aux Eaux-Minérales, il n'avait pas cherché à faire durer leur entretien. Pour la bonne raison (une raison bien vile) qu'il ne lui disait rien de la prendre dans ses bras et de l'embrasser. La petite Lena de Kharkov, par exemple, avec ses longs cheveux noirs, sa guitare et ses chansons tziganes, sa morale sur certains articles assez libre, ce n'est pas sans un doux pincement au cœur qu'il se la rappelait et il ne savait pas s'il trouverait la force de ne pas aller la voir en montant à Moscou.

En somme, ses meilleures idées et sa plus belle foi ne reposaient pas sur le granit.

D'ailleurs, il n'avait jamais eu confiance en soi, chaque année dérobait un peu plus le sol sous ses pieds. Bien des fois il avait désespéré de vaincre l'obstination de son père et s'était senti entraîné par une destinée de rustre des steppes. L'année qui suivit sa visite à Tolstoï, il s'adonna aux travaux des champs, se bornant à lire un peu, n'importe quoi, surtout du Tolstoï. Quand il put enfin partir pour Kharkov, on ne l'accepta pas aussitôt : son prénom d'Isaac lui fermait toutes les portes, le quota légal d'élèves juifs était déjà partout atteint. Or Isaac avait tellement langui de franchir le seuil de l'Université, il avait tant espéré, si souvent désespéré, qu'un jour il arriva hors d'haleine avec un certificat de baptême. Et ce n'est qu'après avoir été inscrit que, sans entendre de personne le moindre reproche, il éprouva au milieu de sa joie d'enfant comme une morsure : il n'était parvenu à ses fins que parce qu'il avait pu prouver qu'il n'appartenait pas à ce peuple par lequel Jésus-Christ était venu à nous. Cela laissa en lui une marque longtemps indélébile. Les cours de la Faculté d'histoire et de philologie commencés, il se découvrit parmi les étudiants de la ville sommeillant et ignare comme un paysan. Il comprit alors que son gymnase n'était pas des meilleurs. Il comprit aussi au bout d'un an d'études que l'université de Kharkov, elle non plus, n'était pas des meilleures. L'année finie, il trouva suffisamment d'audace pour décrocher et il passa à l'université de Moscou (en entraînant Kotia avec lui).

Longtemps encore il garda l'impression d'être attardé, inachevé, incapable d'atteindre au cœur des problèmes. Il s'embrouilla dans l'abondance des vérités, il fut torturé par la persuasion de chacune. Tant qu'il n'avait eu que peu de livres en main, il s'était senti bien, et sûr de lui-même — c'est en septième [1] qu'il s'était reconnu tolstoïen. Mais on lui donna à lire Lavrov et Mikhaïlovski, et cela lui parut correct, et si vrai! — Plekhanov — encore vrai, et si bien enveloppé, si rondement dit! — Kropotkine — toujours vrai, également bien senti. Puis il ouvrit les *Jalons* [2] et il se prit à trembler : c'était tout l'inverse de ce qu'il avait lu jusque-là, mais tout aussi vrai! d'une vérité poignante!

Et les livres, au lieu de lui donner comme jadis une joie respectueuse, commencèrent à lui faire peur. Peur d'être à jamais incapable de résister aux écrivains. Peur de se laisser toujours entraîner et soumettre par le dernier qu'il aurait lu. Il osait tout juste ne plus

1. Vers quinze ans. (*N.d.T.*)
2. *Viékhi :* recueil d'articles souvent composés par d'anciens marxistes dénonçant le négativisme des intellectuels de gauche et l'immobilisme du gouvernement (1909). (*N.d.T.*)

être toujours d'accord avec les livres quand cette guerre avait éclaté; le savoir lui échappait, avec le temps irrémédiablement perdu.

Le train approchait d'Armavir. Dans le wagon dormant à demi, Sania sauta définitivement de sa couchette et réussit à se laver avant la fermeture. On resta vingt minutes en gare, on changeait de locomotive. Le quai matinal était propre, calme, désert; là encore, rien ne disait la guerre. Au buffet, Sania tira d'un petit sac ses provisions de la stanitsa et déjeuna avec du thé sucré, fort et brûlant; il ne prit rien d'autre.

On repartit. Il resta près du tambour. Du côté ensoleillé, la locomotive crachait maintenant des escarbilles; Sania ouvrit la portière de l'autre côté et se pencha au-dessus de la voie. Cet énorme tournoiement des étendues bigarrées de la glèbe généreuse n'était jamais ennuyeux. Accrochée à chaque wagon, une ombre noire s'étirait en tremblant dans les champs et plongeait dans les creux, tandis que le reste de la steppe était illuminé par la tendresse du petit matin qui, sans être encore jaune, n'était déjà plus rose.

Les forces de la jeunesse emplissaient joyeusement son corps, elles lui promettaient la vie, la vie, — pourtant il ne reverrait peut-être plus jamais cette steppe du Kouban et le soleil matinal sur l'océan des blés.

On passa Koubanskaïa. Mais Sania ne revint pas à son compartiment, il resta près de la portière ouverte, dans le courant d'air de la vitesse — à regarder toujours et encore, en se faisant peu à peu à la nécessité de l'adieu.

Une propriété isolée apparut, une « économie » comme on dit dans le nord du Caucase. Plantations épaisses, régulières, déjà hautes au milieu de la steppe. Des tombereaux pleins passaient. Des bœufs tiraient une locomobile, une batteuse. Des bâtiments tournoyaient, habitation, exploitation. D'une percée dans la chaîne de peupliers qui accompagnait le train surgit l'étage supérieur d'une maison de briques, avec ses jalousies et, sur un balcon d'angle en bois sculpté, la silhouette précise d'une femme vêtue de blanc — le blanc de l'insouciance et du loisir.

Sans doute jeune. Sans doute charmante.

Et tout disparut derrière les peupliers. Et jamais il ne la reverrait.

3

Dès la première déchirure du sommeil, avant même de se souvenir combien elle était jeune, quelle belle journée d'été elle avait devant elle et comme on pouvait vivre heureux, une froideur obtuse la pénétra : leur dispute! Elle était de nouveau brouillée avec son mari, depuis la veille.

Elle ouvrit les yeux : il n'était pas dans la chambre. Elle était seule. Elle claqua les volets du côté du parc. Quelle matinée! L'air avec ses fraîcheurs d'ombrage! Les sapins argentés de l'Himalaya qui abaissaient leurs branches plus bas que les fenêtres du rez-de-chaussée...

Quel bonheur souhaiter?... C'est sur son désir que ce

parc tout entier avait poussé au milieu de la steppe nue. Elle pouvait commander à l'instant n'importe quel objet dans le monde entier et se le faire livrer, n'importe quelle parure de Pétersbourg ou de Moscou.

Leur dernière grande dispute avait duré trois jours, trois journées de silence, d'ignorance réciproque, chacun de son côté. Mais, arrivée la Transfiguration, Irène était allée avec sa belle-mère à l'église d'Armavir. L'envolée des hymnes liturgiques, l'homélie du brave officiant, puis, tout autour de la cour de l'église, la joyeuse bénédiction des pyramides de pommes multicolores, des seaux et des pots de miel, la splendeur au soleil flambant des ornements sacerdotaux, des bannières, des encensoirs reluisants et les fumées d'encens emportées par le vent, tout cela l'avait mise dans un état d'âme si céleste, rendant les affronts de son mari si insignifiants, si petits devant l'univers et le projet divin, devant la guerre aussi, qu'elle s'était décidée non seulement à lui demander pardon pour cette fois, quoiqu'elle ne fût rien moins que coupable, mais encore à ne plus tolérer la moindre dispute, ou, s'il s'en produisait pourtant, à s'excuser la première sans attendre — car tout le christianisme était là. Et, à son retour de la messe de la Transfiguration, Irène avait demandé pardon à son mari. Romacha, qui n'attendait rien d'autre, s'en était fort réjoui; il avait sur-le-champ absous sa femme et lui avait à son tour généreusement demandé d'en faire autant.

Mais ils n'avaient pu vivre en bonne intelligence que du mercredi au dimanche. De nouveau ils s'étaient querellés si méchamment qu'il ne leur était plus possible de se parler.

Dans le corridor, la femme de chambre demanda en chuchotant ses instructions à Irène Stepanovna. Elle n'en avait pas encore à donner. Elle passa dans la salle de bains en marbre rouge et blanc.

Puis elle pria devant la Vierge. Mais elle ne se sentit pas purifiée.

A sa toilette, elle ne fut pas du tout soulagée de voir dans son miroir à trois faces cette peau d'un rose si naturel, ces épaules rondes, ces cheveux jusqu'aux hanches (quatre seaux d'eau de pluie pour les laver).

Elle passa du côté ensoleillé, sur le balcon-véranda, plissa les paupières en regardant passer un train, sans doute l'omnibus de Bakou. Le spectacle des trains à cinq cents mètres de la maison des Tomtchak était des plus vivants. Il n'est jamais fastidieux de découvrir et d'accompagner les wagons du regard, de jouer à les compter : pair ou impair.

Beaucoup de ceux qui voyageaient désormais avaient la même destination : la guerre... A la guerre... Pour la guerre...

C'est justement ce qui, la veille, avait allumé leur dispute : Irène avait dit avec trop d'expression combien la situation de la Russie lui semblait difficile et combien ses fils devaient... Sans penser à son mari. Sans penser que cela dût avoir de telles conséquences! Elle avait parlé du danger teuton de façon générale... et Romain avait pris cela pour lui. Il l'avait traitée de patriote bornée, de monarchiste attardée, de digne fille d'un père ignare et tyran domestique; il avait dit qu'elle était incapable de comprendre combien, dans ce pays sauvage, on avait besoin de cerveaux clairs et entreprenants tels que lui. La dernière des dernières aurait reculé à envoyer son mari à la guerre, mais elle...

C'est toujours le genre de disputes qu'ils avaient eues, plutôt des disputes d'hommes : à cause du souverain, dont Romain ne cessait de se moquer; à cause de la foi, dont il n'avait rien gardé (ce qu'il cachait pourtant, eu égard aux convenances).

L'offense n'eût pas été si grande si Romain n'avait pas mêlé son beau-père à l'affaire. Un ignare!? Oui, il avait commencé comme journalier, il était fils d'un soldat de Nicolas. Un tyran!? Et à qui donc Romain s'était-il présenté et avait-il essayé de plaire? Toujours pas à la fille! Et c'est lui qui avait été choisi parmi tous les prétendants : « Çui-là, l'argent y brûlera pas les mains. »

Son père était longtemps resté sans enfant. C'est sur ses vieux jours qu'il avait versé quarante mille roubles à l'archevêque de Stavropol pour pouvoir se remarier. Et c'est de cet amour qu'était née Orina. Oria! Il ne l'appelait jamais autrement [1]. Dès qu'elle avait eu dix-sept ans, comme il se sentait proche de sa fin, il s'était hâté de la tirer de sa pension pour la marier aussitôt, de son vivant. Maintenant il apparaissait qu'il s'était trop pressé. Et qu'il fallait le regretter. Il aurait dû lui permettre de s'amuser un peu. De s'amuser. Il aurait bien pu, aussi, lui permettre de choisir elle-même son mari.

Mais ce qui est fait est fait. Et Oria non seulement n'osait rien reprocher à son défunt père, elle n'osait

1. *Orina* est une forme populaire du prénom *Irina*, Irène. De nombreux diminutifs sont formés qui commencent par Ir- ou par Or-; dans notre texte : Ira, Irotchka, Iroucha, Oria... (*N.d.T.*)

même pas envisager, ni regretter, une autre destinée. Seule l'âme qui ne croit pas regrette ce qui n'a pas été. Une âme croyante se fonde sur ce qui est, elle y plonge ses racines pour grandir — c'est ce qui fait sa force.

Son destin s'était accompli et Oria, soumise, avait accepté le mari qu'elle n'avait pas choisi. Elle lui avait abandonné sans partage toute sa dot, sans contrat. Toute son indépendance actuelle, son inépuisable richesse, ses loisirs, ses libres équipées dans les capitales et à l'étranger, Romain les devait au père d'Oria et non au sien, au moins aurait-il pu parler de lui sans injures...

Il était temps de descendre déjeuner. Un escalier intérieur en bois menait au rez-de-chaussée. Au-dessus du palier supérieur rêvait un paysage de Tsarskoïe Selo, au-dessus du palier inférieur un Tolstoï au regard en coin; ils avaient été peints par un artiste italien qu'on avait fait venir de Rostov.

La salle à manger était en imitation de noyer; le buffet, de noyer justement, était énorme et le cuir des meubles, vert mousse, faisait penser à de la peau de grenouille. Des citronniers en pots obscurcissaient les fenêtres du parc. La table au milieu de la pièce, qui pouvait suffire à vingt-quatre personnes, était ouverte pour douze, mais elle ne portait que deux couverts à cheval sur un coin : la belle-sœur d'Irène dormait, son mari n'était jamais attendu si tôt pour le petit déjeuner; quant à son beau-père, il lui arrivait très souvent de prendre son break aux aurores pour filer visiter ses deux mille hectares de steppes. Ce jour-là, il était en voyage à Iekaterinodar depuis trois jours; le destin de Romacha était en train de se jouer, tout le monde y pensait et personne n'en parlait.

En souhaitant le bonjour à sa belle-mère, Irène s'inclina pour embrasser sa joue large et pleine. Depuis ses cinquante ans, tout le visage d'Eudoxie Iliinitchna n'était plus que rondeur excessive et calme bien assis. Elle ne semblait plus atteinte par de nouveaux soucis ni avoir jamais connu le chagrin, tellement tout, dans son visage, était noyé, dissous, apaisé. Pourtant, il y avait eu dans sa vie cette semaine où elle avait d'un coup perdu six enfants de la scarlatine; seule Xénia, la plus petite, avait été arrachée au danger comme à un incendie, sans compter Romain et sa sœur aînée qui étaient déjà des adultes. Parfois, quand sa belle-mère l'indignait, Irène songeait à cette semaine-là.

Elle se signa devant l'icône de la sainte Cène (accrochée dans la salle à manger à cause de son sujet) et s'assit. C'était le jeûne de l'Assomption, il n'y avait sur la table ni viande ni lait et le café sans crème fut servi par une fille de cuisine; le laquais ne se montra pas.

Fille d'un simple forgeron de village (et, moins bien vêtue, c'est pour quoi on l'aurait prise : pour une brave campagnarde), Eudoxie Iliinitchna n'avait jamais pu s'habituer, malgré tant d'années, à trôner à table en châle de dentelle comme les dames à qui on vient présenter tout ce dont elles ont besoin. Elle prenait plaisir à découvrir ce qu'on avait oublié pour aller elle-même le chercher et, certains jours, écartant les cuisinières, elle préparait en personne, dans une casserole grande comme un seau, un *borchtch* à l'ukrainienne. Ses enfants, qui avaient honte devant les domestiques, réussissaient à l'arrêter et, quand il y avait des invités, ils l'obligeaient à ranger son éternel tricot dont la pelote traînait toujours à ses pieds.

A la buanderie, elle s'efforçait de contrôler la dépense de savon et de charbon de bois; elle avait interdit d'y accepter la lingerie fine de sa bru (« Pourquoi mettre des choses chères? Qui c'est qui les voit? »); elle portait et faisait porter à tous ceux qu'elle pouvait du linge grossier cousu par les nonnes. N'avait-elle pas vécu avec son mari dans une cabane de pisé du temps qu'ils n'avaient que dix brebis? La vieillesse venue, elle ne croyait toujours pas à la stabilité de sa fortune. Elle n'arrivait pas à déceler avec précision toutes les fuites (il y en avait partout) par où s'écoulait leur richesse pléthorique; les gens empruntaient, prenaient, volaient; il y avait les dix domestiques, les dix hommes et femmes de peine, sans compter les Cosaques — et combien d'employés, d'ouvriers : secrétaires, commis, gardiens, magasiniers, palefreniers, bouviers, mécaniciens, jardiniers... comment les avoir tous à l'œil? Était-ce, d'ailleurs, bien utile? Qui beaucoup a, beaucoup perdra. Mais Eudoxie Iliinitchna, qui acceptait le cours de cette vie d'abondance comme l'alternance réglée par Dieu de la pluie et du beau temps, vérifiait dans la mesure de ses forces ce qu'il restait de fil et de rognures de tissu à sa couturière à l'année. Zacharie Ferapontovitch pouvait toujours faire cadeau d'un vieux costume à un chemineau, Eudoxie Iliinitchna envoyait aussitôt quelqu'un de ses gens à la poursuite du va-nu-pieds pour lui reprendre le cadeau. En revanche, par sa sœur Archelae qui était en religion, leur maison était maintenant connue d'une kyrielle de moines, de nonnes et de pèlerins pour qui on ne plaignait pas son argent; et les jours gras donnaient double tâche aux domestiques qui devaient préparer à part des repas maigres pour cette penaille monastique. Et Zacharie Ferapontovitch envoyait au monastère de la Téberda de grands camions à bœufs chargés de provisions. Mais là, Irène remporta une victoire, elle sut convaincre son beau-père que les religieuses sont des créatures astucieuses et mensongères, qu'elles ne veulent pas travailler et qu'il serait plus agréable à Dieu de réserver ses largesses aux ouvriers et de leur donner, en saison, de la viande quatre fois par jour. Ce qui fut fait.

D'une incorrigible ingénuité, sa belle-mère lui demanda cette fois encore :

— Cette nuit avec Romacha, encore à hue et à dia?

Irène baissa la tête, qu'elle portait toujours droite. Ce qui la fit rougir, ce ne fut point la balourde simplicité de la question, mais cette désespérance dont elle languissait elle-même depuis huit années : sa belle-mère avait bien le droit d'être grossière et son mari de s'irriter.

Le visage rustique d'Eudoxie Iliinitchna, au-dessus de ses épaules et de sa poitrine étalées en largeur, exprimait, en regard de sa constante égalité d'humeur, la stupéfaction :

— Une femme mariée faire chambre à part? J'ai jamais rien entendu de pareil... Si encore c'était lui qui t'avait chassée, j' t'aurais rien dit.

Ce n'est pas seulement son fils, c'est tous les hommes qu'elle justifiait toujours devant toutes les femmes.

— Si c'est comme ça, on n'a guère de chances de voir un jour...

L'énorme horloge sonna et joua « Qu'il est glorieux, notre Dieu » ; elle avait été achetée dans une vente aux enchères où le Trésor dispersait les biens tombés en déshérence d'une branche éteinte des Rurikovitch.

— Faut faire ployer ton orgueil, ma petite Iroucha...

Ah, ne pliait-elle pas, n'avait-elle pas toujours plié quand il s'agissait de « cette turpitude »? Et puis, sa belle-mère, que savait-elle de l'orgueil? Son mari avait osé, sous le coup de la colère, lui cracher au visage par-dessus la table, au sens propre, un gros crachat bien gras! — sans qu'Eudoxie Iliinitchna fît autre chose que s'essuyer avec sa serviette, sans bondir, sans crier. C'est Irène qui avait bondi : « Romacha! Allons-nous-en! Nous ne pouvons pas vivre ici! » — et son beau-père, jetant sa fourchette à terre, s'était levé pour partir le premier. A vrai dire, quand la femme est soumise, la colère du mari tombe aussitôt et le différend avait bien vite été oublié. « Ma bonne vieille! » disait bientôt Zacharie Ferapontovitch à sa femme tout en la câlinant. Mais n'était-ce pas trop cher payer?

Quand elle priait, Irène demandait bien d'elle-même douceur et humilité, mais quand sa belle-mère cherchait à les lui inculquer, elle sentait automatiquement quelque chose de sombre monter du fond d'elle-même :

— Pourquoi l'avoir tellement gâté, tellement idolâtré? Moi qui dois vivre avec lui!

— Qu'est-ce que t'y trouves donc de mal, à mon fils?

Elle était étonnée, si sincèrement, ses yeux restés si purs, qu'Irène n'eut pas le cœur de lui rappeler, par exemple, cette scène à la porte du *cabinet*, devant tous les domestiques, — pour une parcelle à ensemencer : « Fils de pute! » criait Zacharie Ferapontovitch, les yeux pourpres, en tapant du pied. « Fils de pute toi-même! » lui criait Romain Zakharovitch. Le père avait frappé son fils à toute volée de son lourd bâton de noyer et le fils, saisi du même accès de rage primitive, avait tiré un revolver de la poche de son costume anglais. Irène s'était suspendue à son mari : « Maman! La porte à clé! » Et c'est ainsi qu'on les avait séparés. Romain, vexé, était parti. Ses parents alarmés lui avaient immédiatement envoyé télégramme sur télégramme : « Mon petit garçon, reviens, rentre à la maison! »

Ce jour-là encore, le père et le fils étaient fâchés. Entre eux la brouille était plus fréquente que la bonne entente.

Le petit déjeuner était terminé. Irène se leva et s'en alla, toute vêtue de toile, de sa démarche égale et majestueuse, élaborée à la pension. Elle traversa la natte dorée qu'on laissait en place pour l'été, passa devant les cristaux exposés et, reprenant l'escalier, elle en descendit les dernières marches devant un autre Tolstoï — qui, celui-ci, labourait — pour sortir par le perron d'honneur.

C'est Romain qui avait insisté pour qu'on peignît tous ces Tolstoï. Au vieux Tomtchak, il avait expliqué que ça se faisait chez les gens bien, que Tolstoï était l'un des grands hommes de la Russie et qu'il était comte. Il l'honorait et le célébrait, quant à lui, pour son refus de la confession et de la communion qu'il haïssait.

Avec tous ses jardins et ses dépendances immédiates, la propriété occupait cinquante hectares. Irène avait où aller : à la buanderie, installée comme chez les colons allemands; dans les caves, pour examiner les réserves avec l'économe; dans les baraquements, pour visiter les femmes des ouvriers temporaires; et, pourquoi pas, dans les serres.

Mais où qu'elle choisît d'aller, il lui faudrait décider si elle tenterait ou non de faire sa paix, si elle se réconcilierait ou non...

Irène partit au travers du parc, en s'obligeant à ne pas se retourner, à ne pas lever la tête vers la véranda d'où il devait l'épier. Pour qu'on le sût outragé, il était capable d'y rester tapi un jour, deux jours, comme en prison, sans même sortir faire un tour dans la cour ou la maison.

Elle passa sous les sapins de l'Himalaya. On avait tellement craint de ne pas les voir prendre. Du jardin des grands-ducs, en Crimée, on les avait livrés déjà grands, en mottes, dans des panières, chacun portant l'indication du côté qu'il fallait planter à l'est.

Plus loin serpentaient des allées de lilas, de marronniers et de noyers.

« Pou' fé des sous, faut d' la jugeote », avait coutume de dire Zacharie Ferapontovitch. Il en fallait encore bien plus, et du goût par surcroît, pour les dépenser. Les Mordorenko, qui avaient eux aussi de l'argent à ne plus pouvoir le compter, comment le dépensaient-ils? Ils avaient longtemps vécu comme de sombres péquenots; Jacob Fomitch, pour s'embellir, s'était fait paver la bouche de fausses dents en platine, et ses fils, les mâtins, jouaient à pile ou face avec des pièces d'or en place de billon. Tomtchak, lui, un jour qu'avec Tchepournykh il achetait à

Pétersbourg six mille hectares de terre du Kouban à deux frères comtes, avait été saisi par la prodigalité : « Si on régalait les comtes? Pis pas à leur magnère, avec leurs petites mignonneries! » Mais une fois au restaurant Palkine, à court d'imagination, ne sachant que leur offrir, il n'avait pu que commander : le plus possible, et le plus cher possible.

C'est de son fils et de sa bru que Zacharie Ferapontovitch tenait l'art d'accommoder la vie. Du côté de la voie ferrée furent plantés en grand nombre des peupliers balsamiques et pyramidaux, qui formaient des allées assez larges pour laisser passer de front deux attelages de trois chevaux. Aux approches du soir, par les jours de soleil, les peupliers embaumaient, et le rude propriétaire des steppes reconnut un jour : « Fâmeux, Iroucha, vraiment fâmeux! » On mit des platanes dans la cour d'honneur. Iroucha eut l'idée de faire creuser un étang non loin de la maison, avec fond cimenté, baignade, eau changeable prise au robinet. La terre extraite fut transportée ailleurs et on en fit un petit monticule qu'on coiffa d'une tonnelle. Ainsi se composait peu à peu l'un de ces parcs qui sont le signe des anciens patrimoines, qu'ils distinguent et différencient des environs par la propriété de leurs paysages. Qu'il soit au milieu des steppes, de la forêt ou des marais, le parc vit selon sa loi propre, c'est une autre terre. Au bout du parc on mit le nouveau verger; on y transplanta de l'ancien près de deux cents arbres fruitiers, qui reprirent. Derrière le verger, le vignoble. Autour de la tonnelle, Irène fit semer du gazon de Mauritanie; près de la maison, elle avait voulu un parterre d'herbes et une roseraie; sur les pelouses de la cour d'honneur, un ray-grass anglais vert émeraude que rasaient des tondeuses à gazon.

Mais Irène consacrait un soin tout spécial aux deux orangeries : la basse, pour les fleurs de printemps qui ornaient la table dès la Pâque, et la grande, où les lauriers-roses hivernaient dans leurs baquets avec les palmiers, les yuccas, les araucarias et des centaines de pots contenant de petites fleurs qu'à part Irène, personne ne pouvait désigner par leur nom que le jardinier des serres, distinct du jardinier ordinaire. Tous ces délicats pensionnaires devaient être passés en revue presque quotidiennement; il fallait parfois les aider à subsister, en été les sortir et les rentrer, à la mauvaise saison porter ceux qui fleurissaient dans le jardin d'hiver et remporter à l'orangerie ceux qui étaient fanés.

Parmi la diversité des parfums, des formes et des coloris, entourée de la tendresse et de la croissance des fleurs, Irène se sentait de plus en plus sûre de soi et protégée des offenses de son mari.

Elle se disait — idée extravagante — que Romain se mettrait à sa recherche dès qu'il se réveillerait. C'eût été impossible en temps normal, mais il y avait la guerre, il n'était pas exclu qu'ils soient séparés — peut-être se laisserait-il toucher? Si elle désirait qu'il vienne, ce n'était pas pour avoir le dessus; c'était pour lui, surtout; pour être certaine qu'il avait un cœur.

4

Non, nulle part on n'est bien comme chez soi! Le lit est si agréable; la chambre, encore sombre, si bleue tandis que les rayons du soleil donnent dans les persiennes. On est si sûr de pouvoir paresser — un jour, une semaine, un mois au besoin!

Entre ce bon sommeil si long et cette bonne vie si longue, Xénia, avec un bâillement doux, si doux, en s'étirant, se rétirant, serra ses petits poings au-dessus de sa tête.

Une vie condamnable, certes, et pleine de laisser-aller; elle ne pourrait pas s'en vanter en détail auprès de ses amies; une vie bien fruste et bien laide, mais si bonne tout de même ! Pleine de quelque chose de si bon, qui ne pouvait être saisi que par elle et ses parents, et seulement ici. Les plaisirs moscovites étaient bien sûr inégalés : danse, théâtres, débats, conférences publiques, sans oublier les cours — tout cela faisait tourner la tête; mais ici, en se réveillant, on pouvait faire la grasse matinée tout à son aise. Il est tout de même bien agréable de jouer à la petite dame.

Quelqu'un derrière la porte toussota, frappa.

— Xénia, tu ne dors pas?

— Je ne sais pas encore, pourquoi?

— Il faut que j'aille au coffre, j'en ai pour une

minute. Enfin, si tu veux dormir... je peux le faire plus tard...

C'est quand on vient à peine de s'éveiller qu'il est agréable de s'attarder au lit. Si quelqu'un vous attend, tout le plaisir est gâté.

— Soit! cria Xénia et elle se dressa d'un coup sur son lit sans s'aider de ses bras, à la seule force de ses jambes. Entravée par sa longue chemise de nuit, les pieds nus, elle courut sur le tapis jusqu'à la porte dont elle ôta le crochet : Attends! n'entre pas! — et hop dans le lit ! Elle fit chuchoter la moustiquaire et tira la couverture : — Tu peux!

Son frère ouvrit la porte sur la faible lumière du vestibule et entra :

— Bonjour. C'est bien vrai que je ne t'ai pas réveillée? Il le fallait absolument, excuse-moi. Je n'ai pas les yeux faits à l'obscurité, tu permets que j'ouvre un volet?

Il avança avec précaution, heurta cependant la table de toilette — les flacons tintèrent — et ouvrit l'un des volets extérieurs. Toute la jubilation du jour fit irruption dans la pièce et Xénia cessa aussitôt de regretter sa nuit trop tôt interrompue : elle n'avait plus sommeil! Elle se retourna dans son lit et, la joue posée sur une main, elle regarda son frère.

Avec la lumière, Romain fit volte-face, comme si, au lieu de sa sœur, il s'attendait à rencontrer dans la chambrette quelque ennemi. Un regard aigu sortait du fond de ses yeux caves; ses moustaches ressemblaient à deux bâtonnets appointis, elles refusaient de rebiquer.

Mais il ne vit aucun ennemi. Et, découvrant les

clefs dans sa main serrée, il fit une enjambée pour venir devant le coffre-fort mural.

— J'en ai pour un instant, je m'en vais tout de suite. Je referai l'obscurité si tu veux.

Lors de la construction de la maison, quelques années plus tôt, on avait pensé faire de cette pièce le cabinet de travail de Romain — d'où le coffre d'acier scellé dans le mur; on avait ensuite décidé que le père et le fils occuperaient le même cabinet, au rez-de-chaussée, et que cette pièce serait la chambre de Xénia, mais on avait laissé le coffre en place pour les papiers personnels et pour l'argent de Romain. De toute façon, sa sœur n'habiterait là que pendant les grandes vacances.

Romain était élégant de tournure — sec, nerveux, la taille bien prise dans son costume de sport anglais — mais il lui manquait quelques pouces. Il portait un képi cannelle claire, dans le ton de son costume et de ses guêtres.

— Tu vas faire un tour en voiture? Tu nous emmènes, Oria et moi? En ville ? Ou bien jusqu'au Kouban, derrière chez Stempel?

Gardant sur l'oreiller sa petite frimousse ronde à la bonne santé arrogante et au hâle indécent, Xénia balançait espoirs et sacrifices : pour cette course en automobile, que devrait-elle abandonner ou remettre au lendemain? De l'autre côté de l'économie du baron von Stempel, excellent concurrent des économistes du cru, il y avait une chênaie séculaire, merveille des steppes alentour. Quant à la voiture de Romain, ce n'était pas n'importe quoi, mais une Rolls-Royce comme on en comptait, disait-on, neuf exemplaires pour toute la Russie — tout le monde pouvait les énumérer —, et comme n'en avait justement pas le baron von Stempel. Romain avait appris d'un Anglais à conduire lui-même son auto, il savait aussi fort bien comment elle fonctionnait et pouvait la réparer, mais, n'aimant pas se salir dans la fosse du garage, il avait son chauffeur.

Cette fois, pourtant, il prit un air offensé et se mit à tripoter et à plier entre ses doigts la large visière courbe de son képi.

— Non, je suis simplement passé au garage. Je vous ferai faire un tour, mais pas aujourd'hui. Je voudrais d'abord que soit décidé...

— Ah c'est vrai!... Oh, excuse-moi, mon petit Romachetchka...

Comment pouvait-on perdre toute mémoire en dormant, oublier tout au monde entre soir et matin — même la guerre! même que la guerre était en train! D'autant plus que leur père était parti faire des démarches pour Romacha, voir de quoi il retournait. D'ailleurs, l'automobile... C'était idiot, bien sûr : on pouvait les obliger à la remettre aux autorités! Évidemment, son frère avait autre chose en tête que de se divertir, ne fût-ce que par superstition.

Quoique, à franchement parler, Xénia ne comprît pas comment un homme pouvait ne pas rougir de se soustraire au service armé. Un soutien de famille, soit — mais Romain était-il un soutien de famille? C'était une question de simple honnêteté : on n'était pas obligé d'aller sous les balles, mais on devait partir pour l'armée.

Seulement, c'était à lui de le comprendre tout seul

et Xénia n'aurait jamais eu l'audace de le lui dire, malgré toute sa spontanéité et l'amitié qui les unissait depuis qu'elle était sortie de l'enfance.

— Et où est Oria?

— Je n'en sais rien.

Romain avait déjà ouvert les deux portes du coffre ; il penchait la tête et les épaules en avant.

— Tu n'es pas allé prendre le petit déjeuner? Ils n'ont pas encore aboli les jeûnes?

Et elle pouffa de rire. Romain, en signe de connivence, tourna légèrement la tête vers elle, montrant le bout de sa moustache et sa lèvre obliquement relevée sur ses dents. Il avait le même nez que leur père, mûr et pendant.

Qui n'en était pas convaincu? Parmi les habitudes les plus sottes de la maison Tomtchak, il fallait ranger les jeûnes. Et combien de jeûnes! Il n'y aurait eu que le Carême, bon, on aurait encore compris... On amenait un prêtre et, toute une semaine, ce n'étaient à l'économie que services, retraites, communions; on se hâtait, avant le début des semailles, de rapproprier toute la domesticité et tous les ouvriers; pour le Carême, Xénia était toujours absente et Romain partait pour les capitales dont il ne rentrait qu'à Pâques. Mais la Pentecôte était à peine passée que commençait le jeûne, tout à fait aberrant celui-là, de la Saint-Pierre, puis, tout de suite après, celui de l'Assomption. Et avant d'en venir aux joyeuses fêtes de Noël, il fallait encore traverser tout l'Avent avec une mine de Carême. Sans oublier le mercredi et le vendredi de chaque semaine! Les miséreux n'ont rien à perdre à jeûner. Mais avec tant d'argent, quand on pouvait choisir entre les mets les plus exquis, à quoi servait-il de passer la moitié de sa vie en proie aux mortifications de l'abstinence? De vrais arriérés.

Quelque chose unissait spécialement le frère et la sœur : de toute la famille, ils étaient les seuls à avoir des opinions contestatrices, avancées; tous les autres étaient des arriérés, des Petchenègues [1].

Toujours allongée sur le côté, jambes ramassées, poing sous la joue, Xénia réfléchissait tout haut :

— Si je savais... C'est tout de même la dernière chance qui me reste de plaquer mes études, maintenant, au mois d'août, tant que je n'ai encore perdu qu'un an. Et que je peux me présenter à l'école des danseuses aux pieds nus.

Poussé à rester seul par le sentiment d'intimité qui l'unissait à son coffre, par le besoin de se concentrer aussi, Romain tentait d'empêcher sa sœur de voir ce qu'il y avait dedans et ce qu'il y fabriquait, même si elle n'avait ni la possibilité ni l'envie d'y rien comprendre. Tout en remuant des papiers craquetants, Romain se cacha d'elle derrière son dos voûté.

— Si tu me soutenais, soupirait-elle, je ferais le saut.

Romain s'affairait, silencieux.

— Je suis sûre qu'il se passerait bien encore trois ans avant que papa en sache rien. J'irais toujours à Moscou, comme pour mes cours... Ensuite il crierait un peu, il se mettrait en colère, mais est-ce qu'il ne finirait pas par me pardonner?

1. Peuple turk habitant au nord de la Mer Noire, qui eut de longs démêlés avec les Russes à l'aube de leur histoire. (*N.d.T.*)

Romain s'affairait toujours, la tête presque dans son coffre.

— Et quand bien même il ne me pardonnerait pas, qu'est-ce qu'il faut que je fasse? — Xénia faisait toutes sortes de moues avec ses lèvres en pesant les éventualités. — Perdre sa vie, est-ce que c'est mieux? Qu'est-ce que j'en ai à faire, de cette agronomie?... Enterrer ses talents, c'est un crime!...

Romain s'interrompit, se redressa. Masquant toujours de son torse le coffre ouvert, il tourna la tête :

— Jamais il ne te le pardonnerait. D'ailleurs, tu dis des bêtises. C'est l'intérêt, c'est la raison qui te commandent de terminer tes études, et tes études d'agronomie. Par ici, tu seras un vrai trésor.

Il posait sur elle son regard pointu, intelligent, qui passait par-dessous ses épais sourcils noirs et son képi anglais. Elle eut beau agiter la tête et faire la grimace, il sembla ne rien voir. Quand il était sûr d'une chose, il la disait imperturbablement, avec un air de gravité tellement sinistre qu'il s'était fait craindre par des hommes autrement avisés que Xénia.

— Tu deviendras « agriculteur ». Un quart de l'héritage t'est assuré en tout état de cause. Et si père et moi nous brouillons définitivement, tu en auras encore plus. Et tu laisserais tomber tout cela pour t'en aller danser nu-pieds sur des tréteaux? Déraison. Tu n'es pas une petite gueuse.

Mais une petite fille, oui, mais une enfant sensible aux influences. Elle avait dix-sept ans de moins que son frère, il prenait avec elle le ton d'un père avec sa fille et Xénia l'écoutait, quand bien même elle n'était pas convaincue.

Il se retourna vers son coffre. Homme d'intérêt, il aurait justement poussé sa sœur à entrer à l'école de ballet : il lui suffisait d'approuver son projet, de lui faire un ou deux compliments sur sa façon de danser. Xénia mariée, Xénia mère d'un petit garçon, le vieillard furieux contre Romain était capable de tout laisser à son petit-fils. A bien y réfléchir, Romain avait tout intérêt à ce que Xénia fasse de la danse et se fâche avec leur père. Mais jamais il ne se serait laissé aller à une manœuvre aussi déloyale, incompatible avec le style qu'il s'était choisi, celui du gentleman anglais. Aussi lui parlait-il raison.

Ayant pris ce dont il avait besoin, il referma chacune des deux portes à double tour, avec deux clés différentes, puis, sévèrement, il regarda encore une fois sa sœur, maintenant apaisée :

— Et tu te marieras — avec un économiste.

— Cou-ou-oua?? Pour-rien-au-monde!! Vous pouvez toujours courir!!!

Xénia bondit comme si on l'avait piquée, elle arracha de sa tête son turban de nuit, ses yeux joyeux étincelèrent, écarquillés comme ceux d'une négresse. Et elle éclata d'un rire argentin, un bras levé vers le plafond, mais dans un geste de danseuse. C'était cet effroi qui donne envie de rire, de rire! Chez ces *économistes*, une femme était belle quand il lui fallait deux chaises pour s'asseoir. « Va-t'en, je me lève!! »

A peine eut-il refermé la porte qu'elle bondit d'un seul élan! et vlan le volet de la deuxième fenêtre! (ah, le jour! le soleil! la vie!) — et hop sur le plancher! à sa table de toilette en bois gris galbé! (Tous ces meubles semblables, c'était pour sa sortie du collège.) Mais le miroir mobile, de quelque façon qu'elle l'inclinât, ne la reflétait jamais tout entière, —

or, c'était dans sa silhouette tout entière, — c'était dans ses jambes, solides sans être grosses, dans ses jambes mobiles sur leurs tout petits tout petits pieds — qu'était toute la beauté de Xénia!!

Un saut! Deux sauts! Trois sauts!

Au miroir de nouveau. Un visage rond, rouge et basané, trop simple, — un visage de *khokhlouchka* [1], de fille des steppes, de Petchenègue, comme disait Iarik pour la faire enrager quand elle était au collège, et cela la vexait terriblement. Pourtant, ses cheveux n'étaient pas bruns, ils avaient quelque chose d'*intéressant*. Et, avec les années, son expression devenait tout de même plus fine — beaucoup plus fine — et plus intellectuelle — et plus pensive. Elle n'en conservait pas moins un air anormalement sain, une absence totale de pâleur... Il faudrait qu'elle cultive sa pâleur... Cette grosse face ronde était inintelligente, campagnarde, elle évoquait désespérément la steppe! Et ces dents si régulières, si blanches, si saines n'en dénonçaient que mieux sa honte! Comment démontrer, avec un tel visage, combien on est déjà cultivée? Quel sens subtil-subtil de la beauté on a déjà acquis? Est-ce qu'à le voir, quelqu'un pourrait deviner à quels spectacles on a déjà été? de combien de photographies, de combien de statuettes on a décoré sa chambre, tant à la campagne qu'à Moscou? Léonide Andreïev, plusieurs Heltzer, plusieurs Isadora! Des photos d'elle-même aussi,

1. *Khokhol* (m.), *Khokhlouchka* (f.), noms plaisants dont les Russes désignent les Ukrainiens et les Ukrainiennes. (*N.d.T.*)

ou bien en veste hongroise à brandebourgs avec des demi-bottes à éperons! ou bien vêtue d'un voile de gaze arachnéen, avec un médaillon, et les pieds nus! —

toute à son envol, sa robe soulevée du bout des doigts! — première danseuse du collège Kharitonova! — et même, pourquoi pas, de toutes les écoles de Rostov?! Comment ne pas être séduite?... Pour quoi d'autre vivre? Que trouver d'autre dans la vie? —

d'autre que la danse? D'autre que la danse! Ces bras aériens sans longueur! Ces épaules déjà rondes! Le cou, quant à lui, pourrait bien encore pousser un peu, pour être un tantinet plus mince et plus long! Le cou, quand on danse, a son langage, c'est quelque chose de très important!

Se laver? à quoi bon! Manger? à quoi bon! Boire? à quoi bon! Danser! Elle voulait qu'on la laisse danser!

Par la porte — sur le balcon! Du balcon — dans la grand-salle! Il y avait là de vieux meubles bêtes garnis de velours d'Utrecht, dont on n'arrivait pas à se défaire. Et puis un miroir! Enfin tout entière! Tout en chantonnant — hop! Hop! Comme elle faisait cela! Un oiseau! Son pied était étonnamment petit, il aurait pu se loger tout entier dans la paume d'une main d'homme. Et quel élan! quel élan! C'était bien l'école des danseuses aux pieds nus : de toute la plante du pied; elles ne marchaient jamais sur les pointes. Ce n'était même plus de la danse, c'était de l'illustration or-ché-is-tique! Mais elle égalait presque Isadora, savez-vous? Non-non, elle ne le lui cédait en rien! Et elle avait tout son avenir devant elle. Devant elle!

... Mais une femme de chambre venait faire la pièce

avec un aspirateur électrique. Une autre apportait à Mademoiselle une serviette chauffée au soleil : c'est si agréable pour se frictionner après le bain.

Ceci, cela, le déjeuner — et la steppe déjà s'embrasait; déjà il faisait trop chaud, nul chapeau à large bord ne serait plus d'aucun secours, rien ne valait maintenant un hamac au milieu du jardin et des vêtements tout blancs, pour être plus à son aise..

La lumière irradiait du ciel chauffé à blanc, exténué, et même dans la bonne ombre on sentait la chaleur épaisse. Dissous dans la fournaise, on entendait au loin le halètement des locomobiles au battage, le vrombissement des machines dans la cour de l'exploitation et le bourdonnement compact des insectes et des mouches. Il ne passait pas un souffle d'air.

Puis le gravier grinça. Xénia se plia en deux, c'était Irène qui s'approchait, comme toujours, raide de taille et retenue de mouvements. Xénia, comme en extension, tendit les bras vers elle pour l'embrasser; elles ne s'étaient pas encore vues. Irène se pencha. Le livre de Xénia se ferma tout seul et, tout en glissant, se coinça dans un losange du hamac. Irène l'aperçut et marqua sa réprobation d'un hochement de tête :

— Encore un Français?

C'était un livre anglais, mais la question n'était pas là... Appuyant sa chevelure lâchement nouée contre le filet tendu du hamac, Xénia fronça son petit nez d'un air interrogateur :

— Voyons, Orenka, faut-il vraiment que je lise la vie de saint Séraphin de Sarov?...

Oria alla se placer devant le tronc du marronnier, mais sans le toucher : elle ne semblait éprouver aucun besoin de se laisser aller, d'accorder le moindre repos à l'une ou l'autre de ses jambes. Son regard était plutôt malicieusement bienveillant :

— Non, mais c'est que dans tes lectures, je ne vois jamais aucun Russe.

— Et qui veux-tu?... répliqua Xénia, tandis que le dépit fugace de l'oisiveté passait dans sa voix. Les Tourgueniev, je les ai déjà tous lus et relus, ils m'ont déjà cent fois fait mourir d'ennui ; Dostoïevski me donne des crises, à m'en tordre les mains... Toi, qu'on ne lise pas Hamsun, Przybyszewski ou Lagerlöf, ça te laisse indifférente?

Au sein de cette famille, Irène avait connu Xénia alors qu'elle n'était encore qu'une petite fille timide de onze ans, et jusqu'à treize ans elle l'avait dirigée, jusqu'à son départ pour le collège de Rostov. Cette Xénia-là était instruite en Dieu et ne connaissait rien de plus enivrant que d'imiter sa belle-sœur dans ses jeûnes, ses prières, sa fidélité aux traditions russes.

Irène secoua, secoua son front rembruni :

— Tu t'éloignes...

— De quoi? De l'Ukraine et de ses *khokhols?* — Ses petits yeux noisette si vivants avaient aussitôt saisi l'allusion. — Ah, si je pouvais! Mais comment? Ces beaux prétendants *économiques* puent le goudron; quand on parle avec eux, il y a de quoi mourir de rire! Mordorenko, Eusigne... — Rien que de penser à lui, elle étouffait déjà. — Quand il pleurait à l'idée qu'on allait l'expédier à Paris!

Oria se laissa gagner elle aussi ; dans son visage à la gravité importante, le nez était écrasé du bout, manifestant une propension à l'humour, et les lèvres étaient toujours enclines à trembler quand il y avait quelque chose de drôle. Le plus petit de ses sourires signifiait autant qu'un rire à gorge déployée de Xénia.

Cette vieille buse de Mordorenko avait son écurie de courses. Ses chevaux devaient bientôt courir à Moscou. Eusigne s'étant rendu coupable de quelque méfait, son père, au lieu de l'envoyer aux courses de Moscou, avait décidé pour le punir qu'il s'en irait à Paris. Et ce garçon d'une santé de cheval, qui ne laissait pas une fille en paix, pas même la gouvernante de l'économie, avait fondu en larmes et pleuré deux jours d'affilée en suppliant son père de ne pas l'envoyer à Paris.

— Ou quand ils font sauter les femmes en l'air aux bals des alentours? disait Xénia secouée de rire.

Comme on fait sauter en l'air les triomphateurs, les économistes saouls saisissaient les jeunes femmes pendant leurs réunions de sauvages, leurs propres femmes, leurs propres brus, ils les jetaient en l'air de façon que leur robe se soulève et une douzaine de mains essayaient de les rattraper par une cuisse. (Hautain envers les économistes, Romain ne restait jamais à leurs bals avec Irène, ce qui les offensait fort.)

— Eh oui! c'est le destin! Tu te rends compte de l'effet sur une carte de visite : Xénia Zakharovna Tomtchak! Ça sent le tombereau, ça sent sa peau de mouton; dans une maison convenable, on ne me recevrait même pas.

— Mais sans les moutons, Senetchka, tu n'aurais jamais vu la pension, jamais fait d'études supérieures...

— J'aurais mieux aimé. Je n'aurais pas su ce que je perdais. J'aurais épousé un Petchenègue comme moi, avec une douzaine de minoteries; je me serais fait photographier debout comme une bûche derrière la chaise maritale...

— Mais, tout de même, essayait de dire Irène avec une calme insistance, la tradition nationale...

— *Ici?* Quelle tradition nationale? La tradition nationale petchenègue?!

— Eh bien, justement, ici, continuait obstinément Irène, le front tiré, en raidissant le galbe de son haut cou veiné de bleu, tout est beaucoup plus près des sources nationales que chez tes très éclairés Kharitonov que la Russie laisse indifférents.

Xénia s'énerva, elle se mit à gigoter dans son hamac et s'arc-bouta contre les losanges tendus :

— Dieu, mais où es-tu allée chercher ces immuables jugements catégoriques? Tu n'as jamais vu aucun des Kharitonov, comment se fait-il que tu ne puisses pas les supporter? Ils sont tous honnêtes, tous travailleurs. Qu'est-ce que leur famille a bien pu te faire?

Les brusques contorsions de Xénia firent tomber le livre par une maille du hamac.

Irène avait mal mené son affaire et le regrettait. Elle n'aurait jamais dû attaquer les Kharitonov de front. Finalement, ils n'étaient pas les seuls, toute la Russie cultivée était comme eux.

— Je voulais dire simplement, dit-elle du ton le plus conciliant, que nous sommes bien prompts à nous esclaffer; pour rire, tout nous est bon. Qu'on aperçoive au ciel une comète à deux queues — c'est drôle. Qu'il y ait comme vendredi une éclipse de soleil — c'est drôle.

Mais Xénia n'avait plus envie de discuter. Sa mauvaise humeur s'était dissipée aussi vite qu'elle avait fondu sur elle. Elle regardait en clignant les yeux le ciel de feuilles ensoleillées. Elle suggéra :

— Tout de même... il y a l'astronomie...

— Astronomie tant que tu voudras! — Oria n'en démordait pas. — Pourtant, le prince Igor part en campagne — et le soleil s'éclipse. On se bat au champ des Courlis — le soleil s'éclipse. La guerre du Nord bat son plein — une éclipse. Chaque fois que la Russie subit l'épreuve de la guerre — une éclipse.

Elle aimait dans la vie ce qu'il y a de mystérieux.

Xénia se pencha pour pêcher son livre tombé à terre, elle faillit basculer, ses cheveux s'échappèrent et du livre glissa une enveloppe décachetée.

— Ah, je ne t'ai pas dit! C'est une lettre de Iarik Kharitonov. Figure-toi que leur promotion est sortie plus tôt que prévu, le lendemain de la déclaration de guerre! Il m'écrit déjà de l'armée! Et le temps que sa lettre a mis pour venir, il doit déjà se battre quelque part! Tu sais, c'est une lettre joyeuse! Il est content.

« Le même âge... leurs devoirs ensemble... comme un frère chéri... », pensait Xénia avec tendresse, avec fierté.

— D'où est le cachet?

— Le cachet? D'Ostrolenka. Il faudra regarder chez Romacha sur la carte.

Les sourcils droits d'Irène se rapprochèrent. Avec confusion, et du ton de l'éloge :

— D'une famille comme celle-là, patriote et officier! J'y vois un *signe*.

... Et son mari?... Et elle, avec son mari?...

5

C'est à Rostov, « çte ville abracadabrante », que Zacharie Ferapontovitch avait l'habitude de traiter ses affaires, mais non des affaires de cette sorte. Il y allait surtout pour les mécaniques : il ne cessait d'en sortir de nouvelles et à Rostov, on pouvait regarder, toucher, se faire expliquer comment ça marchait. C'est là que, prenant de vitesse tous les économistes, y compris le baron Stempel, il avait acheté ses semeuses à disques Siemens, ses butteuses de pommes de terre, et ces charrues nouvelles qui avançaient au bout de longues courroies entre deux locomobiles. C'est là que, parfois, il signait de gros contrats de vente de blé ou de laine (il vendait du blé même aux Français!). Et, bien sûr, c'est encore là qu'il achetait lui-même son poisson (où l'acheter, sinon à Rostov?) ainsi que toute sorte d'autres objets et de provisions. *Eun' fouès* qu'il était allé là-bas acheter une simple paire de gants comme il les aimait (en peau de chamois fourrée de petit-gris, on n'en trouvait pas de comme ça à Armavir), ces sacrés roublards l'avaient convaincu d'acheter par-dessus le marché un coupé « Balto-russe », 7 500 roubles. Il n'y avait pas si longtemps qu'il maronnait contre son fils à cause de sa « Thomas », persuadé que c'est « ç' te bestiau » qui, en tournant dans la campagne, avait attiré la foudre et couché les blés; c'était lui, maintenant, qui se cherchait un chauffeur; le petit gars du vigneron fut choisi, il avait appris au service.

Zacharie Ferapontovitch, quand il était à Rostov, effectuait ses ventes et ses achats en souplesse; il aimait la débrouillardise en affaires des Rostoviens. Mais de gymnases, il n'en avait encore jamais vu : où étaient-ils? où étaient leurs enseignes? Quand Romain et Ira lui avaient suggéré de retirer Xénia de la pension de Piatigorsk pour la placer au gymnase de Rostov, c'est avec une certaine gêne qu'il avait emmené la fillette, parce qu'à ce genre d'affaires il n'entendait rien, qu'on allait pour sûr le gruger et lui fourguer ce qu'il y aurait de pire en fait de gymnase.

Il devait justement visiter pour affaires un Juif très intelligent, un homme très bien, Élie Isakovitch Arkhangorodski. Cet Arkhangorodski s'y connaissait mieux que personne en matière de meunerie, de moulins modernes, électriques, et tout ce qu'on peut inventer... Il s'y connaissait si bien qu'on n'installait pas une minoterie de Tsaritsyne jusqu'à Bakou sans passer par lui, et quand ce gros bonnet de Paramonov avait eu à Rostov l'idée d'en installer une de cinq étages, c'est encore cet Arkhangorodski qui s'en était chargé. Et Tomtchak se dit que ce Juif ne l'induirait pas en erreur, c'est auprès de lui qu'il se renseignerait : « Où qu' c'est que j' pourrais câser ma fille? Dans l' meilleur gymnâse? » Et Arkhangorodski s'était montré très obligeant, lui expliquant qu'il y avait bien le gymnase d'État Catherine et certains autres, mais lui conseillant de placer plutôt l'enfant dans le collège privé de Mme Kharitonova, où sa fille étudiait déjà, en quatrième. Ils comparèrent les âges, elles avaient l'une et l'autre treize ans, elles seraient donc ensemble. « Y avait pas mieux ! »

Une compagne dès le départ, cela plut à Zacharie Ferapontovitch. Quant au fait que l'établissement fût privé et non public, c'était pour lui un avantage de plus : une affaire n'est sûre que quand le patron est là pour la diriger, « vu qu' quand qu' c'est l'État et ses fonctionnaires, y a pus grand-chose de prope à en attende ! ».

Quand Zacharie Ferapontovitch partait pour Rostov, il mettait selon la saison un costume en laine ou en tussor, se coiffait d'un tube ou prenait un pépin pour la pose, mais il s'oubliait vite et se remettait à marcher en gesticulant comme il le faisait chez lui, dans la steppe, quand il sautait de ses *drojki* avec sa pèlerine de charroyeur et ses bottes graisseuses. Il y avait aussi les cartes de visite; quelque temps auparavant, sa bru l'avait convaincu de s'en faire faire un cent, sous prétexte que c'était absolument indispensable. Seulement, il avait dépensé ses sous « pourerien ». Dans les milieux d'affaires qu'il fréquentait, dans les banques, à la Bourse, personne ne se refilait de ces petits machins et le paquet était toujours dans sa poche comme un jeu de cartes encore vierge. Ce n'est que lorsque aux abords de la vieille cathédrale, la voiture se fut rangée devant le collège Kharitonova, que Tomtchak entama son paquet : il fit monter sa première carte de visite par le portier.

Aglaïde Fédosséïevna était une dame importante, raisonnable, quoiqu'elle eût un pince-nez : elle aurait mieux fait de porter des lunettes, car son pince-nez ne cessait de dégringoler. On pouvait, dans une ville lointaine, confier sa fille à une dame aussi sérieuse; elle ne serait pas gâtée, quand bien même il ne la verrait pas pendant six mois de rang.

Quant à Zacharie Ferapontovitch, qu'il pût ne pas plaire à la directrice, l'idée ne lui en vint pas un seul instant. Chez les Tomtchak, tous les mâles avaient cette particularité de garder pour la maison leur obstination, leur taciturnité et leurs injures; en visite ou quand ils recevaient, ils se montraient gais compagnons et parfaits causeurs. Il n'existait pas de société, pas de femme que Zacharie Ferapontovitch ne sût séduire en parlant, à condition de le vouloir.

Et en effet, cet Ukrainien pittoresque, avec ses traits taillés à la serpe, ses sourcils broussailleux, son nez massivement étalé, son costume de mascarade, sa chaîne de montre au plus bel endroit, — par sa franchise, son humour, mais aussi sa dignité patriarcale, et surtout parce qu'il faisait passer le souffle de la steppe (c'est tout juste si les papiers ne s'envolaient pas de la table, si les pages du calendrier ne tournaient pas d'elles-mêmes), ce paysan, ce *khokhol*, stupéfia Aglaïde Fédosséïevna et la conquit. Dans la société où elle se mouvait, on savait et l'on comprenait bien des choses, on soupirait et l'on rêvait beaucoup, mais personne ne trouvait jamais assez d'énergie et de passion pour agir à l'instant même en bondissant de son fauteuil. Tomtchak avait beau ne pas savoir converser à mi-voix selon les usages (dans le bureau de la directrice, il criait presque, on l'eût dit au milieu des chariots grinçants, des bêtes mugissantes et bêlantes, et il riait tout aussi fort), Aglaïde Fédosséïevna, subtile conservatrice du mezza-voce et des façons compassées, ne fut pas choquée, elle fut même séduite par tant de fraîcheur. Aussi, lorsque, pour embellir la vérité, il dit qu'il avait fait quatre collèges sans qu'aucun lui plût, alors que le sien lui avait plu dès l'escalier, dès le portier, elle se laissa attendrir par cette ruse naïve. Et quoique sa quatrième fût déjà au complet et qu'elle n'eût plus l'intention de prendre personne, surtout pas une petite sauvageonne évidemment mal instruite, Kharitonova se laissa convaincre en dix minutes de l'accepter, et non seulement elle ne fit pas sentir, en se renfrognant comme elle savait le faire, que d'autres occupations l'attendaient, mais encore, cédant à la bonhomie du joyeux paysan, elle se mit à l'interroger et fit servir du café.

Prodigue de détails et de bons mots, assuré qu'on n'attendait que ses discours, Zacharie Tomtchak raconta qu'il avait été dans son enfance simple berger en Tauride, il paissait les veaux et les moutons pour les autres. Ils étaient venus de Tauride « chercher l'embauche » jusqu'au Caucase et ils touchaient alors beaucoup moins qu'il ne donnait maintenant au dernier des journaliers, pour ne rien dire des maîtres-ouvriers chez lui à demeure. Ce n'est qu'au bout de dix ans que son patron lui avait donné dix brebis, une petite velle et des gorets, et c'est autour de ça qu'il avait arrondi sa fortune, à force d'efforts et en payant de sa personne.

La directrice se renseigna sur son éducation : une classe et demie de l'école paroissiale, qui lui avait donné tout ce dont il avait besoin, lire la Bible et les Vies de Saints, en russe, « pis aussi » en slavon; question écriture, il écrivait mal; quant à compter, il savait en naissant, personne ne pourrait jamais l'avoir dans une transaction. Elle s'enquit de sa famille, et il lui dit quelle épreuve Dieu lui avait envoyée : en une semaine, il avait perdu six de ses petits, « tout l' milleu » de sa descendance. Les larmes lui vinrent aux yeux, il les essuya avec son mouchoir. Ensuite il parla de l'économie : ils venaient, dans des fours fabriqués par eux, de cuire un million de bonnes briques résonnantes, dures comme le fer (« On' n'aura core à vende, ptêtebin qu'in' en restra »); il avait lui-même établi le plan de la maison avec l'architecte (« Y aura pas eun' fenête sans ses persiennes au dèhors et ses volets en n' dans, comme ça y aura rien à craindre eud' la chaleur. »); ils avaient quatre adductions d'eau différentes, leur station diesel pour l'électricité; maintenant, ils s'occupaient du parc, ils allaient y faire mettre des lanternes... Enfin il invitait la directrice à venir l'été suivant boire du *koumiss* [1] chez lui avec sa petite famille.

Un mot amenant l'autre, la directrice parla aussi d'elle-même : elle était veuve depuis peu, son mari était inspecteur des gymnases d'État; elle avait trois enfants; sa fille venait de quitter le gymnase, elle étudierait maintenant à Moscou; son fils aîné Iaroslav avait treize ans et lui donnait du fil à retordre : il voulait abandonner le gymnase pour entrer chez ces têtes à l'évent de cadets.

Elle lui signala que le prix de l'enseignement était de 200 roubles à l'année, cinq fois plus cher que dans un gymnase d'État parce que... Tomtchak faillit se vexer : « Ch' chais bin combien qu'i faut débourser!

1. Lait de jument fermenté. (*N.d.T.*)

Vous n'avez point d' bœufs, point d' fayots, point d' soleils à presser pou vote huile, faut tout d' même bin qu' vous trouviez d' quoè fé manger les enfants! » Elle demanda où vivrait la fillette. Alors Tomtchak s'apitoya : « C'est qu' j'ai point où la mette, euçte pauvre petiote! Comment que j' vâs fé pou la laisser toute seule dans çte ville d'agités? Au fait', des fouès qu'a pourrait rester chez vous? » Toutes ses « façons », malgré l'urgence de ses autres affaires qui l'appelaient, le café bu, le koumiss proposé, n'avaient pas d'autre explication, c'était bien la première idée qui lui était venue. « Comment l'entendez-vous? » Kharitonova s'attendait à tout sauf à cela. « Vous manqueriez-ti d' chambes? Vous m' dites que vote aînée a fini son gymnâse, qu'a s'en va à Moscou — eh bin, v' n'avez qu'à prendre la mienne à la place? Pouvez m' donner les trouâs votes, j' leur-y trouverai tout d' suite eun' place chez mouè! »

Pour extravagant, pour embarrassant que cela fût, après toute cette conversation, après tant d'amitiés et de rires, Aglaïde Fédosséïevna ne pouvait plus en revenir à l'impassibilité glacée qui remettait si bien les gens à leur place. Elle tenta de raisonner son paysan, lui expliqua pourquoi c'était impossible, que ça ne se faisait pas, qu'une élève ne pouvait pas vivre au domicile de sa directrice (sa fille elle-même n'avait pas fait ses études chez elle, mais au gymnase d'État Catherine, pour qu'elle ne pût même pas sentir une ombre de favoritisme) — le bonhomme ne voulait rien entendre, il égrenait ses bons mots et cherchait à l'émouvoir : « Et alors, où que j' vâs la placer? Euj' peux tout d' même pas la laisser à des étrangers. J'ai pus qu'à la remmener, a gard'ra les moutons. Dommage, c'était eun' petite rien maline! — Et que suis-je donc pour vous? Je ne suis pas une étrangère? — Ah, madame, vous, vous êtes comme eud' la famille, tout jus' comme eud' la famille! » Son obstination était si joyeuse, si assurée que la directrice n'eut même pas le temps de se demander comment il se faisait que ce rustre et elle fussent à ce point « comme eud' la famille ».

Tomtchak voyait bien qu'il avait plu et que sa fille aussi plairait; il voyait encore qu'il ne fallait pas trop insister la première fois — et il tourna en plaisanterie son idée, se contentant de demander s'il ne serait pas possible de donner asile à l'enfant les trois jours qu'il réglerait ses affaires et courrait les maisons de commerce, sans compter qu'il devait aussi aller à Marioupol. A qui confierait-il sa fille? A l'hôtel? A son retour, il lui trouverait une pension.

La directrice ne vit pas comment elle se laissa emboiser. Tomtchak lui baisa même la main (il n'avait pas appris, mais il avait déjà vu comment on faisait) et il partit en coup de vent. Avant d'amener la fillette craintive, vêtue d'une petite robe maison à carreaux avec une grosse ceinture, si intimidée devant cette grande dame à pince-nez qu'elle n'osait ni se retourner ni s'asseoir, il avait fait porter à l'autre entrée (la directrice logeait dans le collège même) un tonnelet de caviar en porcelaine, une tarte de près d'un mètre de chez Filippov et plusieurs autres boîtes. En dépit de son pince-nez, ça ne pouvait pas lui faire de mal, à cette femme, d'économiser quelques sous. D'ailleurs, en toute conscience, donner une avance aux gens, était-ce les soudoyer? était-ce les acheter? Tomtchak n'aurait pu l'expliquer, mais il comprenait inconsciemment que payer généreusement crée entre les hommes le bien et l'amitié.

Les trois jours que Tomtchak fut à ses affaires, Xénia se montra propre, obéissante, réceptive aux usages et aux leçons — un œil averti remarque vite ces choses-là. La chambre de sa fille était vide, on pouvait ne pas séparer les deux garçons : Aglaïde Fédosséïevna décida donc qu'il serait même bon qu'à côté de ses deux garçons une petite fille grandisse dans la maison, elle aurait sur eux une bonne influence. L'enfant priait bien avec excès, restant longuement à genoux chaque matin et chaque soir, mais il n'en était que plus tentant de la sortir de son milieu rétrograde pour en faire une jeune fille d'avant-garde. Elle posa ses conditions : Xénia ne retournerait chez elle que pour les grandes vacances et, durant l'année, son père ne se mêlerait de rien. Zacharie Ferapontovitch ne demandait rien d'autre : une directrice sévère, quoi de mieux pour une petite fille?

Tomtchak n'imaginait même pas la plus grande épreuve qu'il imposait à sa fille : celle de vivre chez la directrice sans passer auprès de ses camarades pour une « cafeteuse ». Mais la directrice la tint elle-même à l'abri du danger : attachée à l'esprit libéral de sa maison, elle ne se permettait jamais et défendait à ses institutrices de se renseigner par des interrogatoires secrets et la dénonciation. Jamais au cours de ces années elle ne posa à Xénia une seule question de ce genre. Elle pensait avec son défunt mari que le premier devoir de ceux qui éduquent les adolescents est d'élever en eux le *citoyen*, c'est-à-dire l'homme hostile au pouvoir.

Les capacités et l'assiduité de Xénia dépassèrent les prévisions d'Aglaïde Fédosséïevna. Ses allées et venues entre le collège et l'appartement ne lui prenaient qu'une minute par jour et non une heure comme à tout le monde; cette heure, elle la consacrait à l'étude. Le processus même de l'étude la passionnait plus que toute récompense. Elle n'eut jamais aucune note terminale inférieure à *cinq moins* en aucune matière et elle brilla tout spécialement dans les langues étrangères dont elle ne connaissait aucune en arrivant : au collège Kharitonova, il y en avait deux d'obligatoires; Xénia, lorsqu'elle termina avec la médaille d'or, en lisait couramment trois. (Et elle aimait tant son collège, elle était si soucieuse de ne pas manquer une seule journée d'enseignement, elle était demeurée longtemps si timide que quand Oria lui avait proposé de les accompagner dans leur grand périple à l'étranger, elle avait refusé.)

Qui dit plus de langues, dit plus de livres à lire. Livres d'enfants ou non, ils remplissaient bien des armoires dans la demeure des Kharitonov, mais on n'y rencontrait qu'exceptionnellement ceux qu'elle lisait chez Oria, à part peut-être Gogol et Dickens. Quand on y voyait une édition rappelant la Bible par son épaisseur et son papier, ce n'était pas la Bible, mais un Shakespeare aux illustrations terribles.

Et chaque semestre, chaque mois de ces quatre années de collège, le regard de Xénia s'enfonça plus profondément dans son ancien monde aux dimensions naguère évidentes, comme un regard qui s'accoutume pénètre peu à peu quelque atroce coin noir... Sans chercher plus loin, quelle honte que cette liberté prise par son père : demander à la directrice de garder sa fille à demeure! Quand elle revenait chez les siens pour les vacances, Xénia était saisie d'effroi devant l'épaisse atmosphère d'inculture de la maison. Un jour qu'elle avait amené Sonia Arkhangorodskaïa, elle avait pu, en mourant de honte, saisir encore mieux, par les yeux de son amie, toute cette grossièreté primitive. S'il n'y avait pas eu les cours d'agronomie, elle aurait choisi n'importe quoi pour partir et vivre dans un milieu cultivé.

Il ne restait rien non plus de ces longues prières à genoux : elle priait brièvement et allait à l'église avec toute la famille quand elle ne pouvait faire autrement; elle y restait plantée, distraite, et se signait avec gaucherie.

Et Tomtchak comprit, un peu tard, qu'il n'avait oublié de demander qu'une toute petite chose à la directrice : si, avec tout son collège... elle croyait en Dieu.

6

Cela ne dérangeait pas Romain de passer une semaine dans la solitude (à condition pourtant que les repas lui soient servis à l'heure), car il ne savait personne d'aussi intéressant et d'aussi agréable que lui-même.

Au laquais, un homme d'un certain âge avec des pattes de lapin, il commanda pour lui seul un menu détaillé, qu'on lui servirait sous la véranda avant que le soleil n'y donne. Il se renseigna sur les hors-d'œuvre de poisson et les choisit avec un soin particulier. (Les Tomtchak recevaient régulièrement d'une poissonnerie de Rostov un baril ou un colis de poisson confiés aux soins d'un employé des trains de voyageurs; un Cosaque allait les recevoir à la gare et dédommageait l'employé de son dérangement.) Il était raisonnable de bien déjeuner, seul et à l'abri des reproches tant que le vieux n'était pas rentré. Il rentrerait sans doute juste avant le soir, il y avait à ce moment-là deux trains qui se suivaient. Le vieux aurait bien aimé voir son fils l'attendre à la gare, mais ils étaient fâchés et Romain ne pouvait pas lui donner l'impression de rechercher ses bonnes grâces.

Aujourd'hui, le laquais partageait ses émotions : son frère, le chauffeur de Romain Zakharovitch, était normalement soumis à l'appel sous les drapeaux, mais, avec un peu de chance, on aurait réussi à le faire enregistrer comme « exempté » avec les autres ouvriers d'importance.

Romain, lui, était « soutien de famille », fils unique; il ne pouvait donc être appelé en aucun cas. Mais des bruits commençaient à courir selon lesquels ces privilèges seraient abolis dans les cas où il ne s'agirait pas de soutiens de famille de fait, et, dans le dernier manifeste sur les mobilisés qui datait de trois jours, il était fait une allusion peu claire à ceux qui avaient été « oubliés » lors des appels précédents; aussi son père s'était-il rendu en toute hâte auprès de l'Autorité militaire pour régler cette affaire, ni vu ni connu, et y mettre un point.

C'est là, sous la véranda de la chambre à coucher du

premier, que se trouvait son sofa de prédilection, soustrait au mobilier de sa femme : le chevet en offrait une courbure régulière qui faisait qu'on n'y était pas couché plus qu'aux deux tiers, tout en restant un peu assis; sans se soulever et sans coussins, on pouvait fumer, lire un journal ou encore, ce qu'il était en train de faire, consulter la carte des opérations militaires suspendue au mur à cet effet.

Sur une commande télégraphique de Romain, une librairie pétersbourgeoise lui avait expédié tout un assortiment de fanions des puissances belligérantes qu'il pût piquer sur la ligne des fronts. Et il commençait déjà de le faire quand avaient couru ces bruits d'exemptions supprimées : un souffle semblait alors avoir chassé de la carte la brume enchanteresse de l'intérêt et il éprouvait comme un pincement au cœur à regarder la ligne brisée des frontières, les petits ronds des villes et ces noms étrangers.

Avec son briquet en or, Romain alluma l'une de ses cigarettes aux dimensions spéciales. La première année de leur mariage, pendant le voyage en France, Irène avait offert à son mari un étui à cigarettes en or, très long, auquel ne convenait aucune des cigarettes vendues en Russie. Un gentleman ne pouvait faire fi d'un premier cadeau si précieux, aussi avait-il renoncé aux cigarettes du commerce et commandait-il par cent mille, à la fabrique Asmolov de Rostov, des tubes cartonnés plus longs que la normale, que bourrait une jeune fille spécialement venue d'Armavir.

Mais, cette fois-ci, fumer ne lui procurait aucun plaisir.

Il s'assit à la table de jeu, y étala les papiers du

coffre, essaya de se plonger dans des calculs. Romain n'avait fait que l'école communale : trente ans plus tôt, dans les steppes de la Kouma, on commençait tout juste à vivre mieux, personne n'aurait pu juger bon de mettre son fils au gymnase. Par la suite, Romain avait commencé une école commerciale, mais il avait abandonné. Pourtant, il avait la bosse des chiffres. Il avait aussi des dispositions pour gérer une exploitation, mais il était vexant de n'être pas son maître, d'être le fils d'un père si obstiné, souffrant si mal la contradiction, et aussi d'un homme débrouillard qui avait une chance peu commune. Romain attendait son heure. Pour l'instant, le capital de sa femme lui permettait au moins de rester à l'écart des affaires de son père. Tous les ans, il allait à Pétersbourg et à Moscou pendant deux mois, et pendant deux mois à l'étranger. Moscou — pour les trotteurs; l' « Élite », sur les lignes St-Pierre, pour couper l'herbe sous le pied aux étrangers en réservant le salon de luxe; l'Opéra, pour venir se placer en smoking, quand tout le monde était déjà assis, au premier rang du parterre... Romain s'aimait tout spécialement en voyage. Il adorait s'habiller de telle sorte qu'à la galerie de Narzan, même les personnes de connaissance le prenaient pour un Anglais. L'Europe, c'était pour la voir stupide devant la hardiesse et l'originalité russes. Au Louvre, dans la rotonde pourpre de la Vénus de Milo, sans une chaise pour que tout le monde reste debout, il tendait avec autorité au gardien un billet de dix francs : « La chèsse! », s'asseyait et, en attendant qu'Ira ait fini de tournoyer, se mettait une cigarette entre les dents et jouait du briquet; en passant dans la salle suivante, il expliquait : « Mèn'nann', touda la chèsse, touda[1]! »

Et Irène donc, qu'elle était belle! Quand elle mettait son oiseau de paradis, qu'elle se mouvait sans s'incliner comme une statue de déesse et que seules se balançaient aériennement les plumes de son aigrette! Il aurait pu paraître avec elle à la cour. Dommage qu'il n'ait pas eu un pouce ou deux de plus. Et que ses cheveux tombent comme ça, — il était obligé de les couper en brosse.

Non, il n'arrivait pas à s'y mettre. Il avait besoin de savoir avec quoi son père reviendrait. Il se mit à faire les cent pas sous la véranda. Et à *réfléchir* tout en fumant.

C'est bien encore dans ses réflexions qu'il se préférait. Il y développait toutes ses facultés, même celles d'homme d'État, qui étaient encore cachées. Quelque chose lui faisait assurément surclasser plus d'un député de la Douma, — sa franchise brutale avec les gens. Les économistes des alentours respectaient tous Romain Zakharovitch, jusqu'aux plus rustres et aux plus dévergondés; peut-être ne l'aimaient-ils pas, mais ils étaient intimidés. Non seulement il ne flattait jamais personne, mais la politesse ne le faisait jamais céder d'un pouce ni l'hospitalité se fendre d'un sourire, et il parlait toujours avec une gravité orgueilleuse, sans quitter son interlocuteur de son regard tranchant. D'ailleurs, il ne parlait pas même une minute avec quelqu'un d'inintéressant ou d'inutile : celui-ci fût-il son hôte, Romain Zakharovitch se levait démonstrativement et s'en allait chez lui. C'est de cette sorte d'intraitables qu'on manquait pour vaquer aux affaires

1. « Maintenant, là-bas, la chaise, là-bas! » (*N.d.T.*)

de l'État, et dans les hautes sphères tout particulièrement.

Romain marchait d'un pas toujours plus ferme et décidé. A un bout de son va-et-vient pendait au treillis de la véranda la photographie de Maxime Gorki. Romain regardait avec sympathie ce visage camus que l'écrivain renommé relevait comme pour un défi. Il vantait partout très fort ses livres et ses pièces. Il découvrait en lui quelque chose de soi-même : Gorki ne faisait pas de courbettes à ceux qui lui accordaient leur faveur. Romain était transporté par l'audace avec laquelle l'Amer cravachait et inondait de fiel tous ces gros pontes de l'industrie et du commerce qui, saisis d'enthousiasme, applaudissaient à son piquant, son mordant, sa fraîcheur.

Mais, au bout du parc, il y avait deux mille hectares de bonne terre noire du Kouban. Dont il hériterait peut-être. Dieu que la vie était belle et bonne! Et cette vie si solide, si riche, si prometteuse, cette intelligence si claire, il suffisait d'une convocation des autorités militaires pour la précipiter dans une tranchée fangeuse à la merci d'un adjudant!... Scandaleux!

Jamais encore le Kouban n'avait donné à la Russie un véritable homme politique, personne ne l'avait illustré. Romain imaginait différentes façons d'arriver, plus intéressantes les unes que les autres. Au fond, il aurait été plus hardi que les Cadets [1]! Mais, plus à gauche que les Cadets, qu'y avait-il? Les socialistes. Gorki, justement, était socialiste.

1. Surnom des membres du parti constitutionnel-démocrate de Milioukov, tiré par plaisanterie du sigle “ K.D. ”. (*N.d.T.*)

Oui, on aurait pu songer au socialisme si le socialisme n'avait pas été tellement lié au banditisme, à la confiscation de la légitime propriété. Le seul souvenir personnel que Romain eût gardé des socialistes remontait à 1906. Un os dans la gorge, la perte la plus mortifiante de toute sa vie.

Une perte?! On se fait à une perte, comme aux dommages de la foudre, de la sécheresse, des prix fluctuants. Il n'y a rien d'abaissant à perdre. Qui n'a jamais perdu? Mais tendre de bonne grâce, de sa propre main, l'argent qu'on a gagné à la sueur de son front à des impudents, à des gueules de salauds qui n'auraient jamais assez d'esprit ni de courage pour en gagner la vingtième partie! Qui s'étaient tout juste donné la peine d'écrire une lettre, d'une écriture de gratte-papier avec des fioritures, et de l'expédier à tous les *économistes :* « Très cher Zacharie Ferapontovitch, la quote-part de vos sacrifices au travail révolutionnaire se monte à 40 000 roubles. (Parfois, c'était 50 000!) Sous peine de mort immédiate. Les Communistes-Terroristes. » Et les premiers à refuser avaient effectivement été tués. Avec leur famille.

Que fallait-il faire? Après la révolution, tout le monde était encore apeuré. Les autorités n'étaient pas sûres d'elles-mêmes. Quant à l'opinion du public cultivé, c'était : « Pour la Révolution? Vous êtes obligé. C'est votre devoir sacré envers le peuple spolié. » (Pour la révolution légitime, celle qui eût renversé le monarque haï, combien n'aurait-il pas donné!) Les économies étaient isolées, sans défense au milieu de la steppe... (C'est après cela que les Tomtchak avaient engagé quatre mercenaires cosaques.)

Il avait fallu y aller, dans une chignole, à trois, vêtus le plus simplement possible : Romain, l'intendant et un commis. Son père n'y était pas allé. Son père n'aurait pas pu remettre cet argent de sa propre main. Il aurait eu un coup de sang dès le premier mille.

Ils étaient allés plus loin que la plantation d'acacias. C'était l'automne; il gardait un souvenir très net des roues passant sur les larges gousses violettes qui jonchaient le sol. « Les autres » étaient arrivés d'Armavir dans un phaéton à roues pneumatiques, vêtus non seulement sans simplicité mais somptueusement; l'un d'eux portait même une jaquette à revers de satin et un nœud papillon. Ils parlaient fort courtoisement et comptaient les billets avec patience. Et trois contre trois!... Ils auraient pu les corriger, se débarrasser d'eux à coups de revolver, ou même poster des gens en embuscade. Il avait même un revolver dans sa poche arrière. Mais il n'avait pas eu le cran. Mais la Russie tout entière estimait — allez savoir pourquoi! — que le bon droit était de leur côté, à eux, qui étaient terribles et glorieux... Tout de même, Romain n'avait pas pu donner toute la somme, il avait résisté, il avait marchandé — et il leur avait arraché, sur les 40 000, un rabais de 2 500 roubles; les autres avaient bien ri : « Ce que vous pouvez être avares, vous, les économistes! » (Son père l'avait grandement félicité pour ces deux mille cinq cents roubles; il avait rappelé ce bon souvenir pendant plusieurs années.) Et après avoir bien civilement pris congé, ils étaient partis. Et personne n'avait jamais appris ou vérifié que cet argent leur eût servi à construire des barricades et acheter des fusils. Peut-être s'agissait-il tout bonnement de trois coquins qui, l'affaire faite, étaient partis pour Bakou faire la bringue avec les filles ?

Il y avait encore très, très longtemps à attendre avant les trains du soir. Il n'avait rien d'autre à faire que lire et relire les journaux.

*

LES ENFANTS DE RICHES,
C'EST COMME LES CHEVAUX SOURIS
PAS SOUVENT RÉUSSI.

7

(EN PARCOURANT LA PRESSE)

Ne soyez plus un MORT VIVANT : découvrez l'action magique du lécithal... Stimulant contre la NEURASTHÉNIE MASCULINE...

La caisse d'ENTRAIDE PRÉNUPTIALE des jeunes filles de Moscou...

Hamacs pour dames en fibres de coco...

Parfums de Londres : Click-click, Ess-bouquet...

BADEN-BADEN — ses eaux minérales... ses 75 000 visiteurs annuels...

C'est le HASARD et la CHANCE qui donnent la RICHESSE! Participez au tirage de notre tombola...

... cet idéalisme éthique dans les affaires sociales, dont l'âme slave est si riche et l'Occident éclairé aujourd'hui si nécessiteux...

Le 7 juillet sera organisée à l'occasion de la visite du PRÉSIDENT de la RÉPUBLIQUE FRANÇAISE une sortie musicale en mer sur le paquebot de 1re classe Rous. Réservé au public fashionable.

... l'indifférence de la démocratie française à la sécurité extérieure du pays... le triomphe des partis antifrançais à l'Assemblée nationale...

ATTENTAT contre Grégoire Raspoutine... A toutes les questions elle s'est bornée à répondre : « C'est l'Antéchrist »... Il s'agit d'une paysanne de la province de Simbirsk : Chionie Kouzminichna Gousseva... Raspoutine est hors de danger...

Exposition internationale de jardinage au Palais taurique...

... la levée de l'interdiction faite aux Juifs de louer des boutiques à la foire de Nijni-Novgorod.

POURQUOI RESTER GROS? Une ceinture anatomique idéale contre l'embonpoint... Indispensable à tout homme distingué désireux de conserver l'élégance de sa silhouette et de sa démarche.

SI VOUS NE LÉSINEZ PAS à consacrer 15 kopeks à l'achat d'un échantillon...

LE MEILLEUR AMI DE L'ESTOMAC — le St-Raphaël...

NOCES D'ARGENT de l'alliance franco-russe... Visite de M. Poincaré... DINER DE GALA... A droite de Son Altesse Impériale... A la gauche du Souverain...

Réception d'une délégation de paysans russes par M. Poincaré... Le chef de la délégation a lu une adresse de bienvenue au président de la République et l'a prié de transmettre aux paysans de France...

DINER DE GALA sur le cuirassé « France »... une confirmation aveuglante de l'alliance indéfectible... le même idéal de paix...

DERNIÈRES HEURES du séjour de nos hôtes français... Comme on lui demandait si les alarmes de l'opinion européenne étaient fondées... quant aux événements des Balkans... Viviani a répondu : « Elles sont incontestablement exagérées. »

... le *Times* constate que la supériorité de l'armée russe sur l'armée allemande est plus importante que...

Remède des pères bénédictins contre les RAGES DE DENTS...

Les cigarettes du VIEUX CONSTANT : 6 kop. les 10. Le comble de la distinction et du bon goût!

CHOUSTOV! Son cognac! Son INCOMPARABLE liqueur de SORBE!

AUX AMATEURS DE BEAUTÉS! Photographies à la mode de Paris, les tout derniers originaux D'APRÈS NATURE! Expédiés SOUS PLI FERMÉ.

MANUEL PRATIQUE du parfait brigadier de gendarmerie...

... le pacifisme de la Russie est bien connu... Mais la Russie reste consciente de ses obligations historiques, aussi...

... en raison de la grève ininterrompue, les industriels de la région de Vyborg... fermer usines et fabriques pour une durée de quinze jours...

... à Moscou les journaux n'ont pas paru... grève de 24 heures des typographes...

Aujourd'hui LES COURSES.

Le restaurant IAR...

LA PAIX OU LA GUERRE? Ce matin tout le monde disait : la paix... La malheureuse Serbie... la Russie pacifique... L'Autriche a présenté les exigences les plus humiliantes... Par-dessus la tête de la petite Serbie, c'est contre la grande Russie que le glaive est tiré, contre le défenseur naturel du droit inaliénable de tant de millions d'hommes au travail et à la vie...

... au lieu de la stupeur démoralisatrice, un surcroît d'allant, une foi renouvelée dans ses propres forces. Ce qui est un caractère spécifique de tous les peuples sains.

... Le peuple géant que n'ont pas rompu les plus grandes épreuves ne craint pas l'affrontement sanglant, — d'où que vienne la menace.

POURQUOI DEMEURER APATHIQUE, nerveux, somnolent, fatigué, quand existe le sanatogène Bauer?

COMBIEN DE FEMMES DÉCOURAGÉES ont retrouvé grâce à ce baume leur joie de vivre!...

Sa Majesté l'Empereur a daigné ordonner la mise sur pied de guerre des forces terrestres et navales. Le premier jour de la mobilisation est fixé au 18 juillet 1914.

Aux confins brumeux du Nord
On entend comme un tonnerre :
Le grand frère slave arbore
La Croix dans son poing de fer.

L'AMBASSADEUR D'ALLEMAGNE A SAINT-PÉTERSBOURG A NOTIFIÉ LA DÉCLARATION DE GUERRE.

Allégresse à Pétersbourg et à Moscou... Interdiction du commerce des boissons alcoolisées dans les deux capitales.

DIEU EST CONTRE L'AGRESSEUR!

... Devant le Palais d'Hiver, une foule de cent mille personnes tenant inclinés les emblèmes nationaux...

... Debout, grand peuple russe!... un exploit auprès duquel pâlit tout ce que le monde a jamais vu... pour l'avenir lumineux de l'humanité tout entière... des rêves de fraternité entre les peuples... La lumière viendra de l'Orient — maintenant ou jamais...

RENCHÉRISSEMENT DES DENRÉES ...ont subi une augmentation exceptionnelle ces derniers jours à Pétersbourg... En trois jours, le prix de la viande... de 23 à 35 kopeks... A Kiev, la foule des miséreux a réglé leur compte à des commerçants qui avaient arbitrairement relevé...

Suspension de la convertibilité du rouble... En visitant aujourd'hui les banques de la capitale... constater avec plaisir... Économiquement la guerre est moins redoutable pour la Russie que pour l'Allemagne... Le mouvement de grève s'est spontanément interrompu...

DIEU EST CONTRE L'AGRESSEUR!

... Nous avions tiré l'Allemagne de l'ignominie en 1812-1813, l'Autriche en 1848...

Le portrait de nos ennemis : Son Altesse apostolique François-Joseph 1er, empereur d'Autriche et roi de Hongrie...

SESSION SOLENNELLE DE 24 H DE LA DOUMA D'ÉTAT. 26 juillet... En ce jour historique, une seule pensée animait les représentants des partis et des nationalités, un même sentiment faisait vibrer toutes les voix... Vous n'aurez pas la Sainte Russie!... Nous sommes prêts à tous les sacrifices pour maintenir l'honneur et la dignité de l'État russe indivisible... — Le peuple lithuanien... part comme pour la guerre sainte... — Pour la défense de notre patrie, nous, les Juifs... un sentiment profond d'attachement... — Nous, les Allemands de l'Empire, qui avons toujours considéré la Russie comme notre mère... comme un seul homme, nous sommes prêts à sacrifier notre vie... — Nous, les Polonais... — Nous, les Lettons et les Estoniens... — Permettez-moi, en tant que représentant élu des populations tatare, tchouvache et tchérémisse, de déclarer... comme un seul homme... combattre l'envahisseur... sacrifier nos vies... Remplie d'un sentiment d'amour, la Patrie se rassemble tout entière autour de son Tsar... En parfaite communion avec notre Souverain autocrate... — Toutes nos pensées, tous nos sentiments, tous nos élans... « Dieu, le Tsar, le peuple! » — et la victoire est assurée...

LA DERNIÈRE GUERRE DE L'HISTOIRE DE L'EUROPE... Une guerre européenne ne peut être que de courte durée... L'expérience a montré... les événements décisifs se produisent dans le courant des deux premiers mois...

UN BLINDAGE RÉSISTANT AUX BALLES...

Les pilules « Ara » contre la constipation agissent sans douleur, en douceur...

VOUS AUSSI, MADAME, vous aurez ce BUSTE IDÉAL qui est la vraie parure de la femme! Prenez les pilules Marbor! Avec Marbor, pas de déceptions, le succès est garanti!

Conséquence de la mobilisation, les OFFRES D'EMPLOI se multiplient...

Baisse de 40 % sur les ÉTOFFES ANGLAISES...

Leçons de GUITARE par correspondance; gratis. Afromeev, Tumen...

LA DEUXIÈME GUERRE PATRIOTIQUE...

Communiqué de l'état-major général des Forces armées... Nos unités ont pénétré en Prusse orientale... Nos braves cavaliers...

Foire de Nijni-Novgorod, 1er août... Tous les débits de boissons alcoolisées sont fermés depuis déjà deux semaines et la foire en a revêtu un aspect inhabituel. Plus un ivrogne dans les rues, plus un marchand en goguette pour se faire dévaliser... Presque plus de vols à la tire...

A ceux qui partent

Partez, ô bien-aimés! Sans crainte ni tristesse
Pour ceux que vous laissez, acceptez ce calice...

Élargissement des détenus.

Polonais! l'heure a sonné où le rêve de vos pères et de vos aïeux... Que le peuple polonais soit enfin réuni sous le sceptre de l'empereur de Russie.

UN BLINDAGE RÉSISTANT AUX BALLES...

NOUS DEVONS VAINCRE!

... Jamais les relations polono-russes n'avaient atteint ce degré de limpidité et de pureté morale...

Tchèques! Voici la douzième heure!... le rêve triséculaire, la Bohême libre et indépendante, maintenant ou jamais!

LES DROITS DES JUIFS... Une circulaire télégraphique envoyée à tous les gouverneurs provinciaux et municipaux ordonne la suspension de toutes les expropriations, tant collectives que particulières...

PRÉDICTION DE LA CHUTE DE L'EMPIRE ALLEMAND. Du temps qu'il était étudiant à l'université de Bonn, Guillaume II s'adressa un jour à une Bohémienne... la Bohémienne lui répondit impavide qu'« une tornade fondrait sur l'Allemagne et la balaierait... »

PÉTERSBOURG EN SÉCURITÉ. Des faux bruits concernant une incursion allemande... il est totalement exclu...

CHEZ LES BARBARES... Le pays de Schiller et de Gœthe, de Kant et de Hegel... Sous le poing du chancelier de Fer auquel ils ont partout élevé des monuments... Personne ne pleurera sur les ruines de la patrie du mensonge et de la violence...

CENSURE MILITAIRE. Le 3 août à 7 heures du soir, la censure militaire entrera en vigueur à Saint-Pétersbourg.

... l'information des populations dans les limites qu'impose la sécurité militaire est confiée à la Direction principale de l'état-major général des Forces armées. L'opinion publique s'accommodera de la rareté des informations en songeant que ce sacrifice est rendu nécessaire par des impératifs stratégiques...

VISITE IMPÉRIALE A MOSCOU...
Discours du Souverain au Grand Palais du Kremlin... Leurs Altesses Impériales sortent de la chapelle de la Vierge d'Ibérie. Leurs fidèles sujets manifestent par dizaines de milliers sur la Place Rouge...

... Puis voici les Serbes, nos bons parents,
La course brillante des officiels,
Et notre réserve, fière, passant
Sous les cris farouches et fraternels.
De la cathédrale où s'enflent les chants
Adressés à Dieu, comme au temps jadis,
Pour bénir son peuple et ses combattants,
Calme et solennel, le Tsar est sorti.

NOUS DEVONS VAINCRE!

FAIT D'ARMES D'UN COSAQUE DU DON. Côme Kroutchkov remarqua 22 cavaliers... Avec un cri sauvage il se lança bravement... pénétra... en faisant tournoyer son sabre, se fraya un chemin... ses camarades à la rescousse... pour la première fois dans cette guerre de la croix de St-Georges...

... vu l'interruption des exportations... une chute sans

précédent du prix des grains... Les céréaliers traversent une crise extrêmement grave...

CHALIAPINE RETROUVÉ! Échappé à la captivité allemande, il est à l'heure actuelle...

Lettre d'un enseigne... « On a ramené aujourd'hui neuf espions autrichiens... A ce qu'ils disent, la composition de leur armée est mauvaise »...

LA GUERRE AU JOUR LE JOUR. Le fait central de cette journée est la grande offensive russe en Prusse orientale sur un vaste front... Les forêts, qui sont nombreuses mais trouées de laies, ne présentent pas d'obstacle à la progression de l'infanterie et de la cavalerie... Le 7 août nous est parvenue la nouvelle de la prise de Gumbinnen par nos troupes... C'est toute la Prusse orientale qui tombe ainsi virtuellement entre nos mains... Les corps d'armée allemands défaits sont désormais privés de toute possibilité...

... les buts constructifs de la guerre...

DÉCISION IMPÉRIALE... accepter l'engagement des jeunes gens qui, à l'occasion de la guerre, voudraient prendre dans l'armée du service actif quoiqu'ils soient normalement... avec les avantages réservés aux engagés devançant l'appel...

UNE AGRÉABLE MISE AU POINT. Les milieux autorisés communiquent qu'à l'heure qu'il est, l'armée russe ne compte aucune unité dont le commandant soit apparenté aux maisons souveraines d'Allemagne ou d'Autriche.

8

Certaines années, les Tomtchak payaient six cents roubles à la direction des chemins de fer de Vladikavkaz pour qu'à leur demande, n'importe quel rapide s'arrête à leur petite station de Koubanskaïa, ce qui leur évitait vingt verstes inutiles.

Cette année-là, ils n'avaient rien versé, mais les rapides s'arrêtaient toujours. A Kavkazskaïa, Zacharie Ferapontovitch, qui revenait de Iekaterinodar, n'attendit pas l'omnibus; il monta dans le premier rapide, fit appeler le contrôleur principal, prépara sur la tablette deux billets rouges de dix roubles, un pour lui, un pour le machiniste, et expliqua où il fallait arrêter le train. L'employé ne s'étonna pas qu'un homme pratique fût avare de son temps, il promit et tint parole. Sur le soir, la chaleur étant toujours forte, seul de tous les voyageurs qui passèrent aux portières des têtes éberluées, Tomtchak descendit au milieu des voies exposées au soleil. Le gravier roux distillait dans l'air tremblant une odeur douceâtre de cambouis.

A l'ombre du dépôt stationnait son phaéton qui l'avait attendu toute la journée. Le cocher sursauta et accourut sur ses jambes ankylosées prendre la mallette de son maître, puis passa le mors aux chevaux dévorés par les taons.

Depuis longtemps Tomtchak n'avait plus son coupé

« Balto-russe » dont les ressorts, les essieux et les roues à rayons rappelaient tout à fait une vulgaire télègue ; il avait maintenant une « Mercedes », mais seulement pour « faire chic », pour aller parfois en visite. Autrement, il ne se déplaçait presque jamais qu'en voiture à cheval, il s'y sentait à l'aise : pour l'église et la gare, où les gens le verraient, c'était le phaéton; pour les affaires courantes, les *drojki* ou le break (il n'aimait pas le petit *tape-cul* à deux roues).

Le chef de gare était sorti pour lui serrer la main, mais il fut trop lent à traverser les voies : le phaéton roulait déjà. Tomtchak était pressé, comme toujours, d'autant plus que ce voyage lui avait fait perdre trois jours; il avait des démangeaisons de ressaisir ses affaires, le sang lui bouillait de vérifier les travaux au plus chaud de l'aoûtage.

Assez près sur la gauche, à moins d'une verste, il aperçut la première de ses batteuses au milieu d'un nuage de menue paille vannée; il serait bien allé y faire un tour, en phaéton, comme ça, si la crainte de faire rire ne l'avait arrêté : il irait d'abord changer de vêtements et de voiture.

Selon son habitude, il ne pensait pas à l'affaire qu'il venait de régler, mais à ce qu'il devait encore contrôler, peut-être même réparer; il y avait le battage, le grésil à livrer aux fermes de Loukianovo, la deuxième tonte des mérinos qui pressait. Et puis n'était-ce pas le moment de moissonner le maïs et de rentrer les choux dans la nouvelle grange à aération réglable, qui pouvait en contenir plus de cent cinquante mille quintaux? (Tous les murs étaient munis de volets qui pouvaient à volonté s'ouvrir pour donner de l'air ou se fermer quand il pleuvait; cette technique empruntée aux colons allemands promettait de gros bénéfices si on savait l'appliquer.)

Tomtchak leur avait pris bien des choses, à ces colons, et toujours avec profit. Il avait beaucoup de respect pour les Allemands et tenait cette guerre pour un égarement du Malin. Comme ces coups de canne échangés dans un wagon de 1re classe avec Athanase Karpouchine parce que celui-ci avait traité d'imbécile sa bru — qui était la fille aînée de Tomtchak. Eh bien oui, c'était une imbécile, qu'on avait tirée de son institution primaire pour la marier à un homme riche, et il était honteux de voir des gens raisonnables se battre pour cela. La Russie aurait dû, au contraire, se mettre tout entière à l'école de l'Allemagne pour apprendre d'elle à organiser son économie. Ces dernières années, le pays commençait à se gorger de sève, quel besoin avait-il de faire la guerre? Les Russes auraient mieux fait de dire des prières pour le repos de l'âme de cet archiduc, et les trois empereurs de boire de la *horilka* à sa mémoire.

A fortiori ne voyait-il aucune raison de laisser partir pour la guerre son fils, ses maîtres-ouvriers ou les Cosaques qui gardaient fidèlement sa propriété et son coffre depuis cette histoire avec les bandits. Il avait réussi à faire libérer des obligations militaires tous ceux qu'il voulait; c'est la nouvelle qu'il rapportait. Et s'ils l'avaient attendu à la gare avec son fils à leur tête, il aurait tenu cela pour un hommage bien mérité, ils se seraient réjouis ensemble.

Mais son fils n'était pas venu l'accueillir (ce bon à rien! un fils, ça? qui diable lui avait foutu un fils pareil?) et Zacharie Ferapontovitch en avait si gros sur le cœur que, depuis la gare, il s'obligeait à ne plus penser qu'à ses projets, à ce qui lui restait à faire. Sans revenir sur ce qui était classé.

Tout de même! Auprès des colonnes de pierre blanche de l'entrée, le maître vit qu'il était attendu : il y avait là, assis sur leurs talons : deux Cosaques, le mécanicien des diesels, l'un des jardiniers et le chauffeur de Romain, frère du laquais. Tomtchak fit arrêter la voiture et, aux hommes qui se levèrent pour l'entourer, il dit chaleureusement, comme s'il était, non moins qu'eux, l'obligé :

— C'est arrangé, les gars. Pouvez l' dire aux autres contremaîtres. Qu'i continuent d' travailler comme is ont toujours fait. Pis qu'is oublient pas d' mette des bons gros cierges au Bon Dieu.

Et, au milieu d'un murmure de reconnaissance, il partit. Les chevaux firent allègrement claquer leurs sabots sur les dalles de l'allée, puis dans la cour d'honneur, — mais seule la mère passa la tête à une fenêtre de l'étage supérieur, *l'autre* resta invisible.

Le cocher fit faire un grand cercle à la voiture pour venir se ranger devant le perron. Tomtchak descendit et s'engouffra dans la maison. Il n'avait plus envie de rencontrer son fils.

Aucun des ais du jeune et solide escalier ne craqua sous son pas; il faut dire qu'à cinquante-six ans, il montait encore comme un jeune homme.

Dans le vestibule du haut, il trouva devant lui, bras tendus d'espérance et de faiblesse, sa femme au corps rond comme un tonneau.

— Alors, eul père?

Elle n'avait presque plus de voix pour l'interroger.

Ça le « retournait » d'avoir à répondre. Ici surtout, sous son propre toit, il en ressentait comme un abaissement. Il effleura des lèvres le front de sa femme et, sans rien dire, s'en fut dans sa chambre. Elle le suivit.

Dès qu'Eudoxie avait abandonné les gros travaux d'homme, la goutte s'était attachée à elle avec une douzaine d'autres maladies qui se multipliaient à mesure qu'elle se soignait. (« Les docteurs, faut pas les écouter! » Tomtchak ne les laissait jamais approcher : « Tous vos docteurs, euch'chais mieux qu'eux comment qu'i faut que j' me souègne. ») On avait d'abord essayé les barriques de boue de Crimée, une infirmière venant à l'économie faire prendre des bains de boue à la maîtresse de maison; puis on avait jugé nécessaire de l'envoyer à Ieïsk, à Goriatchevodsk, à Essentouki, mais dans ces pays on ne sort jamais sans équipage et robe de dentelle, et ses maux n'avaient fait qu'empirer.

Cela ne l'empêchait pas d'aller maintenant du même pas rapide que son mari. Dans la chambre à coucher, tandis qu'il se signait face aux icônes, elle vint se poster devant lui pour lui barrer le chemin. Accrochée à ses revers, c'est tout juste si elle le questionnait encore, elle regardait ses grosses moustaches, son gros nez, ses gros sourcils, ce visage semblable à celui du prophète Elie : quel coup allait-il lui porter?

Tomtchak n'aurait pas voulu parler. Il était bon à faire les démarches, à obtenir les privilèges; *l'autre* restait couché sur son divan, il ne se lèverait même pas. S'en aller dans la steppe, sans rien dire à personne, voilà ce qu'il aurait dû faire. Mais il vit sa vieille à la torture, il eut pitié et lâcha :

— I me ll'ont juré : eul billet blanc pour tant qu' la guerre durera.

Eudoxie eut un instant de faiblesse; la chaleur lui revint, elle se retourna vers l'icône maîtresse et se signa:

— Ah! Grâces à Dieu, grâces à Dieu! La Sainte Vierge a entendu mes prières.

— Tu m'as l'air! dit Zacharie, sourcils froncés, et il dégrafa son paletot. La Sainte Vierge a rien à vouèr nà-n'dans. C'est mouè qu'a dû mette un peu d'huile dans les rouages pou qu' ça accroche pas.

Il allait déjà chez lui, mais il se retourna, sentant bien qu'elle ne le suivait pas, et son regard flamba sous ses gros sourcils :

— Où qu' tu vâs? Y vâ pas! Têtiguienne! Qu'i crève de male mort! — Rougi par les vents, boursouflé par les nœuds de ses veines sombres, son poing se serra. Il le secoua. — I viendra bin tout seul, si n'en a envie.

— Mais j'vâs pas chez Romain, mentit Eudoxie, tout heureuse. Tu veux bin que j' te serve quèt' chose?

— Pas la peine. Euj' vâs bouère un peu d' baume. Pi après j' partirai tout d' suite dans la steppe.

Il se défit de son costume de cérémonie et resta en linge de corps.

Ce baume de Riga, d'ambre et de feu, était devenu sa boisson préférée depuis qu'il l'avait découvert à Moscou quelque temps auparavant. Il en conservait de petits flacons brillants dans la salle à manger et dans sa chambre et en buvait de temps en temps dans un gobelet d'argent.

— Prends-moi au moins un peu de soupe maigue, lui proposait sa femme inondée de joie. Veux-tu j' t' en fasse réchauffer?

— A quouè bon? C'est qu' des haricots et d' l'huile eud' tournesol? Sers mouè la comme ça. — Et il cria dans son dos : Et dis au Cosaque eud' couri jusqu'à chez Simon, qu'i m'attelle.

La chambre à coucher de Zacharie était derrière celle de sa femme, et sans sortie indépendante. « Au moins j'aurai jamais de vent coulis chez mouè », disait-il. Aux mauvais jours, par la pluie et le froid, il courait la steppe sans prendre de précautions, mais chez lui il craignait les courants d'air et aimait dormir au chaud. Ne cadrant pas avec leur vie actuelle, une large banquette campagnarde en carreaux de faïence était pratiquée au flanc du poêle; c'est là que Zacharie dormait en hiver. Il y avait aussi un gros coffre-fort encastré dans le mur, avec des secrets et des sonneries quand on l'ouvrait : mais il y jetait les choses en passant et c'est en passant qu'il les en retirait. Ce coffre contenait plusieurs livres de comptes, mais Tomtchak ne laissait jamais entrer chez lui aucun employé et trouvait lui-même peu de plaisir aux chiffres; son argent ne dormait guère, toujours entre les terres, le cheptel ou la bâtisse; quant à l'or, les Tomtchak l'évitaient comme tous les hommes de profit, comme tous les hommes de peine (une petite pièce est si vite tombée de la poche!), et à la banque ils devaient graisser la patte à l'employé pour qu'il ne les surcharge pas d'or et leur donne des *assignats*.

Au bureau non plus Zacharie Tomtchak ne moisissait pas sur les comptes et l'argent; il n'y restait que le temps de prendre ses décisions. La raison de toute son activité était dans la steppe, auprès de ses machines, de ses troupeaux de moutons, à l'exploitation; c'est là qu'on avait besoin de l'œil du maître et de ses ordres. Ce qui avait fait son succès? Le partage de la steppe immense en rectangles abrités du vent par des lignes d'acacias; l'assolement septennal avec alternance de froment, maïs dent-de-cheval, tournesol, luzerne, sainfoin, ce qui faisait les récoltes plus drues et plus belles chaque année; le remplacement de ses vaches par des allemandes laitières qui donnaient leurs trois seaux tous les jours; l'abattage de ses cochons par quarante d'un coup (on les entreposait au fumoir, et la charcuterie que préparait un colon allemand ne le cédait en rien à celle d'Eidenbach de Rostov); et, surtout, la tonte de ses brebis qui donnaient des montagnes de laine dont on faisait de grosses balles.

Jamais Tomtchak ne manquait d'assister aux grandes expéditions, par le train ou par charroi, des fruits de son domaine, grain, laine ou viande. C'était pour lui la plus belle des fêtes que d'embrasser du regard toutes ces masses, tout ce poids qu'il livrait aux hommes. Il aimait parfois s'en vanter : « C'est mouè qui nourris la Russie », et tout autant qu'on l'en complimentât.

Pendant que sa femme allait chercher le borchtch, Zacharie Ferapontovitch passa un costume de toile et mit des bottes à double semelle douce (« pou me r'poser l' pied »). Il aurait bien mangé une tranche de lard rose bien épaisse, ou un bon brouet de pâtre, bien chaud, avec de l'agneau, mais il fallait pour cela attendre l'Assomption. Il se contenta, avec un long couteau de cuisine, de fendre lui-même d'un bord à l'autre le pain de froment tout soufflé qui rendait sous la main les deux tiers de son épaisseur et d'incliner ses moustaches au-dessus de sa grande écuelle, pleine d'une soupe de carême, épaisse et froide.

Sa femme était debout en face de lui, les mains croisées sur son gros ventre, elle le regardait manger.

Il se hâtait d'avoir fini pour s'en aller, mais sa bru frappa à la porte et entra.

— Quouè?! Vous ll' avez pas d'jà dit à Romain?

Il s'était redressé, en arrêt comme un chien, pour aboyer au-dessus de son écuelle. Sa femme essaya de le calmer avec un air coupable :

— Mais nan, mais nan. Juste à Ira. C'était pas défendu, nan?

Irène, elle, était entrée, tout innocente, droite comme toujours, avec son long cou et sa haute coiffure somptueuse. De tout le jour, elle avait seulement appris du laquais que son mari n'était pas mort, là-bas, dans leur chambre à coucher : il avait déjeuné et reçu les journaux du jour. Elle regardait son beau-père tremper ses moustaches dans sa soupe, elle ne le remercia pas, elle le regardait sans rien dire, mais avec complaisance et amitié.

Contre toute la maison il pouvait crier, tonner, contre Irène — non; du premier jour, elle avait compris comment elle devait le traiter. Non qu'elle fît rien contre son gré (elle ne portait même pas à la maison ses toilettes précieuses et ses « pendeloques », ses brillants, parce qu'il n'aimait pas cela), mais, ayant trouvé le ton qu'il fallait, elle savait le convaincre comme personne : de faire la paix avec la maisonnée ou de rendre à la liberté les canaris dont on faisait l'élevage pour imiter Dieu sait qui. Le beau-père soupirait : « Iroucha, t'es eun' enfant du Bon Dieu! », et il cédait. Si quelque chose se passait en politique, il n'écoutait jamais son fils, avec ses journaux, mais il prêtait l'oreille aux interprétations de sa bru, d'après *Temps nouveau* [1].

— Allons, approche, approche, dit-il en lui faisant signe, et, s'étant au milieu de sa soupe essuyé la bouche et les moustaches à sa grosse serviette épaisse, il baisa son front incliné. — Pourtant il ne l'invita pas à s'asseoir et ne lui dit aucune autre parole aimable. Il mordait à même son deuxième morceau de pain et mâchait bruyamment; coléreusement, il laissa passer entre les bouchées : C' que j' peux r'gretter mon équipée, c' que je r'grette eud' l'avouèr fait edzempter... In' aurait été à la guerre, ça y aurait appris à vivre... Maudite engeance! ça n'a jamais connu l' malheur...

Il mâchait, tchiaf, tchiaf...

Irène protesta, sans insister :

— Enfin, papa, comment pouvez-vous dire des choses pareilles?

Il continua de manger sans entendre; il finissait son assiette, il semblait même déjà mâcher à vide, furieusement :

— Et dis y bin qu'i mette su pied sa prope affaire, qu'i compte pas su la mienne! J' laisserai putôt tout à mon neveu. A moins que... — Il commença d'une voix encore assez mal assurée, mais son visage se durcit et sa décision passa entre deux avalées : A moins

1. *Novoïé Vrémia*, journal de droite longtemps dirigé par Alexis Souvorine. (*N.d.T.*)

qu'à çt' heure j'aille retirer Xénia d' son cours, et que j' la marie.

— Papa! Papa! s'exclama Irène. — L'arc de ses sourcils s'était soulevé. — Vous dites ça parce que vous êtes en colère! A quoi bon alors l'avoir mise à étudier si c'était pour lui faire lâcher tout en plein milieu? Ça n'aurait aucun sens!

Dans le temps, quand il entendait parler des mécomptes des autres économistes, Zacharie Ferapontovitch disait : « Pas étonnant. Ch' chrais tombé dans l' panneau tout comme eux. I faut avouèr son agronome. Et où que j' pourrais m'en trouver un qui connaisse par cœur son affaire, qui souèye travailleur, franc du collier et pas filou? » C'est dans l'un de ces instants qu'Irène et Romain l'avaient persuadé de faire faire à Xénia des études d'agronomie : comme ça, son agronome, il l'aurait, et il n'aurait pas plus proche!... Mais aujourd'hui, c'est tout autre chose que son regard broussailleux d'homme des steppes voyait au loin :

— Ça aurait t't d' même un sens. J'aurais un petit-fils dans un an, et dans quinze — un héritier.

Il avait fini de lamper sa soupe, il s'essuyait. Le bas du visage était caché par la serviette, le haut exprimait sa douleur ravivée.

Ce n'est pas seulement devant les femmes, c'est toujours et partout que Zacharie manquait de mots pour dire sa confusion et son désarroi. Non point que son argent et ses biens dussent périr, Romain n'était pas une tête folle, mais le ressort, l'esprit de l'affaire serait brisé. Pour hériter une affaire et la bien mener, l'esprit doit continuer. Était-ce pour ce personnage obscur et étranger qu'il avait tout fait, tout organisé?

Irène, cependant, avançait ses arguments de bonne femme :

— Mais comment pouvez-vous la marier sans lui demander son avis? Et avec qui?

Tomtchak se leva. A côté de l'élégante Irène, sa stature de Cosaque zaporogue était particulièrement remarquable :

— Et là-bas, avec qui qu'a s' marierait? Avec un étudiant? Qui s' f'rait envouèyer au bagne? J'ai été un vieux fou d' l'avouèr mis aux écoles. A cause toutes ces langues eud' mécréants et an'a désappris à crouère en Dieu. J'aurais eu un fils un vrai — j'y aurais laissé apprendre jusqu'à quarante ans, jusqu'à tant qu' les gens arrêtent eud' le r'garder avec des yeux ronds. Ah, la viéille! cracha-t-il et il prit une canne légère au manche poli par un long usage. C'est tout c' que t' as été fichue d' me donner en fait d' fils!

— C'est la volonté du Bon Dieu, l' père, soupira sa femme et son visage attendri était bienheureusement calme.

— Sa volonté, au Bon Dieu, j' la connais point... Mais la mienne, vous ll' avez entendue.

Et d'un pas ferme, fort, il partit; elles l'entendirent dévaler l'escalier.

9

Tout ce qu'Oria aimait dans la vie, c'était le mystère. Elle se plaisait à penser que les forces de l'au-delà sont en action autour de nous. Pourquoi la comète de Halley aurait-elle été sans raison suspendue au-dessus de leurs têtes l'année où la maison avait été construite et le parc planté?... Rien de semblable, rien d'approchant n'était dit dans les Évangiles, pourtant elle croyait à la transmigration des âmes... Quelques emprunts aux doctrines orientales ne viennent-ils pas joliment compléter les vérités de la foi chrétienne? L'âme, au-dessus de la contradiction, y saisit comme les différentes hypostases de la Beauté. Elle aimait rêver ce qu'elle avait été *avant*, ce qu'elle serait *après*. Et si elle toucherait aux étoiles avant de se réincarner.

> *Tout ce qu'*ici-bas *nous suggère*
> *Nous sera* là-bas *révélé...*

Elle y songeait souvent en marchant sous les étoiles. Et surtout, sous les ondées de lumière du couchant jauni, dans l'allée qui marquait la limite occidentale du parc. Au-delà des vignes qui commençaient là, par les beaux soirs d'été, les halos d'or de l'infini emportaient sa silhouette errante, l'arrachant au parc, à la maison, à son mari, au monde. Plongée dans le soleil, à l'abri de toute atteinte, elle marchait, comme éthérée.

Justement le couchant était illuminé.

Elle aurait bien voulu aller là-bas pour y marcher au hasard, l'âme en liberté, comme allégée du corps et de ses misères.

Mais si elle n'allait pas prévenir Romacha immédiatement, sa belle-mère se hâterait de le faire.

D'ailleurs, avec cette nouvelle, il n'y avait plus rien d'abaissant à entrer la première, avec une nouvelle comme celle-là elle pourrait le faire sans avoir à demander pardon.

Marchant silencieusement, elle s'abstint de frapper ou de tousser pour prévenir de sa venue. C'est tout doucement qu'elle s'approcha de la porte et l'ouvrit.

La porte ouverte, elle fut entourée d'une lumière où se mêlaient le jaune et le rose ; l'éclat du couchant qui passait encore entre les cimes du parc s'insinuait jusque-là après avoir traversé la véranda et la cloison vitrée qui la séparait de la chambre à coucher ; il y était entretenu par les murs tapissés de rose pâle auxquels répondaient l'or rosé des courtepointes et les reflets jouant sur les colonnes de bronze des lits jumeaux en bois de sycomore.

Il y avait encore assez de lumière pour lire. Assis dans un fauteuil bas et profond, il lui tournait le dos. Entre ses mains, un journal déployé. Il avait entendu la porte, il ne pouvait manquer de déceler ses pas. Pourtant il ne se retourna pas.

Il voulait qu'on comprît bien à quel point tout le monde le blessait, mais aussi qu'il était bien déterminé à ne pas mollir.

Il était assis de telle façon qu'Irène ne pouvait voir par-dessus le dossier que sa tonsure entourée de cheveux noirs.

Et les grandes léchures de la calvitie sur ce crâne de trente-six ans, sans défense et familier, la fléchirent tout à coup. L'espèce de viscosité qui l'empêchait d'avancer se détacha d'elle.

D'un pas libéré, elle marcha vers cette tête soudain tournée, au-devant du mélange d'humiliation, d'hésitation et de disposition à s'illuminer qu'elle découvrait sur le visage mal rasé, obscur, fuyant encore la lumière.

D'une voix égale elle déclara :

— Tout va bien, Romacha. Papa s'est entendu. On lui a dit que ça marcherait.

Elle était déjà si près de son fauteuil qu'il n'eut pas le temps de se redresser; il put seulement lui saisir les mains et les baiser tout en lui disant quelque chose de passionnément confus. Il n'était pas question de leur querelle, de savoir qui des deux était coupable, la querelle était oubliée.

Son père aussi était oublié. Il ne s'enquit pas de lui, n'eut pas un mot, pas un élan de gratitude.

Et Irène renonça à lui rapporter ses injures et ses menaces.

Irène avait les bras nus. Romain y baisa près des coudes l'endroit où se formaient de petites fossettes et, plus haut, la peau rosée, tendre et pure, nette du plus petit grain de beauté. Mais il ne put faire glisser bien loin les manches trop serrées. Alors, la faisant tourner sur elle-même, il l'assit sur ses genoux et appuya sa tête contre son sein.

De nouveau elle put examiner son crâne dégarni

entre ses cheveux courts et durs, mais peu solides. Et, précautionneusement, elle y déposa un baiser :

— Moumouche.

Un petit nom gentil — d'où venu? — qui avait cours entre eux. Et qu'il aimait bien.

Animé, joyeux, il parla beaucoup. Irène eut même quelque peine à le comprendre. Il lui promettait qu'après l'Amérique où, depuis longtemps, il voulait aller (n'était-ce pas le premier pays du monde, le plus sensé, le plus pratique?), et même, pourquoi pas, avant l'Amérique, si toutefois la guerre voulait bien finir, ils iraient en voyage selon un itinéraire dont elle avait toujours rêvé (suggéré jadis, rejeté, et depuis conservé dans le secret de son cœur) : Jérusalem, la Palestine, les Indes. Que de choses amusantes ils trouveraient par là, que de choses ils pourraient goûter, sauf à les recracher aussitôt.

— Et on visitera comment? demanda Irène. Comme à Paris?

(Un ascenseur rapide montait tout en haut de la Tour Eiffel : « Pour ce qu'on va y voir... » Il craignait le vertige. « Bon, alors j'y monte toute seule! — Dans ce cas-là... » Et il était monté avec elle. Au Louvre : « Ira, tu vas les regarder encore longtemps, ces vieux débris? Moi, ça me creuse. » Le tombeau de Napoléon? « Qu'est-ce qu'on en a à fiche, de celui-là? On a bien rigolé quand il est venu chez nous recevoir sa tournée. Souvorov, ça c'était un génie! »)

— Non, non, en détail, tout en détail, promit-il, mais il dégageait déjà ses genoux, déjà il triturait sa cigarette ultralongue.

Il allait fumer sous la véranda et saisit au passage le

dernier numéro froissé du *Journal de la Bourse.*

— Irotchka, fais-nous servir ici pour le dîner quelque chose de léger, du poulet par exemple. On va se coucher, on ne sortira pas.

S'il y avait encore assez de lumière pour la véranda, la chambre s'assombrissait de minute en minute et les tons, éteints, devenaient gris. Pourtant Irène n'allumait pas.

Elle s'éloigna des fenêtres et s'enfonça dans la chambre. A regret, comme une masse de fonte, elle souleva sur l'un des lits étalés le coin de la courtepointe décolorée par le crépuscule. Et elle s'immobilisa, tenant soulevée cette charge trop lourde pour elle.

Derrière quelles tentures, sous quelles couvertures se dérobait à l'expérience de l'homme, et souvent pendant toute sa vie, cette bénédiction, ce feu ardent qui avait visité son père dans sa vieillesse, au point qu'il n'avait plus craint de braver la condamnation des hommes et le jugement de Dieu et qu'il s'était précipité sans vergogne chez l'archevêque pour lui acheter le droit de se remarier avec sa bien-aimée?

L'apitoiement d'Irène sur son mari s'en alla aussi vite qu'il était venu. Elle regretta sa dernière nuit de solitude et même la journée éreintante qu'elle venait de vivre, seule mais libre. En tirant la couverture, elle allait dénuder le gouffre obscur, le puits desséché au fond duquel elle passerait encore une nuit d'insomnie, brisée, gisante, sans gorge pour crier, sans échelle de corde pour s'enfuir.

Et son héros — jamais — ne viendrait à elle.

Pourtant, depuis ses neuf ans, ce héros secret existait, — Œil de Faucon, le Nathaniel Bumppo de Fenimore Cooper, un guerrier sans peur et sans reproche. C'est à un héros comme celui-là qu'Oria devait appartenir! Mais jamais elle n'avait rencontré un homme qui, fût-ce de loin, lui ressemblât. Seule complaisance envers sa destinée intime, elle avait appris à aimer le tir : elle possédait un petit browning qu'elle gardait dans le tiroir de sa toilette ou portait dans son sac à main, et un fusil de dame anglais qui pendait par la courroie devant une tapisserie; il pouvait percer deux planches d'un pouce et demi chacune. Quand les officiers de la garnison étaient reçus à l'*économie*, on tendait une toile de l'autre côté de la ferme et Oria tirait avec eux sans qu'ils pussent lui prendre de points. Si un jour son héros lui apparaissait, elle serait digne de lui...

... Romain, qui depuis plusieurs heures s'abrutissait sur ses journaux, venait tout juste d'en saisir le sens profond et le brûlant intérêt. Comme si on les lui eût soudain changés, ils s'étaient mis à vivre et les lettres palpitaient dans les lignes. Il ne faisait pas encore noir sous la véranda; il s'approcha de la carte pour y voir ses petits drapeaux et le tracé de la frontière.

Depuis que cette frontière avait été fixée avec cette espèce de moignon que la Prusse nous tendait comme pour se faire amputer, jamais elle n'avait été mise à l'épreuve, la Russie n'ayant pas fait la guerre à l'Allemagne... Cela faisait même plus longtemps, cela faisait bien cent cinquante ans que les deux pays ne s'étaient pas battus... En ce temps-là, l'Allemagne n'existait même pas encore... Et pour la première fois on allait voir ce que valaient cette frontière et notre dispositif frontalier.

Et le vieux dicton datant de Frédéric : « Toujours les Russes battront la Prusse. »

Nous avions l'initiative! *Les nôtres* avançaient! Les communiqués du Haut Commandement ne mentionnaient pas le numéro des armées, des corps d'armée et des divisions et l'on ne voyait pas bien où il fallait piquer les drapeaux. D'ailleurs, que représentaient-ils, ces drapeaux? Le nombre en avait été fixé arbitrairement par Romain, à sa convenance, et il ne tenait qu'à lui d'occuper dix ou vingt verstes de plus du territoire prussien.

Soigneusement, pour ne pas arracher sa carte, il déplaça toutes les épingles — de deux jours de marche en avant.

Nos unités avançaient!

10

La nuit était tombée sur Ostrolenka et les réverbères électriques s'allumèrent aux abords du quartier général de la IIe Armée, un bâtiment de pierre à un étage. De fières sentinelles montaient la garde au portail et à l'entrée d'honneur, tandis que deux factionnaires allaient et venaient dans la rue, disparaissant dans l'ombre des arbres pour en ressortir peu après.

L'armée qu'on dirigeait d'ici avançait déjà depuis une semaine, pourtant il n'y avait ni allées et venues alarmées, ni cavaliers arrivant ou partant au galop, ni équipages assourdissants, ni ordres tonitruants suivis de rappels et de contrordres : tout s'était calmé aux approches du soir et sommeillait avec le reste de la ville. Les fenêtres allumées restaient allumées, celles qu'on avait éteintes restaient éteintes, et cela contribuait à donner une impression de paix. On ne voyait pas non plus l'habituel entrelacs du téléphone de campagne qui devient inextricable aux alentours des quartiers généraux; seuls descendaient de leur poteau les deux fils ordinaires du réseau urbain.

On laissait la population passer dans la rue et la jeunesse polonaise vêtue de blanc, de noir et de couleur allait et venait sur les trottoirs. On avait déjà enrôlé beaucoup de jeunes gens et les *panienki*[1] polonaises se promenaient deux par deux, certaines même avec des officiers russes. Après la touffeur du jour, ce dimanche soir était encore lourd et sans air, beaucoup de fenêtres restaient ouvertes et l'on entendait à quelque distance chanter une voix de gramophone.

Illuminant la rue du faisceau fantastique de ses phares blancs, grinçante et bringuebalante, une automobile apparut au coin du pâté de maisons dans un nuage de poussière, elle remonta comme un tonnerre jusqu'au portail et le franchit devant la sentinelle qui présenta les armes. La voiture était découverte, on pouvait y voir un petit général-major au visage rechigné.

Le calme revint. Un gros curé ensoutané passa onctueusement. Échine pliée, chapeau tendu à bout de bras vers la terre, des messieurs le saluaient au passage

1. « Demoiselles » en polonais. (*N.d.T.*)

comme personne en Russie n'eût jamais salué un prêtre orthodoxe.

Une voiture de place arriva avec un couple d'officiers. Ils payèrent, descendirent d'un bond, entrèrent.

Le plus gradé, un colonel, ne fut accueilli par l'officier de service qu'une fois traversé le premier vestibule; il lui remit alors un document. Le document était d'importance. L'officier monta l'escalier quatre à quatre en maintenant son sabre d'une main; il informa le chef d'état-major.

Celui-ci s'étonna, se troubla, faillit descendre en personne à la rencontre du colonel, changea d'avis, voulut le recevoir dans son bureau, se ravisa encore et partit à petits pas rapides avertir le général Samsonov qui commandait la IIe Armée.

Le général de cavalerie Samsonov, assagi par ses longues années de service comme hetman délégué de l'armée du Don, général-gouverneur du Turkestan et hetman des Sept-Rivières, n'agissait jamais qu'avec calme et circonspection et il inculquait à ses subordonnés qu'à l'exemple du Créateur, tout homme, à condition de réfléchir, pouvait venir à bout de ses affaires en six jours et dormir tranquillement ses six nuits en consacrant judicieusement son dimanche au repos; c'était en vain que les agités cherchaient à s'en tirer en travaillant le septième jour.

Toutefois, depuis trois semaines, la vie de ce général de cinquante-cinq ans s'était remplie d'un mouvement et d'une agitation sans précédent. Les sept jours de la semaine, dimanche compris, ne lui suffisaient plus; il en avait même perdu le compte, et la veille, ce n'est que sur le soir qu'il s'était rappelé qu'on était dimanche. Chaque nuit, il attendait sans dormir les instructions tardives de l'état-major du front et envoyait ses ordres à des heures indues. Il avait la tête pleine d'un bourdonnement incessant qui gênait ses réflexions.

Trois semaines plus tôt, une décision impériale l'avait arraché à l'organisation de ses confins asiatiques pour l'envoyer aux premières lignes du conflit européen tout juste commencé. En d'autres temps, immédiatement après la guerre russo-japonaise, il avait servi ici comme chef d'état-major de la région de Varsovie et c'est à ces anciennes fonctions qu'il devait son affectation. La confiance de Son Altesse était flatteuse et Samsonov, comme dans chacune de ses affectations, voulait s'en montrer aussi digne que possible. Mais il n'avait plus la main, pendant sept ans il était resté à l'écart du travail opérationnel, il n'avait même jamais commandé en ligne un corps d'armée — et on lui confiait du premier coup une armée tout entière.

Depuis longtemps il avait cessé de se poser des questions sur la Prusse orientale, théâtre opérationnel; personne au long de ces années ne l'avait renseigné sur les plans d'opérations intéressant la région, sur leur élaboration et leur évolution, et tout à coup on lui ordonnait d'exécuter sans retard un plan qui n'était pas de lui et qu'il n'avait pas même convenablement étudié, un plan selon lequel deux armées russes devaient, l'une descendant du Niemen à l'est, l'autre montant du Narev au sud, attaquer la Prusse dans le dessein de prendre en étau toutes les troupes qui s'y trouvaient.

Le nouveau commandant de la IIe Armée aurait eu besoin d'étudier à loisir la situation, de s'y faire, surtout d'être un peu seul, pour retrouver sa tête, jauger le plan, travailler sur la carte — or il n'avait pas une minute à lui. Le nouveau commandant de la IIe Armée aurait eu besoin de faire connaissance avec son état-major (que valaient-ils, ses conseillers et ses adjoints?), — mais pour cela non plus il n'avait pas un instant. Son état-major avait d'ailleurs été composé de façon déshonnête; c'est avant son arrivée qu'on l'avait formé, en même temps que celui du front nord-ouest, à partir de celui de la région militaire de Varsovie — et Oranovski, le chef d'état-major de région affecté au front, y avait entraîné avec lui les meilleurs éléments, sans souci de l'E.M. de la IIe Armée qu'il avait traité misérablement, faisant la part au plus jeune; on l'avait complété de bric et de broc avec des officiers qui ne se connaissaient pas et n'avaient pas l'habitude de travailler ensemble. Jamais Samsonov n'aurait de lui-même choisi ce chef d'état-major timoré ou ce général quartier-maître fielleux, mais ils se trouvaient là avant lui et c'est par eux qu'il avait été accueilli. Le nouveau commandant de la IIe Armée aurait encore eu besoin de faire la tournée des régiments pour en connaître au moins les officiers supérieurs, pour voir les soldats et se faire voir d'eux. Pour se convaincre que tous étaient prêts avant de commencer l'avance en territoire ennemi, une avance progressive qui eût préservé la combativité des troupes et permis de transformer les réservistes en soldats. Mais si le général n'était pas prêt, que dire de ses corps d'armée? Pas un seul n'avait son effectif au complet, la cavalerie n'avait pas rejoint son affectation, l'infanterie débarquée des trains plus tôt que prévu n'était pas sur les bases de départ, l'armée tout entière était dispersée sur un territoire plus grand que la Belgique. L'arrivée de Samsonov avait surpris l'intendance au déballage; les dépôts n'avaient pas les approvisionnements nécessaires à huit jours d'opérations, et surtout, surtout, on n'avait pas les moyens d'en assurer le transport d'un bout à l'autre de l'armée : seul le flanc gauche pouvait compter sur le chemin de fer, les autres corps d'armée devraient se contenter de chevaux de trait — encore n'en avait-on pas reçu en suffisance — et les caissons étaient à un cheval au lieu de deux — et à la suite de Dieu sait quel ordre de la direction des Communications militaires, le train du 13e corps, déchargé avant Bielostok, faisait inutilement le reste du chemin par ses propres moyens en s'étirant au travers des sables.

Le temps manquait pour tout, les délais impitoyables ne laissaient pas de répit, les messages se succédaient, le monde devait entendre le pas terrible des armées russes — et le 2 août elles étaient parties, le 6 elles avaient franchi la frontière. Cependant, les troupes n'établissaient pas le contact avec l'ennemi et elles continuaient de marcher jour après jour dans un pays désert, en abandonnant avec prodigalité, sur toutes les rivières, à tous les ponts, dans chaque bourgade, des unités d'assaut — parce que les divisions de première ligne ne recevaient aucun soutien.

On ne se battait pas, mais la désorganisation de l'arrière rendait périlleuse une progression si rapide. Il était essentiel de s'arrêter ne fût-ce qu'un jour ou deux pour laisser arriver le train, donner un peu de repos aux unités de combat, faire simplement le point et assurer ses positions. Et l'état-major de la IIe Armée rendait compte de la situation journalière à l'état-major du front nord-ouest : 8e, 9e jour de marche... 4e, 5e jour de l'avance en Prusse... pays déserté, vivres évacués, meules de foin brûlées... transport du fourrage et du pain de plus en plus long et difficile (manque de moyens)... réserve de biscuits épuisée aux deux tiers... Sur les routes sablonneuses, sous le soleil, éreintées, nos colonnes avancent — dans le vide!

Et quand il lisait cela, le général Jilinski qui commandait en chef le front nord-ouest, à cent verstes de là sur l'arrière, ne comprenait rien, n'apprenait rien et continuait de rabâcher comme un perroquet : attaquez énergiquement! notre victoire est dans la vitesse de nos jambes! l'ennemi vous échappe!

Il y avait des limites que le général Samsonov n'entendait pas franchir même en pensée. Il n'aurait pas eu l'audace de juger la famille impériale ni, par conséquent, le commandant suprême. Il n'osait pas non plus juger librement des intérêts supérieurs de la Russie. Une directive du haut commandement avait expliqué qu'étant donné que la guerre nous avait d'abord été déclarée à nous et que la France, pour respecter son alliance, nous avait immédiatement soutenus, nous devions de notre côté, pour satisfaire à nos obligations, passer le plus tôt possible à l'offensive contre la Prusse orientale. Cette directive parlait encore d'une offensive « calme et planifiée ». Cependant, à l'état-major du front, les marches calculées par Samsonov suscitaient l'incrédulité, sinon les rires, et l'on attribuait ses récriminations à la faiblesse. Les rappels à l'ordre de Jilinski et ses télégrammes de reproche ulcéraient tous les jours un peu plus Samsonov. Là, il ne trouvait plus en lui assez d'humilité pour s'arrêter avant de juger son chef. Pourquoi nomme-t-on *volonté* l'obstination d'un supérieur à ignorer la situation véritable, et faiblesse le rapport du subalterne qui dénonce la situation telle qu'elle est?

Quelles étaient donc les tâches du commandant en chef du front nord-ouest? Il n'en avait qu'une : coordonner la IIe Armée avec la Ire, un point c'est tout. Une misère pour un état-major si nombreux; il était fatal qu'il se mêlât du commandement des deux armées. Dès les premiers jours, la coordination elle-même se réduisit à des bâtons dans les roues. Ni par l'intermédiaire du front, ni sur le terrain, ni par sa cavalerie de reconnaissance, la IIe Armée ne sentit en territoire ennemi le voisinage de la Ire. Maintenant même que, depuis soixante-douze heures, les ordres du jour du front et la presse russe célébraient à l'envi la victoire de la Ire Armée sous Gumbinnen, les corps d'armée de Samsonov n'apercevaient toujours pas derrière les forêts et les lacs l'armée Rennenkampf qui venait de l'orient (ou seulement sa nombreuse cavalerie), non plus qu'ils ne voyaient les Allemands fuir d'est en ouest. La victoire de Rennenkampf faisait jubiler la Russie; seul son voisin de Prusse orientale n'y avait rien gagné.

Les choses auraient été différentes si l'on avait autrement disposé des hommes. Mais Rennenkampf et Jilinski avaient l'âme comme étrangère, hautaine; ils étaient peu enclins à écouter, peu désireux de s'entendre. Avec Rennenkampf, Samsonov n'avait plus parlé depuis la guerre russo-japonaise et la pénible explication qu'ils avaient eue quand la cavalerie de Rennenkampf n'était pas venue à la rescousse des Cosaques de Samsonov. Quant à Jilinski, Samsonov ne le connaissait que de loin et c'est en passant par Bielostok qu'il s'était présenté à lui pour la première fois. Il lui avait suffi d'un bout de conversation pour comprendre qu'on ne devait rien attendre de sensé de ce général. Jilinski n'avait pas eu une seule parole humaine, comme on en dit à un frère d'armes. C'était un *fayot* qui gardait ses distances, ce n'était pas un frère. Il savait tout mieux que personne et n'avait pas l'intention de prendre le conseil de ses subordonnés. Dans le calme de son cabinet, il avait la voix tranchante sans raison, coupant même la parole à ses interlocuteurs, et il tenait sans doute pour une humiliation d'être placé si bas.

Il y avait encore autre chose entre eux : le choix, au printemps, du général-gouverneur et commandant de la région militaire de Varsovie les avait affrontés. La candidature de Samsonov était déjà approuvée par le souverain quand Soukhomlinov était intervenu, protestant que Samsonov ne savait pas le français, indispensable à Varsovie (en fait, il le parlait, quoique assez peu couramment). Et le souverain avait accepté la candidature de Jilinski; qu'on déplaçait justement de l'état-major général des Forces armées et qu'il fallait recaser. Or, si Samsonov était revenu dans la région de Varsovie dès le printemps, il aurait été au courant, il aurait déjà connu les plans de guerre. C'est donc le français qui avait décidé du sort du front nord-ouest.

Les méchants se soutiennent toujours entre eux, là est leur plus grande force. Soukhomlinov — Samsonov le savait de source sûre — était en rapport avec Altschuller, la firme autrichienne de la Morskaïa. Le ministre de la Guerre! Ses affaires étaient louches, et, du fait même, ses relations et ses sujétions; sa femme, une divorcée, parcourait le monde en réclamant de l'argent. Soukhomlinov avait soutenu Jilinski, Jilinski poussait Rennenkampf, Rennenkampf était le gendre du chef de la chancellerie de campagne de Son Altesse et s'était choisi comme délégué-général un prince de la haute société, familier du couple impérial. Jilinski avait lui aussi ses intermédiaires en haut lieu : il était proche de la maison de Marie Feodorovna, et cela lui donnait de l'indépendance, même par rapport au commandant suprême. Là, Samsonov mettait brutalement le frein; il ne lui appartenait pas de juger dans quelle mesure l'impératrice mère devait pouvoir peser sur les destinées de l'armée russe.

Il n'enviait pas ces succès et ces promotions, il ne cherchait pas à se lier avec la cour, il ne s'était pas choisi un délégué-général influent mais combatif, et pourtant un fond de tristesse s'était déposé dans son âme : si la Russie devait connaître des heures cruelles, tant de superbe et de clinquant serait soufflé comme flamme au vent et l'on n'entendrait même plus prononcer le nom de ces ambitieux.

Si encore ils s'étaient haussés sans nuire! Samsonov avait bien assez de souci à prendre en main la IIe Armée, à la dresser, à la conduire. Mais ces messieurs tatillonnaient et cassaient tout! Malgré ses efforts, l'organisation de son armée ne restait jamais la même plus de deux jours : on avait mis le 1er corps sous son commandement, mais sans lui donner le droit de le déplacer;

on lui avait donné le corps de la Garde — et trois jours plus tard on le lui avait repris (qui pis est, secrètement : il avait encore cru pendant vingt-quatre heures que la Garde avançait sur son ordre), on lui avait donné le 23e corps — et aussitôt on en avait retranché une division d'infanterie, celle de Sirelius, versée à la réserve du front; une autre, celle de Mingin, envoyée à Novogueorguievsk; l'artillerie de corps d'armée, envoyée à Grodno; et la cavalerie, sur le front sud-ouest. Puis le front nord-ouest s'était ravisé et lui avait rendu la division Mingin, qui avait dû rejoindre les autres corps d'armée à marches redoublées. Et la veille, de l'état-major du front était arrivé un télégramme qui l'avait blessé au vif, lui enjoignant de transmettre à Rennenkampf le commandement du corps d'armée constituant le flanc droit! Samsonov avait eu sous ses ordres jusqu'à sept corps d'armée, — il ne lui en restait plus que trois et demi!

Il l'aurait encore supporté calmement s'il y avait eu quelque raison à tout cela. Mais il n'y en avait pas. Il était arrivé bien tard, il n'avait guère eu le temps de réfléchir et de s'informer des travaux exécutés durant toutes ces années sur le théâtre prussien, mais en regardant ce moignon tendu vers la Russie, il avait tout de suite compris qu'il fallait frapper à l'aisselle et non tenter de le ronger du bout, — et que, par conséquent, l'armée la plus puissante devait être celle du sud, l'armée du Narev, la sienne, et non l'orientale, celle de Rennenkampf.

Cependant, ses désaccords avec le front n'en finissaient pas. Comment fallait-il comprendre la mission de la IIe Armée? quelle devait être sa direction d'attaque? S'ils ne s'étaient pas entendus, assis à la même table, comment le feraient-ils avec le télégraphe? Pas plus qu'on ne peut atteindre le diable d'un coup de goupillon, on n'aurait pu saisir le plan de Jilinski. Selon lui, les Allemands allaient se concentrer en face de Rennenkampf, tout contre lui, à l'est, vers les lacs Mazures, et ils attendraient là que Samsonov leur taille des croupières. Aussi jugeait-il que la direction d'attaque la plus urgente était pour Samsonov celle du nord-est, en oblique. Et il avait fait transporter et concentrer toute la IIe Armée plus à l'est qu'il ne convenait; ce n'est que par la suite qu'il l'avait reportée vers l'ouest, non sans la disperser. Il suffisait d'un coup d'œil à la carte pour comprendre qu'il aurait fallu déployer les forces beaucoup plus à l'ouest, aux abords de la ligne Novogueorguievsk-Mlawa, seule voie ferrée russe dans le secteur opérationnel, alors qu'elles étaient une dizaine à venir aboutir du côté allemand. Comment avait-on pu laisser l'unique voie ferrée en dehors de l'aire de déploiement et lancer toute l'armée au travers de marais et de sablons impraticables?!

Arrivé trop tard pour imposer un autre plan et un autre déploiement, Samsonov avait expédié une note pour parer au plus pressé: oui, il attaquerait en oblique, mais non selon la ligne mal tracée par Jilinski-Oranovski, non en direction du nord-est; il avancerait vers le nord-ouest : au lieu d'aller se jeter dans les bras de son bon ami Rennenkampf, il tenterait de contenir les Allemands dans le filet en les empêchant de faire retraite derrière la Vistule.

Il ne pouvait céder là-dessus : à moins de passer à ses propres yeux pour un imbécile, un pantin dont on tire les ficelles. Jilinski envoyait sa directive quotidienne en oblique, vers l'est! Samsonov, tous les jours, demandait : en oblique, vers l'ouest. Et sans abandonner l'orient, il se mit peu à peu à obliquer vers l'occident : ses instructions aux corps d'armée et aux divisions les faisaient toujours dévier de deux ou trois villages vers l'ouest. Et lorsque, franchie la frontière, ni le premier, ni le deuxième, ni le troisième jour les nôtres n'eurent rencontré aucun Allemand, entendu ou tiré le moindre coup de feu, quand Jilinski se fut obstiné dans sa sottise (il continuait de voir l'ennemi figé face à Rennenkampf jusqu'à ce qu'on le frappât dans le dos, entassé près des lacs Mazures dans un petit cul-de-sac fatal, coincé entre Rennenkampf et Samsonov à attendre qu'on referme sur lui la nasse), alors il fut définitivement clair pour Samsonov qu'on le poussait dans le vide, que les Allemands échappaient à notre étau, qu'ils refluaient vers l'ouest et que notre dernière chance était d'ouvrir au maximum les mâchoires de la tenaille.

C'est ce qu'il faisait. Dans la mesure du possible, il repoussait vers l'ouest la mâchoire gauche, quoique Jilinski ne le couvrît pas et restât accroché à sa mâchoire droite; il consacrait à ce différend tout son cœur et tous ses sens, cependant que les troupes, les jambes déjà rompues par les erreurs de direction, continuaient d'avancer selon un itinéraire allongé d'à-coups et de zigzags par les divergences de vue des généraux. Toutes ces verstes aux semelles des soldats, Samsonov les ressentait, cuisantes, usantes, faisant bâiller les bottes, — et il ne pouvait exécuter sans résistance les ordres stupides de l'état-major du front.

De plus, ce conflit ouvrait le front en éventail, trois

corps d'armée et demi s'égaillaient sur soixante-dix verstes et Jilinski ne cessait de rappeler à Samsonov cet étirement du front, — reproche qui portait d'autant plus qu'il était justifié.

Samsonov eût été beaucoup plus tranquille à exécuter les ordres comme il les recevait. Mais un ordre absolument insensé? Mais un ordre donné bien évidemment au détriment de la patrie?

Afin de tenter de mettre un terme à leur incompréhension télégraphique, Samsonov avait, en dernier recours, adressé la veille à Jilinski son général quartier-maître Filimonov, pour qu'il s'explique avec lui de vive voix et lui demande l'autorisation d'attaquer au moins sans dévier, droit au nord, en direction de la Baltique. Qu'il insiste pour que soit accordée une journée de repos. Et qu'en échange du corps d'armée qu'on leur avait enlevé à l'est, il lui obtienne le plein commandement du 1er corps de la réserve générale qui se trouvait sur le flanc gauche et qu'il n'avait pas le droit de faire avancer.

Mais, pendant l'absence du général quartier-maître, le télégraphe avait transmis deux directives de Jilinski : celle de la veille et celle du jour. Dans celle de la veille, rien n'était changé : ne pas toucher au 1er corps et avec les trois autres et demi, — tout en assurant la sécurité des flancs (Facile! fils de pute!) — avancer énergiquement, et assez énergiquement pour occuper à l'est au plus tard le 12 août... Cela supposait qu'il irait donner contre Rennenkampf, si toutefois celui-ci chassait les Allemands devant lui; cela revenait à lui souffler la ville. Le dernier des ânes bâtés aurait compris que c'était encore une connerie d'état-major, qu'on repoussait ainsi les Allemands au lieu de les encercler. Et Jilinski reprochait à Samsonov d'aller trop lentement alors qu'il n'avait devant lui qu'une couverture allemande insignifiante : il n'était pas capable d'intercepter le gros des forces en retraite.

Il y avait quelque chose de juste : Samsonov n'avait pas d'Allemands devant lui (jusqu'à la veille, il n'en avait pas vu). Alors, où étaient-ils? C'était la question la plus importante. Et sans investigations, sans recherches, sans exploration de la cavalerie, sans le moindre prisonnier, comment le deviner? L'état-major de l'armée reconnaissait au moins honnêtement n'en rien savoir, l'état-major du front affirmait, lui, qu'il le savait.

Et le rapport personnel de Filimonov vint trop tard pour éclairer les choses : une heure avant son retour était arrivée la directive du front pour la journée du 11 août : « J'ai déjà attiré votre attention sur l'étirement du front et la dispersion des corps d'armée au mépris des directives données; je vous exprime aujourd'hui ma désapprobation extrême. »

Bien sûr, ces directives télégraphiques avaient été composées par Oranovski, un bellâtre aux yeux bovins, aux moustaches tombantes, enflé, propret, et plus méchant qu'un scorpion. Il les avait rédigées, et Jilinski avait signé; c'est déjà ainsi qu'ils travaillaient, en équipe, à l'état-major de la région militaire de Varsovie.

« Ma désapprobation extrême! » On désapprouvait ses efforts pour accrocher et retenir l'ennemi ne fût-ce qu'avec son flanc gauche. On insistait pour qu'il laissât tous les Allemands se replier sans coup férir...

Le général-major Filimonov venait de rentrer avec la

voiture du général commandant la IIe Armée et, sans perdre un instant, sans même se laver (il se contenta de vérifier qu'il y avait bien du *koulébiaka* pour le dîner), sans passer par le chef d'état-major qu'il ne tenait pas pour un vrai militaire, il alla frapper à la porte de Samsonov. Entrant à son invitation, il le découvrit allongé sur un divan — sans ses bottes; il claqua pourtant des talons et le salua, mais brièvement, sans toute l'application réglementaire, ainsi que le général Samsonov le lui avait d'ailleurs permis quand ils étaient entre eux. En guise de rapport, il dit simplement :

— Me voici de retour, Alexandre Vassiliitch.

D'une voix morose, fatiguée aussi. Il resta quelques instants debout, à attendre. Puis s'assit.

Il souffrait de sa petite taille qui pouvait gêner sa réussite éventuelle. Dès qu'il le pouvait, il s'asseyait, en prenant ses aiguillettes dans une main. Il y avait dans son visage un excès de sombre volonté, encore accentué par son crâne passé à la tondeuse comme celui des simples soldats.

Le commandant de la IIe Armée s'était allongé parce qu'il était à bout de forces. Il s'était allongé parce qu'à rester debout, à piétiner sur place, il ne simplifiait pas la tâche à ses troupes et ne les rendait pas plus rapides. Il était couché sur le dos, sans sa tunique, les bras croisés sous la nuque, les pieds posés sur le traversin. Son gros visage au grand front, habitué à la représentation, à moitié recouvert par une barbe et des moustaches qui n'avaient pas beaucoup blanchi, ne s'altérait jamais, n'exprimait jamais ni agacement ni mécontentement. Il dirigea ses grands yeux calmes sur le visiteur et resta étendu. Comme s'il n'était guère anxieux de ce que Filimonov pouvait lui rapporter.

Pourtant il l'était! Mais ces quelques mots : « Me voici de retour, Alexandre Vassiliitch », ces quelques mots prononcés peu distinctement par une voix pauvre en inflexions, lui avaient tout dit.

Avec dans la tête une sorte de tintouin confus qu'il était seul à entendre, Samsonov resta encore quelques instants sur le dos à contempler le haut plafond orné de moulures. Son front lisse demeurait aussi tranquillement bombé qu'à l'ordinaire, sans un sillon; ses yeux, toujours aussi largement ouverts, ne cillaient pas, ne fuyaient pas; ses joues n'étaient parcourues d'aucun frisson convulsif; ses grosses lèvres restaient tranquillement cachées sous ses moustaches et sa barbe tranquilles. Mais il ressentit au fond de lui que l'appui lui manquait, comme un déséquilibre qu'il eût été inadmissible de laisser voir à personne, et le commandant de la IIe Armée en fut effrayé. Aucune pensée n'arrivait plus à mûrir dans sa tête, comme doivent le faire dans une tête saine de fermes pensées; aucune décision n'attendait plus son terme pour naître et se coucher sur la bande du télégraphe. Et, pour la première fois depuis trente-huit ans de carrière, pour la première fois depuis la campagne de Turquie et son demi-escadron de hussards, Samsonov eut l'impression qu'il n'était pas le metteur en scène mais simplement l'interprète des événements, et que les choses se faisaient sans lui.

Or, tout cela, Filimonov le voyait. Ah, s'il avait, lui, commandé la IIe Armée, il aurait parlé d'autre façon à Jilinski, il aurait montré aux commandants des corps d'armée de quel bois il se chauffait. Mais ce pouvoir ne lui avait pas été conféré. Le cou emprisonné dans son grand col raide, tambourinant des doigts sur ses aiguillettes, il jetait sur Samsonov gisant un regard dur comme celui des loups.

Mais Filimonov ne savait pas ce qui s'était passé en son absence. L'ennemi en fuite était enfin rejoint, ou, du moins, on s'était heurté à lui. Une rencontre, la veille. C'était une nouvelle du jour. Elle était particulièrement heureuse du fait que le contact avait été établi par l'aile gauche du plus occidental des corps d'armée centraux, le 15e, et qu'on avait livré bataille face à l'ouest! Et un succès! on avait repoussé les Allemands

Quelques heures plus tôt, la victoire avait été définitivement confirmée par un messager du général Martos — à bride abattue. Pour la première fois il était ainsi établi que Samsonov avait vu juste, qu'au milieu de ce désert de silence il avait déjoué les intentions allemandes. Il y avait une heure, en réponse à l'offensante directive de Jilinski, Samsonov avait envoyé son communiqué de victoire pour le couvrir de honte. Il y avait inclus mot pour mot le rapport de Martos concernant le glorieux fait d'armes du régiment de Tchernigov: « Le colonel Alexeïev, drapeau déployé, a mené lui-même un assaut à la baïonnette à la tête de la demi-compagnie du drapeau. Il a été tué. Un corps à corps s'est engagé autour du drapeau, mais aucune main allemande n'a pu le profaner. Le porte-drapeau ayant été blessé, l'emblème est passé aux mains d'un lieutenant qui a été tué aussi. A la faveur de la nuit, ceux de Tchernigov ont réussi à se faufiler en avant des lignes; ils ont ramené l'étoffe sacrée, la croix de Saint-Georges et le porte-drapeau blessé. Le drapeau est maintenant cloué à une pique de Cosaque. »

C'est après avoir expédié ce rapport que Samsonov avait tiré ses bottes pour s'étendre sur le divan. Rien n'était encore véritablement simplifié, mais les Allemands s'étaient tout de même manifestés — et à l'ouest! — pour la plus grande honte de l'état-major du front.

Voilà pourquoi, le front calme et les yeux calmement levés au plafond, Samsonov restait étendu sans exiger de détails sur l'état-major du front, et racontait sans se presser ce qu'il avait à dire.

Il fallait tout de même qu'il sût tout ce que Filimonov lui rapportait. Alors, sans égard pour son chef, sans adoucir ses expressions, le général-major le lui jeta au visage comme une pelletée de charbons rouges : « Vous n'aurez pas un jour de repos! Votre armée avance déjà beaucoup plus lentement que je ne l'espérais. Quant à voir l'ennemi où il n'est pas, c'est de la couardise, et je ne laisserai pas le général Samsonov avoir la frousse! »

Et le tranquille visage au gros front fut inondé d'écarlate, depuis les moustaches jusqu'aux tempes grisonnantes, jusqu'à la racine des courts cheveux rejetés en arrière. Alors il s'assit sur le bord du divan. Et leva sur son général quartier-maître un regard de blessé. Filimonov jurait, insultait coléreusement le « cadavre vivant », comme les officiers surnommaient Jilinski; Samsonov, lui, ne jura pas, l'air lui manquait, les émotions lui donnaient des crises d'asthme.

Ce qui le blessait, c'est qu'il exécutait les ordres du front, par devoir, et non parce qu'ils lui plaisaient.

Tout stupides que seraient le suivant et tous les autres, il devrait sans échappatoire possible les exécuter, parce qu'un commandant d'armée était aussi libre qu'un cheval entravé.

Ce qui le blessait, c'est qu'en des temps plus heureux, on pouvait provoquer quelqu'un en duel pour une affaire de ce genre — hélas, ces temps-là étaient révolus, il ne pouvait en tant que subordonné ni se plaindre, ni se justifier. Voué depuis toujours à la cavalerie, réchappé des sabres turcs et des balles japonaises, il ne pouvait répondre à son offenseur que par une bravoure redoublée sur le champ de bataille. Il avait honte de plier devant lui, mais il ne pouvait faire autrement.

Touché, rubicond, ahanant, Samsonov restait là, sans passer les kroumirs à ses pieds.

C'est alors qu'entra Postovski, le chef d'état-major. C'était un général-major indécis, insignifiant mais appliqué; il n'avait jamais fait la guerre. En dépit de son grade (huit ans d'ancienneté) et de ses hautes fonctions, il restait intimidé par Samsonov comme s'il eût seulement commencé sa carrière. Ayant longtemps servi dans des états-majors, des états-majors et encore des états-majors — qui plus est, généralement chargé de missions spéciales —, Postovski appréciait avant tout l'intangibilité des règlements, l'arrivée et le départ ponctuels des directives, instructions, rapports et cætera. Il n'y avait pour lui que deux vraies catastrophes en matière de service : n'avoir pu présenter un document à la requête et avoir fourni à une personnalité influente un renseignement plus tard reconnu faux.

Il venait, le dos rond, de s'approcher en regardant

les pieds débottés de Samsonov plutôt que son front en sueur; il annonça respectueusement :

— Alexandre Vassiliitch! Il est arrivé un colonel de la Stavka, avec un message du grand-duc.

Samsonov revint à lui, saisit ce qu'on lui disait. Allons bon! Il ne manquait plus que ça! Avait-on déjà eu le temps de glisser quelque chose à son sujet dans le tuyau de l'oreille du grand-duc?

— Qu'est-ce qu'il dit, ce message?

— Il l'a encore, je ne l'ai pas lu. Je ne savais pas en quelle qualité nous devions le recevoir.

— Tu aurais dû le lire.

Samsonov lança un regard morose à Filimonov.

Ça, Filimonov comprenait que le *koulébiaka* était partie remise! Il avait manqué une bonne occasion d'en avaler un morceau avant de se présenter au rapport.

Samsonov cria qu'on lui apporte ses bottes et sa tunique.

11

Samsonov n'attendait rien de bon de ce colonel du grand quartier général : sans doute quelque petit crevé qu'on lui envoyait pour lui apprendre à avancer dans les règles. Il savait déjà que le nouvel arrivant ne lui plairait pas, parce qu'un bon officier sert dans son corps et ne court pas les états-majors.

Mais quand, après en avoir demandé la permission sans servilité ni insolence, le colonel fut entré dans le bureau du commandant de la IIe Armée où tout le monde s'était réuni, quand il se fut avancé de quelques pas dans l'espace resté libre au milieu de la pièce, dans une attitude réglementaire mais naturelle et sans outrecuidance, Samsonov décida contre son attente qu'il n'y avait rien de désagréable dans cet officier qui frisait la quarantaine et, derrière la grande table où il s'était assis pour se donner plus de poids, le général se souleva à demi de son siège.

— Colonel Vorotyntsev, de l'état-major général des Forces armées. J'ai une lettre de l'état-major du commandant suprême pour Votre Excellence.

Avec une sobre aisance, Vorotyntsev sortit le document de son porte-lettres et le tendit à qui voudrait le prendre.

Ce fut Postovski qui s'en chargea, précautionneusement.

— A quel propos, ce message? demanda Samsonov.

De plus en plus décontracté, le regard de ses yeux — qu'il avait lui aussi grands et clairs — plongé de plus en plus simplement dans ceux du général, Vorotyntsev dit :

— Le grand-duc s'inquiète du peu de renseignements qu'il a sur les mouvements de votre armée.

Voilà donc pourquoi le commandant suprême lui envoyait directement un officier à l'état-major de l'armée sans passer par l'état-major du front? Un novice aurait pu trouver cela flatteur, Samsonov répondit, la lèvre lourde :

— J'aurais pensé que le grand-duc me jugeait digne de plus de confiance.

— Je vous assure, se hâta de dire le visiteur, que la confiance que le grand-duc met en vous n'est aucunement ébranlée. Mais la Stavka ne peut se satisfaire de si peu, vraiment si peu de renseignements sur le déroulement des opérations. En même temps que moi, on a d'ailleurs aussi envoyé quelqu'un au général Rennenkampf; l'état-major de la Ire Armée n'a signalé la bataille de Gumbinnen qu'une fois la victoire indubitable et les combats terminés.

Le regard de ce colonel était si clair, si confiant : on eût dit qu'ici encore, la seule chose qu'il s'attendît à découvrir était une victoire presque acquise mais encore tenue secrète.

Le fait est qu'il existait une victoire dont Samsonov aurait pu faire état. Mais c'eût été un manque de modestie, et ce n'est pas pour cela que l'envoyé du commandant suprême venait à eux. Il venait leur faire au débotté ses observations, un peu d'instruction, et quelques reproches. Il ne fallait pas compter lui faire saisir en un quart d'heure toute l'intrication des problèmes qui empêtraient les corps d'armée, gênaient l'armée tout entière et avaient investi le crâne du général qui la commandait. Il était même inutile d'entamer la discussion. Il valait mieux aller dîner, comme Filimonov, pour distraire l'attention du colonel, venait de le proposer.

Samsonov, fatigué, demanda pourtant avec politesse :

— Qu'est-ce qui vous intéresse au juste?

Cet étranger avait le regard bien leste et bien avide. Il avait déjà inventorié la pièce (meublée et décorée comme si l'état-major de la IIe Armée y dût passer la guerre), étudié les deux généraux qui étaient censés le mieux incarner la sagesse de l'armée, le chef d'état-major et le général quartier-maître (celui-ci était chargé d'organiser le système nerveux de l'armée, on le nommait ainsi par fidélité à une tradition poussiéreuse qui en disait long sur la vétusté de son secteur). Son regard revint à Samsonov (il faut bien regarder son interlocuteur). Mais déjà il louchait sur le mur sans fenêtre que recouvrait une carte de la Prusse orientale, quadrillée de verste en verste. Cette carte l'attirait, ses yeux y couraient d'un point à un autre, non point curieux comme ceux de quelqu'un qui ne se sent pas concerné, mais pleins du même souci qui accablait Samsonov.

Et soudain, à travers son angoisse de laisser passer quelque chose de très important, une idée vint illuminer le général : c'est Dieu qui lui envoyait, pour parler un peu, l'homme qui lui manquait dans son état-major. Peut-être aurait-il pu le chercher parmi les officiers subalternes du bureau « opérations », sans doute même l'eût-il trouvé, mais il n'était pas digne d'un général chevronné de s'abaisser à quêter leur conseil.

Et Samsonov fit un pas du côté de la carte.

Et Vorotyntsev en fit deux, légers.

La croix de Saint-Georges des officiers et l'insigne de l'Académie de l'état-major général ornaient seuls sa poitrine, comme il sied en campagne. Vorotyntsev, Vorotyntsev?... Samsonov cherchait à se rappeler ce nom; il n'y avait pourtant pas tant d'officiers brevetés d'état-major en Russie, mais il connaissait mal les dernières promotions.

Arrondi, le ventre légèrement proéminent, Samsonov se rapprocha de la carte. A le voir dans l'espace vide du bureau, on devinait qu'il ne devait rien perdre de sa prestance en face d'une division.

Musclé, léger, bien pris dans son uniforme, Vorotyntsev le rejoignit.

Ils étaient maintenant juste devant la carte, bien plus près que Postovski et Filimonov à qui ils tournaient le dos. A la hauteur de leur ventre, Ostrolenka était signalée par le fanion de l'état-major de la IIe Armée, un gros fanion resplendissant qu'on n'avait encore ni plié ni froissé. Plus haut que leurs épaules, au niveau de leurs yeux, cinq fanions tricolores, ceux des corps d'armée : quatre à eux, le cinquième, à l'ouest, servant de réserve d'opération active dans les mains du haut commandement. Plus haut encore — il fallait lever les bras pour changer les épingles de place —, un petit cordon de soie rouge serpentait de l'une à l'autre, qui devait indiquer la ligne du front.

Au-dessus, les fanions noirs des Allemands manquaient. C'était le grand silence. L'étendue verte des forêts était morcelée par le bleu sombre d'une multitude de lacs que, même sur la carte, on sentait gorgés d'eau. Mais d'ennemi — point.

Sur la paume de sa main tendue, Samsonov s'appuya au mur. Il aimait les grandes cartes. Il disait que plus il est malcommode de dessiner des flèches sur une carte, plus on se rappelle combien il est difficile au soldat de les suivre.

Il avait hâte d'arriver à l'essentiel : découvrir ce qu'il allait rencontrer chez son visiteur, un allié ou un adversaire dans son conflit avec Jilinski. Ce n'est qu'au travers de ce différend qui l'absorbait que le général pourrait savoir s'il parlait vraiment à un ami, comme les yeux de Vorotyntsev le lui donnaient à penser.

Et il entreprit avec espoir d'expliquer au colonel, sans jamais cesser de le sonder du regard, pourquoi il fallait mener l'offensive vers le nord-ouest alors que Jilinski le détournait vers le nord-est, d'où un mouvement vers le nord et en éventail. Il expliquait tout en détail, comme s'il eût fait son rapport au grand-duc en personne — ce que Vorotyntsev ne manquerait pas de faire un ou deux jours plus tard.

Samsonov parlait lentement et ne passait à une autre idée qu'au moment où il avait, de façon circonstanciée, exposé la précédente. En vrai général, il n'aimait pas non plus qu'on l'interrompît.

Aussi Vorotyntsev le laissait-il faire en silence. Il ne passait pas l'ombre d'une objection sur son visage pur, vertical, dont une courte barbe châtain soulignait le dessin. Mais ses yeux clairs et rapides regardaient insuffisamment Samsonov et se posaient sur la carte sans obéir au rythme de son doigt.

Par-derrière, Postovski s'était rapproché; il restait là, respectueux, sans intervenir. Filimonov, désapprobateur, faisait de loin grincer son fauteuil.

Samsonov dit que d'après le bulletin de renseignements du front nord-ouest, et à en croire la population, l'ennemi fuyait devant la Ire Armée...

— Et à en croire vos propres services? dit Vorotyntsev comme dans un souffle, sans presque vouloir l'interrompre, en posant son regard plissé sur les espaces muets de la carte.

— Selon nos services?... eh bien... — A contrecœur,

Samsonov se laissa détourner de son objet. — Le 13e corps de Kliouïev n'a toujours pas son régiment de Cosaques. Quant aux divisions de cavalerie, leurs missions les retiennent sur les flancs. Si bien que nous n'avons pas les moyens d'assurer le service d'exploration.

« ... et pour arrêter l'ennemi le plus sûrement, il ne faut pas lancer les 15e et 13e corps qui sont au centre plus à droite que le nord, plus à l'est qu'Allenstein, ici. On n'est déjà plus si loin de la Baltique, la plus grande partie du chemin est déjà faite. »

Et de la même voix feutrée, comme s'il se méfiait de Postovski, Vorotyntsev demanda :

— Et combien a-t-on déjà parcouru? Depuis les bases de départ?

— Eh bien... les uns cent cinquante, les autres cent quatre-vingts verstes...

— Et toujours des hésitations?

— Toujours des atermoiements. L'état-major du front ne me laisse pas la bride sur le cou.

— Et par ici, jusqu'à la frontière allemande, Vorotyntsev passait la main sur le bas de la carte, par ici, toujours de la même façon : à pinces?

Cette expression hardie, il n'aurait pas osé l'employer devant un commandant d'armée indépendante, mais c'est sans ironie, sans provocation que ses yeux s'étaient arrêtés sur Samsonov, pleins d'un aveu de complicité. Et Samsonov ne put que reconnaître :

— A pied. D'ailleurs il n'y a pas de voies ferrées.

— Dix jours, comptait Vorotyntsev. Et les jours de repos?

Ses petites questions tranchaient dans le vif.

Bah, ne valait-il pas mieux qu'il saisît la situation?

— Pas de jours de repos! Jilinski n'en accorde aucun. Justement, j'en ai demandé. Je demande surtout une chose... Pierre Ivanytch, apportez nos comptes rendus.

Postovski, après s'être incliné, partit à petits pas rapides. Comme s'il comprenait tout à coup que Postovski ne trouverait pas les documents sans son aide, Filimonov bondit sur ses pieds et s'en fut après lui à grands pas mécontents.

— C'est surtout maintenant que j'ai besoin de m'arrêter pour souffler! dit le général. — C'était une chance que quelqu'un de la Stavka comprît pour une fois la situation; généralement, ils se contentaient de vous chasser en avant. — Mais, d'un autre côté, il ne faut pas non plus laisser échapper l'ennemi. Et si nous nous arrêtons, il s'esquivera. Nos beaux esprits...

Le colonel connaissait-il le plan de campagne?

Bien sûr, bien sûr... — Vorotyntsev faisait oui de la tête, sans enthousiasme. — Prendre les Allemands en tenaille, leur couper la retraite vers la Vistule et vers Königsberg.

Tous deux, ils connaissaient le plan, mais les questions semblaient soudain toutes neuves, toutes à réexaminer.

— Moi aussi, j'ai eu mon plan, dit Samsonov en grimaçant un sourire, mais il est venu trop tard.

— Et lequel? dit le colonel, intéressé.

Il lui plaisait décidément, il lui plaisait, ce colonel. Et dans ces cas-là, Samsonov était d'une franchise spontanée.

— Bon, si vous y tenez. — La carte n'était pas

assez grande; le général fit un pas vers la gauche, posa ses deux grandes mains sur le bas du mur et les fit glisser vers le haut de la surface peinte. — Il fallait lancer nos deux armées côte à côte, de part et d'autre de la Vistule. Nous, au coude à coude, les Allemands, privés de tout le réseau de leurs routes prussiennes. Et surtout, obligés d'évacuer la Prusse au trot.

Les yeux du colonel s'étaient animés, il regardait gaiement le général; il semblait bien qu'il appréciait son plan.

— Très bon! Très audacieux! — Mais il réfléchit et se crispa : On ne l'aurait jamais admis : c'était laisser Vilna et Riga sans défense.

— On ne l'aurait jamais admis, soupira Samsonov.

— Et puis — le colonel ne pouvait plus reculer — c'était nous enfoncer très profond dans la nasse polonaise. Et si on avait refermé le couvercle sur nous? Et nos arrières restaient à découvert. Cela supposait une action très-très décidée.

— Aussi ne l'ai-je même pas proposé. — Samsonov fit de la main un geste d'abandon. — Je me suis contenté de proposer une *direction d'attaque*. Je l'ai adressée au commandant suprême, le 29 juillet. Mais je n'ai pas reçu de réponse. Pourquoi? Peut-être pourriez-vous me l'expliquer?

— Je tirerai ça au clair. Sans faute.

La conversation était de plus en plus facile. Et le visiteur ne savait pas encore le plus important : on avait fini par situer l'ennemi! La veille. Et où? *A l'ouest!* — Ici, à Orlau, ici!... A peu près deux divisions. Notre Martos (Samsonov arracha et replanta le fanion du 15e corps qui tenait pourtant fort bien), notre Martos n'a pas perdu la tête, il est passé de la formation de marche au dispositif de combat — et il a attaqué. Une chaude affaire, le champ de bataille était couvert de morts; nous avons perdu deux mille cinq cents hommes. Mais une victoire! Ce matin les Allemands sont partis.

— Eh bien, mes félicitations! — Et tout de suite, sans presque écarter les lèvres : On a poursuivi l'ennemi?

— Comment voulez-vous? soupira Samsonov. Quand on a soi-même tant de mal à se traîner.

C'était le moment de raconter l'histoire du drapeau du régiment de Tchernigov, décoré de la croix de Saint-Georges pour 1812 et pour Sébastopol... Le colonel Alexeïev attaquant drapeau déployé... Le drapeau maintenant cloué sur une pique de Cosaque...

Samsonov se représentait la scène et, tout en la décrivant, il se laissait gagner par l'émotion; il ressentait toute la noblesse et la simplicité de ce haut fait. Vorotyntsev, lui, ne fut pas impressionné; il hocha plusieurs fois la tête comme si, connaissant déjà l'affaire et depuis longtemps, il venait seulement d'en être touché. Et :

— Ou-oui — il examinait de nouveau la carte. — Ainsi, on a établi le contact avec l'ennemi? Et il ne fuit pas?

— Est-ce que je n'ai pas raison? vibrait Samsonov. Si le contact est établi à l'ouest, si l'ennemi se replie vers l'ouest, un enfant le comprendrait, pourquoi nous ordonner de prendre demain Bischofsburg avec le corps de Blagoviechtchenski? Regardez-moi où c'est! Dans le seul dessein de tranquilliser Jilinski, on détache un corps d'armée et on l'expédie vers l'est, isolément! A quoi ça ressemble!... La sûreté, tout pour la sûreté! A quand l'offensive?

— L'ennemi est à l'ouest, c'est à l'ouest qu'il faut attaquer. S'il y a par là une couverture, il serait bon de tâter le terrain.

— Et avec quoi voulez-vous attaquer? Avec deux corps d'armée et demi?

— Et demi?

— Eh oui, Kliouïev et Martos, et le 23e démembré : Kondratovitch circule en tous sens, il essaye de rassembler ses unités.

Cependant, Vorotyntsev, ingambe, s'accroupit devant l'échelle de la carte où il posa deux doigts pour en vérifier l'écartement; il se releva et, à l'aide de ce compas grossier, il mesura combien il y avait depuis Ostrolenka, à hauteur de son ventre, jusqu'aux corps d'armée, à hauteur de ses yeux. Il semblait faire cela comme ça, sans trop y attacher d'importance, il ne comptait pas de façon démonstrative ou pour en remontrer à quelqu'un — mais Samsonov se prit la langue et se tut; il se mit à compter des yeux avec le colonel.

Et il rougit.

Six bonnes fois les doigts en compas se posèrent entre Ostrolenka et les corps d'armée. Quelle leçon...

Une leçon? Non. Ce ne fut pas avec un air de triomphe ou de supériorité que Vorotyntsev leva les yeux sur le général, mais avec chagrin. Il ne lui reprochait rien, il voulait comprendre. Pourquoi? Pourquoi l'état-major ne rattrapait-il pas les corps d'armée?

— Ici... la liaison avec Bielostok est bonne, dit Samsonov. Il faut dire que la controverse bat son plein... Il faut que nous puissions nous entendre... dit Samsonov. Et puis, d'ici, c'est plus facile pour l'intendance et les convois... dit Samsonov.

Mais, il le sentait bien, le rouge de la honte inondait de plus en plus son front et ses joues. Ce nom de froussard dont, bassement, sans aucune raison, Jilinski l'avait injurié, l'envoyé du commandant suprême avait, lui, toutes les raisons de le lui donner.

Comment en était-il arrivé là? Le général ne le comprenait pas. Comment avait-il pu ne pas faire lui-même ce simple calcul, compter lui-même ces six jours de marche de ses propres doigts? Enfin, cela sautait aux yeux. Mais, par Dieu, ce n'était pas sa faute! Pas une seconde il n'avait eu peur de suivre les corps d'armée. Il avait été désorienté, déboussolé, cette cataracte d'événements affluait trop vite dans son crâne pour franchir le goulet de son intelligence, toutes ces incohérences le tenaient jour et nuit entre leurs griffes d'acier.

Et les troupes marchaient, marchaient.

Et elles étaient maintenant trop loin.

Le regard de Vorotyntsev, qui n'acceptait pas ses explications, continuait de flamber sur le général.

Le bas du visage de Samsonov, sa barbe, ses moustaches, étaient ceux de l'empereur, une copie, avec ces lèvres à demi cachées, apparemment calmes, mais si loin d'être sûres d'elles-mêmes; le haut était d'une facture plus épaisse, le nez, les yeux, le front surtout. Puis, il commençait à grisonner. Tout cela semblait figé dans la paix du tombeau. Mais sous l'immobilité couvait l'inquiétude.

Un éclair, la mémoire lui revint.

— Au fait! Pourquoi parler contre moi-même?... Il y a une directive du front : déplacer le quartier général le moins souvent possible — et jamais sans autorisation. Allez donc discuter avec eux!

— Comment communiquez-vous avec vos corps d'armée?

Le colonel avait mis dans sa voix ce qu'il fallait pour que cette question eût une résonance plus amicale qu'inspectorale. Mais Samsonov se rembrunit.

— Eh bien, mal. Avec des agents de liaison à cheval. A fond de train, ils arrivent à grand-peine à faire la route en vingt-quatre heures. Le sable est profond, les automobiles s'enlisent.

Ce colonel se jugeait certainement plus intelligent que tout le monde, ici comme à la Stavka. Il pensait à coup sûr que si on lui avait confié le commandement, ah!... Il ne croirait, il ne saisirait jamais qu'on pouvait se laisser embobeliner au point de ne plus même remarquer six journées de marche.

— Et les avions?

— Ou bien plus d'essence, ou bien déglingués.

— Et pas de liaisons télégraphiques?

— Point, lâcha Samsonov avec une moue désabusée. Les fils cassent. Et nous en manquons. A vrai dire, on a pris Neidenburg le 9 et je ne l'ai appris que le 10. La bataille d'Orlau s'est engagée le 10 et je ne l'ai appris que le 11. On ne sait même pas où sont les nôtres, comment savoir où sont les Allemands?

Postovski, seul, sans Filimonov, rapporta deux chemises avec les comptes rendus.

Chaque jour, les comptes rendus rédigés la veille apportaient des lumières sur ce que les corps d'armée avaient fait, en général, l'avant-veille, et chaque jour on préparait pour le soir des ordres exécutoires dès le lendemain, que les corps d'armée n'auraient pas la possibilité d'exécuter avant quarante-huit heures.

— Ah! — Samsonov saisit l'occasion de s'interrompre et se mit à chercher lui-même dans les papiers. — Vous parliez des jours de repos...

— Et la sans-fil? — Vorotyntsev s'obstinait.

— Ah, pour ça, nous avons une installation, déclara Postovski avec satisfaction. — Pas depuis longtemps, depuis hier, mais nous transmettons, ça y est.

C'était déjà ça.

— Par exemple, nous avons reçu un télégramme du 13e corps d'armée (Postovski cherchait à se faire remarquer), l'avant-garde est déjà de l'autre côté du lac Omulef et on ne voit toujours pas l'ennemi.

Sur leur carte, le cordon du front passait au sud du lac; ils n'avaient pas songé à la mettre à jour.

— Voilà! — Samsonov avait trouvé. — Il y a deux jours, j'ai justement voulu arrêter l'avance de tous les corps d'armée pour m'en rapprocher. Et voici ce que Jilinski m'a expédié comme télégramme: « Le commandant suprême (vous saisissez, pas lui, le commandant suprême!) exige que l'offensive de la IIe Armée se poursuive de façon énergique et sans discontinuer. La situation du front nord-ouest l'exige, *ainsi que la situation générale...* »

Il gardait le doigt à l'endroit où il s'était arrêté, tout en regardant Vorotyntsev.

Alors, mon bonhomme, toujours la même envie de commandement? Quelque chose de mieux à proposer? Tu ne dis plus rien?

Non, il ne disait plus rien. Il mâchonna quelques paroles muettes. Il porta son regard sur ses bottes. Puis de nouveau sur le haut de la carte.

Il y a des mots, des phrases qu'il faut endurer docilement, où qu'ils nous atteignent, comme les averses. *La sitation générale*. Ce n'est ni ton affaire, ni la mienne, ni celle du commandement suprême, pas plus du grand-duc que de Jilinski. C'est le domaine du *souverain*. Et nous n'avons qu'à nous exécuter.

— « ... Votre disposition du 9 août, continuait Samsonov, m'apparaît extrêmement indécise et j'exige... »

Vorotyntsev avait tourné son visage vers le nord, là-haut, vers les espaces silencieux de cette Prusse qui n'était rien moins qu'un petit pays — et il se taisait.

Samsonov rendit les dossiers et leva les yeux dans la même direction. C'est donc qu'il n'était pas découragé.

Postovski, qui n'avait pas la jambe militaire, s'écarta en reculant et s'assit dans un fauteuil avec les chemises.

Il ne savait pas encore que Vorotyntsev les avait *court-circuités*, qu'il n'avait pas fait les cent pas dans le petit salon d'attente : il était entré directement dans le bureau « opérations » pour en ressortir avec un capitaine de sa connaissance et ils avaient chuchoté tous les deux pendant dix minutes derrière une colonne. Tous ces jeunes officiers brevetés d'état-major étaient en relation, une espèce de franc-maçonnerie. Les réponses qu'on avait faites aux questions de Vorotyntsev dans le bureau du général ne lui avaient presque rien appris, le capitaine l'avait déjà mis au courant. Mais que Samsonov s'en tînt à la vérité sans l'enjoliver suffisait à le satisfaire et le lui rendait sympathique.

Auprès du capitaine ami et ici, devant la carte du général, Vorotyntsev s'était si bien imprégné de la situation, si bien familiarisé avec cette opération qu'il avait l'impression d'être arrivé depuis longtemps, de s'affairer en ces lieux depuis au moins trois bonnes semaines, ou plutôt, d'avoir consacré jusque-là toute sa vie, toute sa carrière militaire à la préparation de cette seule opération.

Tout ce qui, durant cette heure, avait été ne fût-ce qu'une fois dit ou mentionné, Vorotyntsev l'avait, d'un crayon imaginaire, reporté sur cette carte presque vide sous forme de triangles, de rectangles, de flèches et d'arcs de cercle, et il n'avait aucun mal à garder tout cet ensemble présent à l'esprit.

Ni les erreurs des uns et des autres, ni les mérites de ces généraux n'avaient plus pour lui d'importance; et ce qui même restait important, l'épuisement général, la nourriture sèche, la chaleur, le besoin de repos, le manque de chevaux, les mauvaises liaisons, l'état-major distancé, tout s'effaçait devant quelque chose de primordial : apercevoir ces Allemands invisibles, déjouer leurs plans, pressentir dans sa chair la pointe de leur baïonnette avant qu'elle fût brandie, et leur premier tir longtemps avant d'entendre les obus sauter comme des bouchons en haut du ciel. Comme la coquette au corps sensible qui, sans même se retourner, sent dans son dos le regard des hommes, c'est de toute sa chair que Vorotyntsev sentait les vagues avides de l'ennemi dévaler des confins muets de la carte contre la IIe Armée. Il était l'incarnation de la IIe Armée : son siège délaissé à la Stavka n'était rien, rien le papier portant la signature du grand-duc (lui donnait-il le droit de déplacer ici un seul soldat?). Il se sentait anxieux de *comprendre*, voué à *décider*, tandis que son bon sens lui commandait de présenter sa décision au général Samsonov avec assez de tact pour qu'il crût l'avoir prise lui-même.

Au-dessus de la Prusse orientale, une horloge fatale était suspendue dont le balancier s'immobilisait tour à tour du côté des Russes, puis dix verstes plus loin du côté des Allemands : tic tac tic tac...

Soudain Vorotyntsev leva le bras comme pour un salut à la romaine, obliquement, vers la gauche de la carte; en faisant pivoter sa main comme une pale d'hélice, il décrivit du bras un grand cercle lent avant de ramener brusquement sa paume vers l'ouest en direction de Neidenburg et Soldau. Gardant la main tout près de la carte comme un poignard dirigé contre Soldau, il tourna la tête vers le général :

— Excellence, vous ne flairez pas quelque chose dans ce goût-là?

La grosse tête et le gros front du général étaient attentifs; il avait vu l'ampleur du geste, il voyait le large poignard de la paume tendue, ses yeux cillèrent :

— Si au moins j'avais mon 1er corps d'armée! le corps d'Artamonov qui est à Soldau... S'il pouvait passer de la réserve générale sous mon commandement! On ne veut pas me le donner!

— Comment, on ne veut pas vous le donner? Il est à vous maintenant.

— Hé non, on ne me le donne pas! Je le demande et on me le refuse! Il y a interdiction de lui faire dépasser Soldau.

— Mais voyons! — La main-poignard de Vorotyntsev s'était maintenant rapprochée de son cœur. — Je vous assure, j'étais là présent quand le grand-duc a signé cette instruction : vous avez « le droit d'engager le 1er corps d'armée sur le front de la IIe Armée ».

— Le droit de... de quoi?

— D'engager le 1er corps d'armée.

— Et de lui faire dépasser Soldau?

— Eh bien, puisque c'est « sur le front de la IIe Armée », au moins en direction de l'est, vous devez pouvoir. Je comprends ça comme ça.

— Et on ne me l'enlèvera pas? Comme les autres? Comme la Garde? On avait d'abord dit « pas plus loin que Varsovie » et après, on me l'a enlevée...

— Mais au contraire : « le droit d'*engager* ».

Samsonov se développa, il prit de l'ampleur et sembla s'élargir. Il eut un balancement :

— Et — quand est-ce que ça a été signé?

— Quand?... Attendez... Avant-... avant-hier. Le 8 au soir.

— Ça fait donc trois fois vingt-quatre heures?! rugit Samsonov. Pierre Ivanytch!

Postovski se leva.

— Entends-tu? Est-ce qu'il y a un ordre comme ça concernant le 1er corps?

— Non, Alexandre Vassiliitch. Un refus.

— Ainsi le front nord-ouest me fait des cachotteries? gronda Samsonov.

Et d'homme à homme :

— Colonel, dites-moi : pourquoi nous avoir collé cet état-major de front? Pour deux armées?

Vorotyntsev leva les sourcils avec désinvolture :

— Et pour deux divisions, pourquoi un état-major de corps d'armée? Et dans la division, pourquoi deux brigades? Sans parler des généraux : n'y en a-t-il pas un peu beaucoup?

Évidemment, cela allait loin. Il y avait effectivement pléthore de généraux et d'états-majors.

Oui, c'était le ciel qui lui envoyait ce colonel. Non seulement il comprenait tout, non seulement il était prompt et disponible, mais il venait encore de lui faire cadeau d'un corps d'armée tiré de sa poche.

Samsonov fit un grand pas vers lui :

— Mon ami — et il lui posa sur les épaules ses deux grosses pattes d'ours —, permettez-moi de vous...

Il y eut un baiser perdu dans leurs barbes.

Ils restaient là, Samsonov plus grand que Vorotyntsev, les mains toujours sur ses épaules.

— Je dois tout de même vérifier...

— Oh, vérifiez. Citez mon nom. Une instruction du 8 août.

Doucement, doucement, Vorotyntsev dégagea ses épaules des pattes de l'ours. Il retourna droit à la carte.

— Tout de même, comment faut-il entendre « engager »? — Postovski se tortillait. — C'est un éclaircissement qu'il faudrait obtenir.

— Vous n'avez pas d'éclaircissements à demander! Vous comprenez comme ça vous arrange : vous donnez vos ordres, un point c'est tout. Si vous voulez, au lieu d'écrire « *avancer* au nord de Soldau », vous n'avez qu'à mettre « *se trouver* au nord de Soldau », comme ça la difficulté est tournée.

— Mais comment peut-il se permettre, ce malfaisant, de retenir depuis trois jours cet ordre du grand-duc?

Le général bouillait de colère.

— Pourquoi? mais ça fait une unité autonome de plus et l'existence du commandement de front s'en justifie d'autant mieux.

Il disait cela sans trop y prêter d'attention tandis qu'au fond de lui-même il songeait comme toujours à ce qu'il dirait ensuite — ceci :

— Savez-vous? ne demandez pas d'explications. Envoyez simplement un ordre à Artamonov, je le porterai moi-même.

Il ne cesserait donc jamais de l'étonner!

— Comment, vous le porterez? Vous ne retournez donc pas à la Stavka?

— J'ai avec moi un lieutenant, je l'y enverrai avec mon rapport. Et pendant ce temps-là...

Cette éventualité était de celles qu'il avait prévues. Il faut dire que personne, à commencer par le grand-duc, ne soupçonnait que toute cette équipée avait été machinée par lui, qu'il en avait lui-même imposé l'idée à tout le monde. Parce qu'il trouvait épouvantable de se morfondre comme premier secrétaire à l'état-major du commandant suprême, sans autre distraction que le froissement des cartes et les rapports en retard de quarante-huit heures ou, parfois, un coup d'œil lancé par la vitre au chevalier-garde Mengden. Mengden, qui passait son temps à siffler pour empêcher les pigeons de s'abattre trop près de son colombier installé sous les fenêtres du train du grand-duc et qui, des six vauriens d'aides de camp, était encore le plus actif, les cinq autres ne se donnant même pas cette peine. Il y avait de quoi suffoquer à rester commis aux écritures du grand-duc quand, en Prusse orientale, commençait la plus périlleuse et la plus subtile des manœuvres : deux armées, tous flancs découverts, faisant mouvement l'une vers l'autre. Vorotyntsev en avait encore trop peu appris à l'état-major de la IIe Armée pour revenir auprès du commandant suprême. L'inquiétude qui le poignait venait de l'aile occidentale; c'est là qu'il devait aller.

— ... Considérez-moi, Excellence, comme un collaborateur supplémentaire affecté pour opération à votre état-major.

Samsonov le couvait d'un regard plein d'une chaude approbation.

Et Vorotyntsev, comme avec respect, dit :

— Si je dois aller au 1er corps d'armée, c'est que, justement, c'est là que les choses peuvent commencer à se clarifier.

C'était là, bien sûr, c'était là. Samsonov, maintenant, le comprenait bien.

— Vous avez tout à fait raison, mon garçon, allez-y. Aidez-moi à m'emparer de ce 1er corps.

— Il n'y a personne de chez vous là-bas pour assurer la liaison?

— Si, le colonel Krymov, mon délégué général.

— Ah, il y a Krymov, dit Vorotyntsev refroidi. Il a été au Turkestan avec vous, si je ne m'abuse?

— Rien que six mois. Mais je l'ai pris en affection, bon conseiller et bon soldat.

De tout l'état-major, seul Krymov était cher à son cœur.

Vorotyntsev hésitait.

— Bon, soit. Rédigez-moi un ordre pour Artamonov. Seulement, quoi écrire puisque... Vous ne pouvez pas me donner un avion?

— Ils sont en réparation, dit Postovski en guise d'excuse.

— Nous n'avons que deux automobiles et Krymov a justement l'une des deux, dit Samsonov avec un geste d'impuissance.

— Et à vol d'oiseau, à vol d'oiseau... — Vorotyntsev faisait le calcul —, ça fait quatre-vingt-dix verstes. Quatre-vingt-dix verstes en droite ligne. Et si on suit les routes, cent vingt.

— Vous avez intérêt à voyager par le train en passant par Varsovie, conseillait Postovski, raisonnable. La correspondance pour Mlawa n'y est assurée que par une ligne à une voie, mais vous serez arrivé mercredi matin, et en bonne forme.

— Non, répondit Vorotyntsev, pensif, non. Donnez-moi un bon cheval, deux chevaux avec un soldat, et j'irai comme ça, par mes propres moyens.

— Mais quel intérêt? dit Postovski étonné. Ça reviendra au même, à ceci près que vous n'aurez pas dormi.

— Pas du tout. — Vorotyntsev secouait la tête avec assurance. — Je descendrai du train la tête farcie d'idées fausses, tandis que comme ça, j'aurai tout vu par moi-même.

On se mit au travail. On rédigea des instructions pour Artamonov (qu'écrire? comment se tirer d'affaire : *engager* sans commander vraiment?). De son côté, Vorotyntsev écrivit au grand quartier général et il expliqua la situation à son lieutenant. A la carte encollée de Vorotyntsev on rajouta deux feuillets; cela se fit en présence de Filimonov, dans le bureau « opérations ». Vorotyntsev demanda le chiffre des radiotélégrammes pour le 1er corps; Filimonov fronça les sourcils : « Quel chiffre? Nous ne chiffrons pas. » Vorotyntsev alla trouver Postovski. Le chef d'état-major commençait à en avoir assez de cet homme-là qui, décidément, ne le laisserait pas manger.

— Nous ne chiffrons pas, bah, vous parlez d'un malheur! D'ailleurs, mon petit vieux, le diable n'y retrouverait pas sa queue, dans votre code. Vous vous figurez que nos opérateurs ont fait leurs études secondaires? Ils mélangeraient tout, ils comprendraient tout de travers, ça ferait encore un peu plus d'embrouillamini.

— Ne me dites pas que la position relative des troupes, leurs missions... vous envoyez tout en clair?

— Mais les Allemands ne connaissent pas l'heure de nos émissions. — Postovski était en colère (cet étranger aurait au moins pu se dispenser de venir fourrer son nez dans leur petite cuisine d'état-major!). — Vous pensez peut-être qu'ils restent à l'écoute vingt-quatre heures sur vingt-quatre? Et puis, les émissions ne vont peut-être pas jusqu'à leurs lignes. Mais non, elles n'y vont pas... La chance sourit aux audacieux.

On se réunit pour le dîner. Samsonov soupirait : bien sûr, cela n'irait pas comme cela, il fallait élaborer un code et le mettre en vigueur, et c'est au général quartier-maître que cette tâche incombait. Cela prendrait trois jours, mais comme les radiotélégrammes n'étaient transmis que depuis vingt-quatre heures, les risques n'étaient pas si grands.

Vorotyntsev les observait : Filimonov, énergique et hostile; Postovski, insignifiant; Samsonov, qui avait en commun avec eux un solide appétit. Le général comprenait-il combien on l'avait desservi en lui donnant un état-major comme celui-là? Un véritable état-major, de l'océan sans fond des hypothèses, fait émerger la voie qui mène à la décision. Il envoie un officier contrôler sur place tout rapport douteux, il fait ressortir les renseignements marquants, empêchant l'accessoire de noyer l'essentiel. L'état-major ne saurait suppléer la volonté du commandant, il l'aide à se manifester. Or cet état-major était une gêne pour Samsonov.

On proposa à Vorotyntsev de se choisir un soldat d'élite; il accepta seulement un cavalier pour l'escorter une partie du chemin, se disant que ce n'était pas à l'état-major qu'il fallait chercher les soldats d'élite et qu'il le prendrait plutôt dans un régiment de ligne.

Il ne put entrer dans le minutieux rituel de leur dîner au service immuable. Il mangea à la va-vite, ne but même pas une gorgée d'alcool, seulement du thé fort; il ne resta pas plus longtemps que l'exigeait la décence; il n'apprécia pas leur *koulébiaka* : il était absent.

— Savez-vous, mon vieux? Vous devriez rester là jusqu'à demain matin. — Samsonov, bonhomme, aurait bien voulu le convaincre. — Ce n'est pas raisonnable de repartir sans avoir soufflé, ce n'est pas comme ça qu'on gagne les guerres. Restez, nous passerons un moment ensemble à bavarder.

Il avait vraiment envie de le retenir; sa hâte le blessait. Il se leva pour le raccompagner et lui promit qu'il porterait son quartier général à Neidenburg pour le lendemain midi.

De quoi ils étaient convenus, comment ils resteraient en liaison, cela n'était pas bien clair. Ils n'avaient pas évoqué tous les dangers, examiné toutes les éventualités : une crainte superstitieuse les en avait empêchés. Les choses s'éclairciraient d'elles-mêmes.

On revint à table; aussitôt Postovski et Filimonov objectèrent d'une même voix qu'il était impensable de transférer l'état-major dès le lendemain, ce qui revenait à mettre tout leur travail par terre, et pourquoi? Ce n'est pas en descendant eux-mêmes dans l'arène qu'ils seraient plus utiles aux corps d'armée.

Cet oiseau de passage si sûr de lui-même, ce colonel du G.Q.G. était venu, il avait fait trois petits tours, il était reparti : maintenant il fallait entrer normalement en liaison avec l'état-major du front, se renseigner, obtenir des explications et les répercuter sur les corps d'armée.

C'est à ce moment qu'arriva un nouvel ordre de Jilinski annulant le précédent : le général commandant la IIe Armée se voyait autorisé à lancer ses corps d'armée en direction du nord, à condition, pour couvrir son flanc droit, de ne pas détourner le 6e corps de Blagoviechtchenski de sa direction initiale et de ne pas déplacer le 1er corps pour assurer la sécurité du flanc gauche.

Le matin même, Jilinski interdisait d'allonger le front, maintenant il recommandait de l'allonger. En tout état de cause, il aurait raison...

Néanmoins, il cédait sur un point : la *direction d'attaque*. Dieu merci! Et il fallait en profiter!

Le temps de changer la mission des corps d'armée, la nuit était déjà bien avancée; en effet, la liaison téléphonique n'existait pas partout, et quand elle existait, elle ne fonctionnait pas toujours. Pour ne pas retarder les marches du matin, on transmit les ordres par radio. En clair.

Les Allemands ne pouvaient pas les intercepter : ils n'allaient tout de même pas rester toute la nuit à l'écoute. Sans fermer l'œil.

12

On avait donné à Vorotyntsev un étalon bai-brun et, pour l'escorter, un sous-officier montant une jument. Il faut toujours s'enquérir en détail du chemin le meilleur pour sortir d'une ville, mais le sous-officier le connaissait. La nuit étant calme et tiède, Vorotyntsev, embarrassé par sa sacoche et sa capote, les arrima à la selle pour voyager à l'aise.

S'il n'attendait pas beaucoup de plaisir de son séjour au Q.G. de la IIe Armée, jamais il n'eût imaginé que ce serait si terrible. Habitude fait loi, pourtant chaque nouvelle expérience le consternait : en arrivant dans un état-major, et c'était d'autant plus choquant qu'il était plus haut placé, on devait s'attendre à rencontrer des égoïstes, des arrivistes, des racornis, des amateurs de vivre pour manger et pour boire. Tout ce monde regardait l'armée comme un bel escalier brossé à en reluire et couvert d'un tapis, un escalier commode sur les marches duquel étaient distribuées décorations grandes et petites. Nul ne pensait jamais sérieusement que cette escalade pût obliger plus qu'elle ne privilégiait, qu'il existait une science militaire qui changeait tous les dix ans et qu'il fallait, par conséquent, étudier, et se transformer sans relâche pour ne pas se laisser distancer. Quand le ministre de la Guerre lui-même se vantait de n'avoir pas lu un seul *bouquin* militaire depuis trente-cinq ans qu'il avait quitté les bancs de l'Académie, quelles pouvaient être les aspirations des autres? Une fois gagnées leurs épaulettes de généraux, que pouvaient-ils encore désirer? Car cet escalier était ainsi conçu que ceux qui s'y élevaient étaient les mous, et non les volontaires, les exécutants et non les raisonneurs. Quand vous vous en teniez strictement au règlement, aux directives, aux instructions, et que vous connaissiez un échec, une défaite, la retraite, un massacre, la fuite, personne n'allait vous le reprocher! Vous n'aviez même pas besoin de vous creuser la tête pour vous trouver des raisons. Mais malheur à vous si, vous écartant des ordres reçus, vous vous abandonniez à la raison ou à votre hardiesse! Alors, rien ne vous était pardonné, non pas même, peut-être, le succès — un échec et vous étiez fini.

L'armée russe était perdue par l'avancement à l'*ancienneté*, le calcul irréfutable qu'on faisait en haut lieu des états de service et le barême des *délais réglementaires*. Il suffisait de n'*être pas pris en faute*, et de ne pas irriter ses chefs, pour que le cours des temps vous apportât le grade désiré et, avec le grade, la fonction. Comme à la course régulière des astres dans le ciel, chacun s'était fait à cet ordre des choses raisonnable : quand le colonel se renseignait sur le colonel et le général sur le général, que cherchaient-ils avant tout à savoir? Non point à quels combats ils avaient pris part, mais quelle était leur ancienneté dans leur grade — années, mois, jours —, c'est-à-dire à quel point ils en étaient de leur passage à la fonction supérieure.

Un Ianouchkievitch devenait ainsi chef d'état-major général des Forces armées, un Postovski chef d'état-major d'une armée. Qui donc saisirait cette guerre dans son instantanéité, dans ses subtiles corrélations?

La IIe Armée devait s'engager dans une manœuvre digne de Souvorov : se ruer en avant, couper la Prusse orientale, commencer la guerre de façon atterrante pour l'Allemagne — et elle débutait dans l'*à-peu-près!* Le Renseignement?... On attendait les bulletins de l'état-major du front, ils étaient fondés sur « l'opinion de l'habitant ». Et Samsonov n'avait jamais été bien fort en la matière : à vingt verstes, il ne trouvait pas l'infanterie japonaise avec sa cavalerie; les Allemands le savaient déjà, l'écrivaient, la traduction en était même parvenue à Saint-Pétersbourg. Ils savaient bien qui ils avaient en face d'eux et n'attendaient pas une poussée des Russes. C'était l'école de Kouropatkine[1], la « patience » auréolée! Nous étions les enfants de Koutouzov... A longues oreilles !... Envelopper l'ennemi — et quel ennemi! — quand on s'y entendait aussi bien qu'un ours à cintrer des arcs de limonière! Gare, cela nous claquerait à la figure!

1. Alexis Kouropatkine, commandant en chef en Mandchourie pendant la guerre russo-japonaise. (*N.d.T.*)

Et Orlau? qu'est-ce que c'était que cette victoire? Faire tuer deux mille cinq cents hommes et ne pas poursuivre, apprendre que l'ennemi n'est pas là où on va et continuer sans s'en faire dans la mauvaise direction! Une victoire? Quel autre commandement que le russe se fût laissé transporter d'enthousiasme par d'aussi piètres succès?

Le sous-officier n'avait pas menti, il l'amena exactement au pont de pierre qui franchissait le Narev. (Il aurait pourtant pu monter avec plus d'aisance, il ne ferait jamais les cent verstes; il faudrait le renvoyer.)

De l'autre côté semblait aboutir au pont une déviation évitant à l'état-major de la IIe Armée d'être dérangé dans Ostrolenka par le grondement des convois qui allaient de la gare de chemin de fer à la chaussée de Janowo. La tête d'un long convoi débouchait justement sur le pont. Tous les chariots à deux chevaux étaient les mêmes; ils étaient tous chargés de sacs par-dessus les ridelles et couverts de bâches. On voyait que le convoi venait de se mettre en route; les conducteurs ne s'étaient pas encore installés sur les voitures et marchaient à côté (comment savoir si, dans cette ville d'état-major, ils n'allaient pas tomber sur un chef qui leur reprocherait d'esquinter les chevaux inutilement?); parfois ils se réunissaient par deux, certains fumaient, d'autres échangeaient sans haine des injures, et tous étaient d'humeur manifestement joyeuse. Ce départ par une nuit sans lune mais tranquille, qui aurait rebuté un civil, n'était pas pour leur déplaire. Leurs chevaux étaient nourris de frais, eux-mêmes étaient rassasiés, ils ne se voyaient pas en danger dans les prochains jours (il leur faudrait encore quarante-huit heures pour atteindre la frontière), et c'étaient des gaillards si solides qu'on aurait aussi bien pu les verser dans l'infanterie. Ils faisaient sans raison de grands gestes des bras, il y en avait même un qui trouvait le moyen de danser tout en marchant sur le pavé, pour faire rire ses camarades.

— Il a pas assez dansé avec sa petite Polake...

— Ben, mes petits vieux, si vous croyez que c'est pas triste! disait le danseur pour se justifier, mais sans l'ombre d'un regret dans la voix. Être arraché comme ça à ma plus belle nuit!

— Sais-tu, Oniska! lui conseilla d'une grosse voix de basse un troisième conducteur, ton aubère tirera bien toute seule, elle peut suivre mes chevaux sans toi. T' as qu'à dételer ta jument baie, demander la permission à l'adjudant, et tu retournes finir ton ouvrage... Tu nous rattraperas pour le lever du soleil... Comme ça, ça te fera un soutien de famille de plus pour tes vieux jours...

Les soldats s'esclaffèrent. Mais, en apercevant le cavalier et son cheval de race qui les dépassaient sur le pont, ils cessaient de rire aussitôt.

Les plaisanteries du soldat sont dans l'armée ce qui change le plus lentement, plus lentement que l'armement, la tenue et le règlement. Des plaisanteries de ce genre, Vorotyntsev en avait entendu pendant la guerre contre les Japonais; elles étaient sans doute les mêmes pendant la guerre de Crimée, les mêmes du temps de Pojarski et de la levée en masse. Elles égaient non par leur contenu, mais par l'impudence affranchie avec laquelle elles éclatent.

Pour Vorotyntsev assombri, le moral plein d'aplomb

de ces conducteurs désinvoltes arriva à point nommé. Le pont franchi, il fit halte et, sans nécessité, héla un adjudant agile qui remontait le convoi à la course en criant des injures à l'adresse du chariot de tête. L'adjudant leva les yeux sans s'arrêter. A la petite clarté des étoiles et de la rivière déroulée, il distingua contre le ciel un officier d'état-major, sa course obliqua net et il marqua ses derniers pas sur la terre durcie avec une telle promptitude, il s'arrêta à la distance réglementaire avec une telle précision qu'on eût bien dit que sa course n'avait jamais eu d'autre but.

— Qu'est-ce que c'est que ce convoi?

— Le train du 13e corps, Votre Haute Noblesse.

— Depuis la gare, vous avez mis combien?

— On en est au cinquième jour, Votre Haute Noblesse.

— Qu'est-ce que vous transportez?

— Des biscuits, du blé noir, de l'huile, Votre Haute Noblesse!

— Et — du pain?

— Pas de pain, Votre Haute Noblesse!

Toutes ces « hautes noblesses » encombrantes prenaient au soldat un temps qu'on n'avait pas le droit de perdre quand on faisait la guerre au xxe siècle. Mais ce n'était pas à Vorotyntsev de les abolir. Il toucha son cheval et le sous-officier le suivit. L'adjudant fit encore un demi-tour réglementaire, puis partit au petit trot en se dandinant et en donnant encore plus fort de la voix contre le chariot de tête.

La gare d'Ostrolenka n'était qu'à une verste et cela faisait plus de quatre jours qu'ils étaient partis! Plus de quatre jours — et ils avaient encore six étapes devant eux! Une distance beaucoup trop longue pour qu'on fît faire la navette au train du 13e corps. Et l'armée n'avait pas le sien propre. L'état-major pouvait toujours dessiner sur les cartes toutes les flèches qu'il voudrait, ce sont les roues de ces chariots qui décidaient dans le silence de l'issue de la bataille.

Cependant, ces soldats joyeux et sains qu'on avait déclarés inaptes au service normal, cet adjudant qui en voulait, ces chevaux solides, les bâches tendues contre la pluie, son étalon ferré de neuf qui montrait les dents dès que la jument du sous-officier se laissait distancer, tout cela rendait Vorotyntsev plus heureux et plus tranquille que lorsqu'il avait quitté l'état-major. Forte était la Russie, inépuisable — en dépit de tous ces imbéciles. Et, sentant cette force, il devenait lui-même plus fort.

Après le pont, le pavé cessa aussitôt, et la route devint bonne aux sabots. Elle serpentait sous les étoiles, bande à peine plus claire mais nettement distincte, avec de doux arrondis; maintenant montante, bientôt descendante dans le calme dormant du paysage dont les derniers feux s'éteignaient, elle allait de-ci de-là, entourée de l'ombre énigmatique des bosquets. Ils n'avaient pas besoin de s'enquérir du chemin. Ils prirent une allure assez vive, sans excès pour que les chevaux ne soient pas épuisés au matin.

Durant cette course vive à travers la campagne obscure, tiède et silencieuse, Vorotyntsev sentit descendre rapidement sur lui cette bonne allégresse connue de tous les hommes de guerre (à vrai dire, plus rarement du soldat que de l'officier, qui ne vit justement que pour la guerre) : les fils fragiles qui vous immobilisaient sont tranchés net, le corps est combatif, les mains libres, la chair sent avec plaisir le poids des armes, et l'esprit n'est plus occupé que d'une seule tâche. Cette manière d'être, Vorotyntsev la connaissait, l'aimait; ce n'est que lorsqu'il l'avait ressentie qu'il avait l'impression de faire la guerre. Il vivait, il avait été créé pour des moments comme ceux-là.

S'il n'avait pas pu faire le voyage par le train en passant par Varsovie, c'est qu'il avait aussi besoin de *se frotter* au pays traversé par leurs troupes, sous peine de ne rien comprendre. Parce que la bravoure, l'esprit de décision et la puissance de réflexion ne font pas tout l'officier. Celui-ci ressent encore à tout moment les désirs et les besoins de ses soldats, son épaule est sciée tant que tous ses hommes n'ont pas déposé leur havresac pour la nuit, sa gorge ne laisse passer ni eau ni nourriture si la moindre compagnie de sa division n'a pas eu à manger et à boire.

Se frotter à la réalité, il le devait, à cause de la guerre russo-japonaise qui depuis dix ans le brûlait sans répit, sans que ce feu atténuât jamais sa morsure. L'inepte société russe avait pu se réjouir de cette défaite, comme un enfant stupide se réjouit de la maladie qui lui permet un jour de ne pas faire, de ne pas manger quelque chose de déplaisant, sans comprendre que cette maladie risque de le rendre infirme pour le restant de ses jours — la société avait pu se réjouir et rejeter toute la faute sur le tsar et le tsarisme, les patriotes, eux, ne pouvaient que s'affliger. Deux-trois défaites de cette sorte mises bout à bout et c'en serait fait d'une nation millénaire, elle aurait l'échine ployée à jamais. Or il y en avait déjà deux, la défaite de Crimée et la défaite devant le Japon, à peine dissociées par la campagne de Turquie qui n'avait rien de bien grandiose, de bien glorieux. C'est pourquoi cette guerre nouvelle pouvait être le début de la grande renaissance russe ou le commencement de la fin de toute Russie. C'est pourquoi le souvenir des erreurs commises pendant la guerre russo-japonaise irritait tellement les vrais soldats — et ils étaient tendus et tremblants à l'idée de les répéter!

Il devait aussi tout particulièrement se frotter à ce qui allait se passer en Prusse orientale, jour après jour, heure après heure, parce qu'il était l'un des rares officiers brevetés d'état-major admis à la discussion des plans de guerre généraux et à l'établissement des projets particuliers, qui, anonymes, recevaient ensuite pendant des années les signatures et les visas des généraux et des grands-ducs avant, sous le titre de *Considérations*, d'être édités en quelques exemplaires numérotés, conservés dans des coffres-forts et donnés à lire à qui de droit.

C'est justement après la guerre russo-japonaise, tandis que l'armée survoltée par sa défaite était embrasée par la « Renaissance militaire » (le général Palitsyne à l'état-major général des Forces armées, le grand-duc Nicolas Nikolaïevitch au conseil de défense), qu'à l'Académie de l'état-major général s'était constitué et cimenté un petit groupe d'officiers ayant compris et senti le vingtième siècle militaire : les étendards pétroviens et la gloire de Souvorov n'étaient plus la force de la Russie, sa garantie et son soutien, seules pouvaient l'être désormais la technique moderne, l'organisation moderne et la raison bouillonnante et rapide.

Cette étroite confrérie des officiers brevetés d'état-major et peut-être aussi un petit clan d'ingénieurs étaient seuls à savoir que le monde et, avec le monde, la Russie — silencieusement, invisiblement, insensiblement — avaient passé le seuil des Temps nouveaux et changé en quelque sorte d'atmosphère, l'oxygène de la planète, le rythme de sa combustion et tous les ressorts de l'heure étant devenus différents. Toute la Russie, depuis la famille impériale jusqu'aux révolutionnaires, croyait naïvement qu'elle respirait toujours le même air, qu'elle habitait toujours la même Terre, — seuls quelques ingénieurs et quelques militaires avaient le privilège de ressentir le changement du Zodiaque.

La Russie se couvrait de barricades, réunissait et dissolvait les Doumas, promulguait des lois d'exception, cherchait des issues mystiques ouvrant sur l'au-delà — pendant ce temps, cette poignée de capitaines et de colonels, dits plaisamment les *Jeunes Turcs* (et pourquoi pas, faible et lointaine réminiscence, les *décembristes?*), prenait conscience d'elle-même, lisait les généraux allemands et cultivait ses forces sans être persécutée, ni utile à personne après le remplacement de Palitsyne en 1908 et l'éloignement du grand-duc. Sitôt constituée, leur union s'était défaite, car ils ne pouvaient rester indéfiniment à l'Académie et il n'existait pas d'état-major pour les accueillir en bloc; on les avait affectés dans diverses garnisons qu'ils avaient rejointes pour peut-être ne plus jamais se revoir, mais toujours et partout chacun était demeuré conscient d'être la partie d'un tout, une cellule du cerveau militaire de la Russie. Un petit noyau de Jeunes Turcs tenait encore, le groupe du professeur Golovine, mais, l'année précédente, l'Académie était tombée aux mains de l'insinuant Ianouchkievitch et ces derniers récalcitrants avaient été à leur tour réduits et débandés. Nul d'entre eux n'était investi d'aucun pouvoir réel, pas un ne commandait même une division (Golovine, ce stratège d'envergure européenne, se voyait relégué au commandement d'un régiment de dragons!), car la liste était longue de ceux qui attendaient l'avancement de leur ancienneté, de leur longue médiocrité ou de leurs protections à la cour. Ces jeunes officiers n'en étaient pas moins responsables désormais, les uns devant les autres comme devant eux-mêmes, de l'avenir de l'armée russe; se trouvant surtout disséminés dans les bureaux « opérations », ils comptaient bien, par l'exactitude de leurs analyses et la clarté convaincante de leurs projets, remettre toute l'armée sur la bonne voie.

C'étaient eux, les sans-fonction et les sans-droits, qui avaient relevé le gant de l'empereur Guillaume. Eux, et non les barons baltes, et non les familiers de l'impératrice, et non les généraux que les décorations faisaient briller comme des iconostases du cou au nombril. Ils étaient seuls à connaître l'ennemi — et ils l'admiraient! Ils savaient que l'armée allemande était pour le moment la plus forte du monde, que c'était une armée tout entière animée d'un même sentiment patriotique, une armée ayant un excellent appareil de commandement, une armée qui conciliait les inconciliables : la discipline sans faille de la Prusse et la mobile initiative de l'Europe. Des officiers comme ceux-là, l'Allemagne en avait des quantités, ils étaient forts et puissants, ils commandaient même des armées.

Quant aux chefs de l'état-major général, ils n'avaient pas été six depuis neuf ans, comme chez nous, à jouer à saute-mouton; en un demi-siècle, on n'en avait compté que quatre, et qui ne s'étaient pas remplacés mais succédé : Moltke-junior venant après Moltke-senior... Chez eux, le « Décret relatif au commandement des troupes en campagne » n'avait pas été entériné le 16 juillet, deux jours avant la mobilisation générale. Ni le programme d'armement de sept ans approuvé trois semaines avant le début des hostilités.

Bien sûr, il eût été beaucoup plus réjouissant de maintenir avec l'Allemagne cette alliance perpétuelle que prônait et espérait Dostoïevski. Beaucoup plus réjouissant de développer et d'affermir notre peuple comme l'Allemagne faisait le sien. Mais les circonstances avaient conduit à la guerre et les officiers brevetés d'état-major mettaient leur orgueil à la faire dignement.

Et *dignement*, cela voulait dire non seulement comprendre et exécuter du mieux possible les courtes tâches du jour et de la nuit, mais encore tout saisir et reprendre depuis la source, depuis le départ — s'il fallait bien attaquer là, et, d'abord, s'il fallait attaquer.

Avancer à tout prix, telle était la doctrine de l'état-major général allemand. Et l'Allemagne avait ses raisons de s'y arrêter. Mais cette doctrine, les Français ne l'avaient-ils pas reprise? Les Russes ne venaient-ils pas de la reprendre? Rien qu'en avant! Toujours en avant! Comme c'était beau ! — et facile à comprendre pour ce papillon de Soukhomlinov. Pourtant la science militaire connaissait un principe qui primait l'*en-avant* : la mission doit correspondre aux moyens.

D'après l'entente passée avec la France, nous étions libres de choisir nos directions opérationnelles. Pendant des années, on avait comparé les avantages des deux directions naturelles : contre l'Autriche, contre l'Allemagne. La frontière austro-russe était facile à franchir; au contraire, les lacs de Prusse favorisaient la défense et gênaient l'attaque. L'offensive contre l'Allemagne exigeait des forces nombreuses, pour un espoir assez mince. L'attaque de l'Autriche garantissait de gros succès, la défaite de toute son armée, l'écroulement de tout son empire, le gain d'un territoire long comme la moitié de l'Europe — cependant qu'on pouvait aisément se défendre contre les Allemands avec des forces minimes, en leur mettant dans les jambes notre manque de routes aux abords des frontières et nos chemins de fer à *voies larges.* C'est le choix qu'on avait fait. C'est ce que Palitsyne avait préparé avec la chaîne de forteresses Kovno-Grodno-Ossovets-Novogueorguievsk.

(Et le cheval de Vorotyntsev dont les pas s'enlisaient de plus en plus dans le sable confirmait que c'était bien pour cela qu'on n'avait pas construit de routes dans cette région, pas une seule.)

Mais Soukhomlinov était arrivé à l'état-major général, et plein de la légèreté de l'ignorance (si semblable à l'esprit de décision!), il avait *concilié* les oppositions dans la querelle des directions : nous attaquerions ici et là simultanément! Face à deux solutions, il avait choisi la plus mauvaise, les deux ensemble. Et Jilinski, qui le remplaçait depuis deux ans, avait, en sus du traité, solennellement promis à la France, en son nom comme en celui de la Russie, que nous attaquerions l'Allemagne en nous lançant ou bien contre la Prusse, ou bien contre Berlin. Il y allait de notre honneur, de notre parole donnée aux Alliés : comment les tromper?

Quant à lui, les causes maintenant éclaircies, il ne lui restait plus qu'à combattre *dignement*...

Ou bien... ou bien... Quel énervant dilemme pour l'esprit russe! ... Contre la Prusse ou bien contre Berlin? Quoi de plus simple — en avant! nous irions ici et là. Et dans ces premiers jours, alors que la Ire et la IIe Armée pénétraient tout juste en territoire prussien, alors que les combats étaient encore à venir, on fabriquait déjà sur les bureaux de la Stavka une IXe Armée — avec pour objectif Berlin. Et c'est pour cela (le pauvre n'en savait rien) qu'on avait repris à Samsonov le corps de la Garde et qu'on lui interdisait de déplacer Artamonov de Soldau.

Il y avait mieux : l'année précédente, Jilinski avait fait à Joffre des promesses; aux dépens de la Russie, il avait généreusement réduit les délais de mise en place du dispositif; l'impréparation étant totale, on devait commencer les opérations le 15e jour de la mobilisation au lieu du 60e! Puisque nos amis étaient en mauvaise posture, il fallait bien descendre pour eux dans le merdier. Savait-on seulement si les Anglais se grouilleraient de sauter leur Channel!

Même dans la vie personnelle, l'amitié ne doit pas vous changer en serpillière (nul ne vous en sait jamais gré), à plus forte raison dans les affaires d'État... La France se souviendrait-elle longtemps de ce sacrifice russe?

Lui, en tout cas, n'avait plus qu'à combattre *dignement*.

A cent cinquante verstes de là, dans les ténèbres de la nuit, au-delà de ce pays qu'il n'avait jamais vu que sur une carte, dans la direction de la grosse tête balancée de son cheval, cachés par la rotondité que donne à la terre un degré de latitude, Vorotyntsev supposait, sentait, imaginait — il les voyait — des dizaines d'officiers comme lui — mais allemands —, parcourant à travers la nuit des chaussées en dur dans des automobiles rapides, reliés par un télégraphe au réseau dense, posant à côté de leurs cartes des bulletins de renseignements précis, marquant d'une piqûre d'épingle et d'une flèche sûre tous nos mouvements, d'où nous venions, où nous allions, et des généraux prompts à comprendre et à réagir, et des décisions prises en cinq minutes, mais conformément à la raison — alors que derrière lui il voyait Jilinski, menton pointé et moustaches tombantes, Postovski et ses chemises où étaient si soigneusement classés les renseignements de troisième eau, Filimonov et son énergie de loup stérile à lui seul consacrée, Samsonov, lent et surchargé, — et, par-devant, les corps d'armée qui se perdaient dans les sables et les lacs... Et dans l'attente prochaine de l'effroyable heurt, Vorotyntsev ne pouvait que contempler la carte d'une mémoire ardente et pousser son cheval, sans exagérer pour que les forces ne viennent pas à lui manquer.

Aller vite! Bien sûr qu'il fallait aller vite dans une telle opération, mais non pas commencer les marches à partir de Bielostok. Aller vite, mais autrement que le clown qui court vers l'arène en perdant ses chaussures et son pantalon — il fallait d'abord prendre le temps de nouer ses lacets et de boucler son ceinturon. Et comment avait-on pu commencer avec cet écart d'une semaine entre les deux armées? Lancer Rennenkampf alors que Samsonov n'était pas encore prêt? Tout l'esprit du plan en pâlissait, annihilé.

... Il ne lui restait pas de temps pour causer avec le sous-officier. Ils passaient par des endroits habités, parfois ils rencontraient quelqu'un à interroger, parfois Vorotyntsev faisait de la lumière pour consulter sa carte et se débrouiller tout seul. Pendant des heures il garda l'esprit tendu à réfléchir, puis divers sujets s'arrachèrent son attention : le corps de Blagoviechtchenski tellement écarté sur la droite qu'on eût effectivement dit qu'il allait rejoindre Rennenkampf; la IIe Armée, qu'à entendre le nom de ses généraux on n'aurait jamais tenue pour une armée russe : Torklus, le baron von Vietinghof, Richter, Stempel, Mingin, Sirelius, Ropp — n'avait-on pas songé, au printemps, à la placer sous le commandement de Rausch von Traubenberg? voilà qui aurait bien sonné à l'oreille; et le général russe Artamonov, qu'il allait maintenant voir et dont dépendrait peut-être demain l'honneur de la Russie. Artamonov était, en plus de tout, de la même promotion que Samsonov, ce qui faisait qu'il ressentirait comme une injure d'être obligé de se soumettre à lui. Il avait longtemps servi dans les états-majors, et comme délégué et comme suppléant; il avait, Dieu sait pourquoi, été commandant de la forteresse de Kronstadt, quoiqu'il ne fût pas marin, et même directeur principal des fortifications — et maintenant il se retrouvait à la tête d'un corps d'armée.

Les Allemands se communiquaient tout cela en riant dans leur barbe : l'état-major général de ces

Russes ne savait même pas ce que pouvait être la spécialisation militaire. Tout ce qui n'était pas chevaux ou canons se confondait pour eux dans l'infanterie...

Vorotyntsev pensait aussi au colonel Krymov, l'officier breveté d'état-major qui l'avait devancé au 1er corps et qui était peut-être déjà en train de tout sauver, mais qui pouvait aussi bien n'avoir rien vu et tout laisser à vau l'eau. Ils ne s'étaient jamais rencontrés. Mais en partant de la Stavka, Vorotyntsev avait vérifié dans l'annuaire des généraux et des colonels les états de service de tous ceux qu'il risquait de voir. Krymov avait cinq ans de plus que Vorotyntsev et autant d'ancienneté de plus dans le grade de colonel. On pouvait en déduire qu'il avait eu une carrière irrégulière : il n'avait pas marché très fort sur la fin du siècle, restant un an et demi chargé de l'équipement d'une batterie, et n'avait guère mieux continué par la suite; il avait tout de même eu assez d'ambition pour préparer l'Académie, dont il était sorti avec succès à la veille de la guerre russo-japonaise; il y avait apparemment combattu avec bravoure, recevant une distinction à chaque bataille, puis il était pour cinq ans retombé dans la somnolence comme secrétaire et chef de service au département de la mobilisation de l'état-major général; là, il avait consacré quelques travaux aux troupes de réserve. Toutes ces fonctions étaient nécessaires dans une grande armée, mais, encore une fois, incompatibles chez un même officier.

Ils poursuivaient leur course dans la nuit qui fraîchissait sous les étoiles. La route était parfois bordée d'arbres, parfois nue — toujours de sable. Formes noires et molles, les fermes passaient, les puits à levier, les grands crucifix des bords de route. La Pologne du nord dormait, silencieuse, pacifique, loin de la guerre. Toutefois, dans deux villages, des convois avaient fait halte pour la nuit et leurs gardiens se répondaient. Autrement, personne ne les dépassait, personne ne les croisait. Leurs chevaux peinaient, mais c'est surtout le sous-officier qui tombait de fatigue. Aux approches du matin, Vorotyntsev songea à nourrir les bêtes, dormir deux heures et renvoyer le sous-officier; il continuerait seul.

Peu à peu ses pensées rentraient dans l'ordre; elles ne le brûlaient plus, ne bondissaient plus si vite, ne se heurtaient plus les unes aux autres. Elles revenaient, toutes différentes, et il avait maintenant plaisir à les suivre jusqu'au bout, à les tirer au clair, dans cette longue chevauchée nocturne qui l'apaisait.

Cette nuit sans sommeil ne lui pesait nullement, non plus que la longue course qui l'attendait encore et la semaine folle qui risquait de s'ensuivre — car telle promettait d'être la bataille de Prusse, avec, peut-être, la mort au bout. C'était son destin. C'était le couronnement de son existence, ces journées pour lesquelles tout officier de carrière a vécu. Non seulement il n'éprouvait aucune peine, mais il se sentait léger, il avait des ailes. Et quelle importance? dormir — ne pas dormir, manger — ne pas manger...

13

A dire vrai, son allégresse avait encore une autre cause.

S'il se sentait si léger et si libre en première ligne, c'est qu'il avait quitté sa femme.

Au début, il ne pouvait même pas croire à ce qu'il éprouvait : jamais auparavant il n'avait ressenti de joie ou de soulagement à être séparé d'elle. Mais trois semaines plus tôt, à Moscou, quand l'état-major de district avait reçu l'ordre de mobilisation générale, Vorotyntsev, dont la tête et le cœur étaient pourtant uniquement remplis des problèmes nationaux, avait remarqué au passage cette pensée qui, entre les blocs de la guerre, se faufilait comme un petit lézard irisé : bientôt il aurait quitté sa femme de façon naturelle, bientôt, de façon naturelle, il se reposerait d'elle.

De sa femme bien-aimée? Ah, il ne l'aurait jamais cru, huit ans plus tôt, quand il conduisait à l'autel cette merveille blanche éthérée et qu'il n'avait qu'une seule crainte, qu'elle ne se ravise à la dernière minute — non, il ne l'aurait jamais cru!

Il l'avait rencontrée dès son retour de la guerre russo-japonaise, au milieu de cette passion particulière qu'on met à vivre après les guerres : je suis sain et sauf! et comme je vais vivre longtemps! et comme je veux être heureux! et comme le moment est bienvenu pour me marier! Au premier pas vers elle pour lui baiser la main, à sa première parole, il avait décidé : la voilà! c'est elle! il serait insensé de mesurer, de comparer, de regarder autour de moi, c'est la plus belle, c'est l'unique, celle qui fut créée pour moi! *Elle* ne comprit pas tout de suite; à son aveu, à sa demande elle hésitait encore à répondre oui — lui avait compris du premier coup!

Leurs premières années de mariage avaient été aussi ses grandes années de travail à l'Académie, qui engloutissait tout le volume de son temps, toute la tension de son intelligence dans l'invraisemblable foisonnement des certificats : tous les certificats militaires, plusieurs de mathématiques, deux de langues, deux de droit, trois d'histoire et même un de slavistique, sans compter la géologie et, plus tard, les trois mémoires. C'était de plus les meilleures années de l'Académie, celles où on secouait la poussière (pas toute, et pas pour longtemps...), celles où le mythe de l'invincibilité naturelle de la Russie cédait la place au travail patient.

Mais, tout absorbé qu'il était par l'Académie, comme leurs calmes soirées s'écoulaient heureusement dans leurs deux petites pièces non loin du canal Catherine! Avec sa bourse de quatre-vingts roubles, ils manquaient parfois d'argent pour aller au théâtre ou au concert, de temps presque toujours, aussi ne sortaient-ils pas, mais c'était tant mieux. Années heureuses d'harmonie et de compréhension : si l'un commençait une phrase, l'autre la finissait, quand ils ne la commençaient pas tous les deux ensemble. Un bonheur journalier, constant, invétéré, sans explosions, sans convulsions, tout étant déjà trouvé pour le cœur, lui à son bureau, elle dans l'autre pièce, au piano ou sur son sofa. Un calme et un équilibre excluant de l'univers des angoisses les angoisses du cœur. Il y avait eu cet accident avec leur premier enfant, ils n'en avaient pas eu d'autres, mais cela non plus n'avait pas obscurci leur ciel. Georges et Aline en étaient convaincus, ils se le disaient : leur amour était voulu par le destin — et éternel.

De fait, un amour comme le leur aurait dû moins qu'un autre dépendre de la vie qu'ils pouvaient mener, de ce qui emplissait ses journées de service et du lieu qu'ils habitaient : Pétersbourg ou quelque garnison perdue. C'est après la dispersion du groupe Golovine, durant leurs déménagements peut-être, au fond d'une province ou ensuite à Moscou, dans cette vie moscovite nouvelle manière, que Vorotyntsev avait peu à peu remarqué qu'ils avaient comme oublié, laissé tomber quelque chose en cours de route.

Que s'était-il passé? Pourquoi sa peau s'était-elle endurcie, comme rassise? Pourquoi ne percevait-elle plus le moindre frôlement du plus petit cheveu? Pourquoi le commencement ou la fin de leurs phrases commencées ne coïncidaient-ils plus? Pourquoi les douces fanfreluches impondérables et parfumées de sa toilette n'éveillaient-elles plus en lui aucun tremblement? Elles lui étaient indifférentes, suspendues ou étalées, un point c'est tout. Pourquoi, pour le baiser, ses lèvres avaient-elles cessé d'être ce qu'il connaissait de plus nécessaire et de plus tendre? Pourquoi la joue devenait-elle plus pratique?

Le rite du coucher même (ces choses-là se remarquent non sans stupéfaction) s'accomplissait comme un travail mécanique, sans la verdeur et la fraîcheur de jadis. Ainsi, plus besoin de rien? Déjà vieux? Avant quarante ans? Cette propreté terre à terre aux gestes toujours les mêmes... Et — après — incapable de soutenir cette pause pénétrée que commande la décence, sa femme qui le priait de la soulager de son poids... Ou bien qui, du ton le plus ordinaire, se mettait à parler de ses affaires, pour ne pas oublier... A moins qu'elle ne se fût acheté quelque horrible chemise de nuit de futaine bien épaisse : « Ça ne me plaît pas. — Oui oh ça!... moi j'ai chaud. »

A vrai dire, tout ce qui pousse (n'est-ce pas ce qui arrive aux arbres?) devient dur et rugueux. L'amour lui aussi se racornit fatalement, et la vie à deux s'essouffle. Apparemment, il doit en être ainsi : avec les ans l'intensité et les exigences de l'amour faiblissent. C'est pourquoi on dit : qu'il faut manger tant qu'on a faim, qu'il faut aimer tant qu'on est jeune. (Et tant qu'il est jeune, l'homme de talent n'a pas le temps d'aimer, il se lance dans la vie; c'est ainsi que Georges avait tordu le cou à son premier amour de collégien.) Pour l'homme de quarante ans, il reste assez de sensations : le matin mouillé de rosée ne l'émeut pas moins que les adolescents, il saute en selle comme à vingt ans et c'est avec la même indignation, la même approbation passionnées qu'il griffonne des notes dans les marges de son Schlieffen.

Aline désirait toujours entendre ce qu'il avait à raconter : sur chaque officier, sur ce qu'il lisait, ce qu'il pensait. Pour cela elle s'installait sur son sofa, il devait s'asseoir à côté d'elle et parler. Mais des noms, des livres et des idées nouvelles, l'énorme pelote mobile ne cessait de s'enfler en tournant comme la Terre; le crâne distendu de Vorotyntsev pouvait à peine la contenir, la mémoire d'Aline n'y suffisait pas; elle oubliait les noms, ce qu'il avait déjà dit, et elle l'obligeait à répéter deux ou trois fois la même chose : c'était ennuyeux, il perdait son temps, il perdait le rythme — et puis il sentait bien qu'elle n'était plus aussi intéressée. Il ne répondait plus à ses sollicitations. Et elle faisait la moue.

Une déception en entraîne une autre, puis une troisième. Elle découvrit en lui d'autres traits déplaisants : son manque d'attention envers les gens, ses accès de morosité, son intérêt exclusif pour lui-même et son métier. Pour tout cela elle lui faisait des observations insistantes, d'égal à égal et même sur un ton tranchant. Peut-être était-ce juste? Peut-être en effet tous ces défauts étaient-ils apparus en lui? Georges promettait de faire attention. Mais chaque semonce laissait en lui un peu de lie, un peu de plomb.

Et maintenant qu'il était loin de sa femme, il se sentait d'un seul coup plus agile, plus simple, plus insouciant! Si cela pouvait durer! Il n'avait pas envie de recevoir de lettres qui lui raviveraient les détails de sa vie domestique à Moscou. Il n'avait rien découvert de mauvais en Aline, non; il ne désespérait pas d'elle, mais il avait besoin d'être séparé d'elle, lui ici et elle là.

D'une façon générale, une femme excipe toujours beaucoup trop de ses droits dans ses rapports avec *son homme* et elle ne perd aucune occasion de les compléter jour après jour dès qu'elle le peut. L'homme commence par s'en délecter, ensuite il le supporte et il finit par trouver cela pénible.

D'ailleurs, tout cet amour, ces émotions et ces aventures, tous ces drames personnels minables qui tournent autour, tout cela est bien trop grossi par les femmes et trop goûté par les poètes. Les seuls sentiments dignes du cœur d'un homme ne peuvent être que civiques, patriotiques ou universels.

Peut-être s'était-il tout bonnement ankylosé. La vie de famille ne vaut rien pour la guerre. Il fallait qu'il se rafraîchisse un peu.

La route nocturne défilait, défilait.

De ses pieds solides, son cheval mesurait, tambourinait, égrenait l'une après l'autre ces verstes interminables qui séparaient l'état-major de ses corps d'armée, ces six terribles journées de marche.

Non, ce n'était pas comme ça qu'on devait faire la guerre! Dans le temps — oui; aujourd'hui — plus possible.

Et l'ennemi? cet ennemi disparu?

Et puis — ce souvenir l'éperonna — ces messages en clair? Comment osaient-ils les envoyer? Il aurait mieux valu que la radio n'existât pas : elle ne serait jamais tombée entre nos mains négligentes.

De loin plus rapide que l'allure des cavaliers, vers ces ténèbres impénétrables où guettait l'ennemi ravisseur, s'écoulait invisible, avec nos messages radio sans protection, toute la force de la IIe Armée russe.

14

C'est dans le courant de l'été que Iaroslav Kharitonov aurait dû sortir de l'École d'infanterie Alexandre. Mais, pour prendre les choses dans l'ordre : il devait y avoir d'abord les camps d'été, puis la promotion solennelle, enfin, avant le régiment, un dernier mois de permission. Il serait allé le passer chez lui à Rostov. Rostov, tout un tas de plaisirs! Iourik sautant de joie, sa maman pleine d'attentions, l'appartement familier, ses camarades du gymnase et, surtout, le bateau à voile qui l'attendait tout prêt. Avec Iourik (il avait maintenant douze ans) et un ami, ils auraient remonté le Don pour voir comment vivent les Cosaques; ils s'apprêtaient à le faire depuis longtemps : quelle honte d'être né et d'avoir grandi dans le pays de l'armée du Don et de ne rien savoir des Cosaques, sinon qu'ils dispersent les manifestants à coups de cravache; pourtant, c'était une race hardie, agile et forte, l'un des surgeons les plus vivaces de l'arbre russe.

Mais son entrée dans la carrière s'était faite autrement que prévu. Comme une bourrasque fraîche et inquiétante avait soudain fondu sur lui ce qui fait l'importance de l'Armée et sa justification : la guerre! Dès le 19 juillet, leur promotion revêtait les traditionnelles épaulettes étoilées. Il n'était pas question d'aller dire adieu à la famille, ils n'eurent même pas le temps d'aller jusqu'au magasin retirer eux-mêmes leur première photo en uniforme d'officier. Leurs affectations étaient prêtes, ils furent immédiatement dispersés. Iaroslav fut envoyé au 13e corps d'armée, régiment de Narva.

C'est à Orel qu'il rejoignit son unité. Le régiment n'était pas entièrement rassemblé et l'on formait des convois avec ce qui était déjà sur place. Les quatre régiments de leur division portaient les premiers numéros de toute l'armée russe, pourtant il s'aperçut qu'ils n'étaient pas à pleins effectifs. On venait de rappeler un grand nombre de simples soldats, trois de réserve pour un d'active. Iaroslav arriva pour les accueillir, vêtus de gris-noir à la paysanne, un dernier viatique familial noué dans un mouchoir blanc comme le *koulitch* [1] de Pâques qu'on porte à bénir; il arriva pour les mener aux bains, leur faire revêtir les *charovars* [2] bouffants et les chemises gris-vert, leur distribuer fusils et munitions et les enfourner dans des wagons de marchandises. Ce n'était pas seulement les soldats d'active qui manquaient; les sous-officiers, les officiers même faisaient incompréhensiblement défaut. La Russie pouvait-elle vraiment ne pas être prête à faire la guerre, elle qui n'avait jamais cessé de la faire? Il y avait trois ou quatre officiers par compagnie; Kharitonov, parce qu'il était novice, ne reçut que sa section, mais les officiers plus expérimentés en recevaient deux d'un coup et confiaient l'une à un sous-enseigne.

1. Gâteau pascal traditionnel. (*N.d.T.*)
2. Culottes à la turque. (*N.d.T.*)

Il avait tout de même bien de la chance : Smolensk, ces trois jours de tohu-bohu, la métamorphose des gars du terroir (Iaroslav prenait garde de conserver une démarche élastique, dos droit, talons claquants) et, surtout, ce voyage... Il n'était pas monté dans le compartiment réservé aux officiers, il était resté dans le wagon de marchandises avec ses hommes à lui, les quarante braves gueules du peuple qu'on lui avait confiées — et la locomotive avait sifflé tout au bout de ses trente wagons, et les tampons, claquetant, cliquetant, s'étaient transmis leur message en se faisant écho, et les attelages s'étaient mis à grincer sous l'effort, et le train tout entier était parti! On parlait beaucoup de l'amour du peuple chez les Kharitonov, on ne parlait même que de cela : pour qui vivre sinon pour le peuple? Seulement, où Iaroslav l'aurait-il vu, ce peuple, et comment? Il n'avait même pas le droit de s'éloigner sans permission jusqu'au marché voisin; encore devait-il au retour se laver les mains et changer de chemise; approcher le peuple était impossible, quant à engager la conversation — à quel propos et pour quoi dire? — il était trop timide. Or ici, tout naturellement, Iaroslav était quasiment devenu le père de ces paysans barbus, et ils le recherchaient d'eux-mêmes — pour le questionner, lui faire leur rapport ou obtenir quelque chose de lui. Il devait encore, outre les devoirs les plus précieux de sa charge, s'engouffrer dans les yeux, les oreilles et la mémoire le nom, l'origine et la situation de famille de chacun. Cet obligeant diseur de Viouchkov, par exemple, il suffisait de l'écouter; le train traversait leur pays : au loin, sur cette grande colline, on apercevait le chef-lieu, par ici, c'était ravin sur ravin, le lieu-dit la Haute-Raide, quels rossignols, quels pâturages!... Iaroslav n'était encore allé nulle part et il aurait bien voulu voir tout cela de ses propres yeux! Quelle joie c'était, si longtemps désirée, de communier avec eux, d'être isolé avec eux dans le même wagon, de les écouter gratter de la balalaïka (que de liberté et de poésie! quel merveilleux instrument!), de s'accouder avec eux dans la journée au long verrou barrant la porte coulissée (tandis que d'autres en dessous étaient assis, jambes pendantes), et la nuit, dans l'obscurité, de rester éveillé à écouter leur chant, leurs discussions, à regarder la lueur de leurs cigarettes roulées dans du papier de journal! Quelle joie peut-on attendre de la guerre? — et pourtant la route était joyeuse! Et non seulement pour Iaroslav : les soldats eux aussi étaient franchement gais, ils n'arrêtaient pas de plaisanter, ils faisaient même parfois quelques pas de danse ou se défiaient à la lutte; il y avait aussi les foules qui les attendaient aux embranchements avec orchestres, drapeaux, discours et présents. C'est dans cet état d'esprit que Iaroslav eut le temps d'écrire ses premières lettres : à sa maman, à Iourik et à Oxane [1] la Petchenègue, sa charmante presque-sœur, sa vraie sœur depuis que Génia, mariée et pourvue d'un enfant, s'était transformée en une deuxième maman, plus jeune mais aussi plus lointaine. Il écrivait que, de sa vie, il n'avait jamais aspiré à autre chose, qu'il avait ce qu'il désirait : le droit de vivre à sa guise — en homme — au milieu du peuple.

1. Oxane, forme ukrainienne de Xénia. (*N.d.T.*)

La suite fut moins gaie, on dépassa vraiment les bornes du chaos et de la confusion. Ils durent brusquement descendre du train, et pourtant les chemins de fer continuaient dans la bonne direction; comme par ironie, on leur fit suivre à pied une route qui longeait presque la voie, jusqu'à Ostrolenka. Ils marchèrent ainsi pendant plusieurs jours, et cela fut pénible aux réservistes : ils en avaient perdu l'habitude, ils portaient des bottes raides, des tenues neuves et traînaient tout leur barda. Pourquoi? C'était incompréhensible, inconcevable. Et personne à qui on pût demander des explications! Sans doute leur unité avait-elle tiré le mauvais numéro. Un général était passé par là dans son automobile, il avait dit : « Sommes-nous des Allemands pour dépendre des trains? Nos braves feront aussi bien ça à pied! Pas vrai, les gars? » Et tous avaient crié : « Ouais!... » (Iaroslav comme les autres.)

Moustache arquée les pointes en l'air, le capitaine en second Grokholets, aide de camp de leur bataillon, petit, précis, la fibre militaire (Iaroslav s'efforçait de l'imiter), s'étranglait de rire en criant aux soldats de la colonne : « Alors le pèlerinage! On part pour Jérusalem? » C'était si bien vu, si bien dit, il fallait qu'il ait l'œil militaire! Iaroslav ne pouvait s'empêcher de rire. Les réservistes en avaient assez de ce fusil qui les embarrassait comme un lourd bâton inutile, assez de leurs bottes neuves et dures, et ils profitaient de l'inattention des officiers pour les retirer, les accrocher à une ficelle qu'ils passaient sur une épaule et continuer la route nu-pieds. Leur bataillon s'étirait sur une verste, leur régiment... mieux valait ne pas y penser; les officiers perdaient leurs hommes qu'ils n'avaient pas encore dans l'œil et complétaient leurs rangs avec des soldats d'autres bataillons à qui ils faisaient la leçon. Dans cette pagaille s'insinuaient le train des équipages, qui avait le même itinéraire, et les troupeaux de vaches de l'intendance assurant l'approvisionnement de leur division en viande fraîche.

Ah, si on les avait entraînés, si on avait ravivé leurs souvenirs, organisé des tirs, on aurait pu faire de ces réservistes d'excellents soldats; Iaroslav le voyait bien d'après les siens. Kramtchatkine, par exemple, Ivan Feofanovitch : depuis quinze ans il n'avait pas mis le nez hors de son village; il avait les cheveux gris, c'était, comme disaient les autres, un *vieux de la vieille;* pourtant il étonnait Iaroslav par ses réflexes militaires; on aurait dit qu'il revenait de l'exercice, qu'il n'avait jamais rien fait d'autre dans sa vie que se présenter au rapport, se mettre au garde-à-vous et clamer en s'oubliant soi-même : « Soldat Kramtchatkine à vos ordres, Votre Noblesse! » — et de pointer ses moustaches vers le ciel, et d'ouvrir des yeux grands comme des soucoupes; or il ne savait pas tirer (il le cachait et on l'avait découvert par hasard).

La grande guerre, la première guerre du sous-lieutenant Kharitonov commençait de telle façon qu'à l'École, tous ces manquements eussent été sanctionnés à chaque pas par des arrêts de rigueur; on eût dit que par un fait exprès, tout allait toujours contre les règlements. Comme si, à l'École, on avait pris un malin plaisir à ne jamais montrer à leur jeune peloton si zélé — maniement d'armes rapide, parfait ensemble, rapports précis, commandements brefs et chansons bravaches — qu'une armée qui n'existait pas, n'existerait jamais et ne pouvait pas exister. Tout ce qu'on avait appris à ces futurs officiers était caduc : pas de renseignements; rien sur les unités voisines; les ordres annulés de façon déprimante; des colonnes d'une brigade entière arrêtées par des cavaliers au galop qui leur faisaient rebrousser chemin.

C'était la deuxième semaine sans journée de repos. Chaque matin, les bataillons se levaient au petit jour et se préparaient au départ en un temps raisonnable. On les faisait alors asseoir au soleil débilitant du matin à attendre l'ordre de marche — de la division ou de la brigade; et le commandement ne réussissait pas toujours à prendre une décision avant midi (un officier d'ordonnance apportait alors un ordre fixant le départ à huit heures du matin dernière limite). L'après-midi, en revanche, on activait les bataillons en supprimant les haltes pour rattraper le temps perdu. Et puis on s'arrêtait, pour s'expliquer avec les convois qui bloquaient la route, retenir les popotes, ou donner le passage à l'avant-garde retardataire. On repartait. On marchait jusqu'au coucher du soleil, jusqu'au crépuscule, pendant le crépuscule, parfois même jusqu'au milieu de la nuit. La nuit, on se réorganisait, on mangeait, et cela n'était pas si simple : un jour, on ne trouvait pas les officiers de cantonnement envoyés en avant et on ne savait pas où s'installer; le lendemain, c'était les officiers responsables qui n'étaient pas d'accord sur le bivouac à assigner à chaque unité, et les soldats restaient à battre la semelle, allumant des feux de branchages et préparant du thé sans se soucier qu'ils indiquaient ainsi leur position à l'ennemi. Les popotes s'animaient dans la nuit, sans attendre, à la lueur des torches à pétrole, au milieu des gerbes d'étincelles. Il arrivait aussi qu'on les perdît : les officiers comme les soldats se couchaient alors à minuit, le ventre creux, et grelottaient par terre dans leurs capotes; et à l'aube on sonnait la soupe de la veille. Les nuits étaient écourtées, on manquait de sommeil.

Les soldats demandaient : « Si on pouvait avoir un petit peu de pain, Votre Noblesse? Ça fait plus de huit jours qu'on est aux biscuits, ça vous racle les boyaux! » Quels mots trouver pour leur expliquer raisonnablement pourquoi, à Bielostok, où le pain était partout en abondance, leur division n'arrivait pas à s'en faire délivrer? Quelque chose n'allait pas à l'Intendance : la guerre en était à ses débuts, on n'avait pas encore passé la frontière, pas un obus n'était tombé, pas une balle n'avait sifflé — et depuis huit ou neuf jours ils ne touchaient que des biscuits rances qui sentaient la souris, des résidus de plusieurs années; quant au sel, c'était selon les jours, on n'en mettait pas dans toutes les soupes, la livraison traînait.

Jusqu'à Ostrolenka, la route était encore la même pour tous et les étapes bien nettes. Mais après Ostrolenka, où on ne les laissa pas respirer un seul jour, les colonnes furent formées par division, puis, après la frontière allemande, par brigade. Et c'est à partir de là que le commandement ne s'y retrouva plus, confondant parfois les ordres, faisant parfois faire un crochet inutile de dix verstes à un régiment. Ni vu, ni connu; au moins de notre côté, l'échelon supérieur n'en savait jamais rien; pour ce qui est des Allemands, nos colonnes étaient depuis la Pologne survolées par leurs aviateurs (les nôtres ne volaient pas; on les tenait, disait-on, en réserve *pour l'instant décisif*). Passé la frontière, certains se retrouvèrent sur des chaussées de pierres concassées, ce qui n'empêchait pas toutes ces bottes et ces sabots de soulever d'épais nuages de poussière qui faisaient craquer les dents; d'ailleurs, ces chaussées finissaient vite ou obliquaient dans la mauvaise direction. Parfois aussi, il n'y avait pas de route du tout et il fallait marcher, tirer chariots et canons — dans la poussière épaisse et le sable croulant, sous une chaleur qui persistait jour après jour, interrompue seulement par l'averse de la nuit; et il n'y avait pas de puits partout, on défilait plusieurs heures de suite sans boire. Parfois, au contraire, à suivre des itinéraires impossibles qu'on eût dits compliqués à plaisir, on s'égarait, on s'enlisait dans des plaines marécageuses où serpentaient de petites rivières. Chevaux, soldats, officiers n'avaient plus qu'une idée en tête, un désir, une obsession : *se reposer!* Les drapeaux étaient depuis longtemps roulés, on les traînait comme des timons inutiles; les tambours étaient remisés dans les chariots; plus personne ne commandait le chant; des compagnies disparaissaient à force de traîner; elles n'étaient plus tirées en avant que par un rêve : demain, peut-être, le repos.

Les hommes étaient consumés.

Mais sans doute l'objectif était-il trop important pour qu'on pût leur accorder une journée de repos! Toujours aussi hâtivement, on les poussait, on les chassait en avant! Au travers de l'Allemagne maintenant, sans un Allemand qui vive.

Le capitaine en second Grokholets, étroit d'épaules,

bâti comme un garçonnet et à peu près chauve, plaisantait au milieu des officiers pendant une courte station :

— Mais voyons, ce n'est pas la guerre, nous sommes en manœuvres. Un officier de l'état-major nous cherche depuis quatre jours pour nous arrêter — et elle n'arrive pas à nous mettre la main dessus. Nous avons pénétré *par erreur* en territoire étranger et à l'heure qu'il est, la note d'excuse est déjà expédiée à Vassili Feodorovitch.

Pour tous, Guillaume était, en guise d'insulte, devenu Vassili Feodorovitch; cela leur soulageait la bile.

Dès Chorzele, ou, comme tous ceux du régiment prononçaient à la russe : « Khorjéli », dès la frontière et les premiers pouces de territoire ennemi, on s'attendait à des combats, à être reçu à coups de fusils, à coups de canons. Mais ni ce jour-là, ni le lendemain, ni le jour d'après on n'entendit le moindre coup de feu. On ne voyait ni un soldat, ni un civil, ni aucun animal. Ici des fils de fer barbelés avaient été tendus et laissés en travers des champs, là des tranchées commencées aux abords d'un village, puis abandonnées : il fallait les combler pour permettre au détachement de mitrailleurs et aux autres cavaliers de passer. Ailleurs, en plein milieu d'un village, une barricade de meubles et de chariots avait été construite — tout était resté là. (« Ça va mal pour les Allemands ! » dit le sous-lieutenant Kozèko, ordinairement gémissant et déprimé, en s'animant pour la première fois.) Dans le village suivant on découvrit une bicyclette qu'on apporta au bataillon et tout le monde s'agglutina pour la contempler; beaucoup de soldats n'avaient jamais rien vu d'aussi bizarre : un sous-officier en fit la démonstration sous les bruyants encouragements de la foule.

Pour la tête sans sommeil, surchauffée, ahurie des guerriers russes, le plus étrange, c'était : l'Allemagne! — et vide.

L'Allemagne apparaissait tellement insolite, si différente de l'idée que Iaroslav avait pu s'en faire d'après les illustrés. Ces curieux toits abrupts, bien sûr, qui descendaient à mi-hauteur des maisons et suffisaient à rendre étranger tout le paysage — mais, dans les villages, ces maisons de brique avec un étage? ces étables de pierre? ces puits bétonnés! l'éclairage électrique! A Rostov même, il n'existait encore que dans quelques rues... Et le matériel d'exploitation électrifié! et le téléphone! ... Et la propreté : en pleine journée de chaleur, ni odeurs de fumier, ni mouches. Nulle part rien de jeté, rien de renversé, d'oublié en désordre. Ce n'était tout de même pas pour l'arrivée des Russes que les paysans prussiens avaient fait la grande toilette des jours de fête! Les barbus épiloguaient dans leurs compagnies, ils admiraient : comment les Allemands s'arrangeaient-ils? Dans leurs exploitations, on ne voyait jamais aucune trace de *travail*, tout avait toujours comme un air d'achèvement. Dans une telle propreté (on n'aurait pas su où laisser tomber sa vareuse), comment pouvaient-ils se retourner? Et comment, avec toutes ses richesses, Guillaume avait-il pu jeter un regard d'envie sur notre friperie russe?... Ils avaient traversé la Pologne : un pays comme les autres, débraillé; mais, depuis la frontière allemande, la terre entière semblait frappée d'alignement : les champs, les routes, les bâtiments, tout était différent — une autre planète.

Cet ordre si peu russe eût suffi à leur inspirer une crainte respectueuse, mais l'abandon et la mort de leur conquête désertée avait quelque chose de menaçant qui ajoutait à leur angoisse. Nos troupes ressemblaient à une bande de petits chenapans qui se sont introduits dans une maison aux aguets et s'attendent à l'inévitable correction.

Là même où ils auraient pu trouver quelque butin, les soldats n'avaient pas le temps de fouiller les maisons. Ils n'avaient pas non plus de sacs où mettre leurs trouvailles. Et puis, quand on marche à la mort, à quoi bon s'encombrer?

Les premiers civils restés sur place furent non des Prussiens, mais des Polonais allemands s'expliquant tant bien que mal dans une espèce de baragouin. Loin de susciter la confiance, ils furent soupçonnés et la section de Kozèko reçut l'ordre de fouiller soigneusement leur ferme. (En partant pour cette opération, Kozèko dit à Kharitonov : « Il y en a qui veulent ma mort. Il se pourrait qu'il y ait là-bas une escouade de Prussiens embusquée dans la cave. ») La section ne rencontra aucune résistance, perquisitionna soigneusement et trouva : dans la maison, une trompe ressemblant à un cor de chasse, dans le fenil une seconde bicyclette, dans les bains deux cartouches russes et des bottes à éperons. Les Polonais étaient en mauvaise posture, on allait sans doute les fusiller. On les dirigea vers l'état-major du régiment ; il y avait un homme d'une cinquantaine d'années et deux petits gars de seize-dix-sept ans. Tandis qu'ils passaient devant le bataillon, ils suppliaient chaque officier, chaque sous-officier! « *Podarujcie nam zycie!...* Laissez-nous la vie!... » Mais le sous-officier de Kozèko qui les menait, les faisait avancer en criant joyeusement : « Allez-allez! Moscou ne croit pas aux larmes! » Et les soldats se serraient pour voir : « Et alors? C'est des types comme ça qui se planquent pour nous canarder. Ils enfourchent leurs *vélocipettes* et ils prennent par les sentiers de forêt pour aller prévenir qu'on arrive. »

Ce jour-là, il y eut tout de même quelques coups de feu. Un appareil allemand passait dans les airs et toutes les compagnies s'acharnèrent à tirer dessus, sans l'atteindre. On aperçut trois hommes en civil qui sortaient d'un *folwark* [1] et s'enfuyaient dans les bois; on fit feu, l'un d'entre eux fut touché. Un Cosaque au galop annonça qu'à quatre verstes de là, il avait été mitraillé par une patrouille de cavalerie cachée dans une forêt, on détacha immédiatement une demi-compagnie pour la ratisser : les soldats vouèrent le Cosaque à tous les maux, accusèrent le sort, ratissèrent et revinrent bredouilles.

Kozèko, lui, approuvait: « En ce moment, pour nous, le premier danger c'est une balle de flanc. » Les deux sous-lieutenants ne pouvaient éviter de se parler; depuis Bielostok, ils étaient rapprochés par leur affectation dans des sections voisines de la même compagnie. Avec les autres officiers, Kozèko demeurait silencieux; il craignait le lieutenant-colonel, il n'aimait

1. Mot polonais (de l'allemand *Vorwerk*); grande exploitation agricole.

pas le capitaine, quant à Grokholets qui avait la dent dure, il l'évitait comme il pouvait. Sa rage d'observer et son besoin de s'exprimer, Kozèko les passait sur son journal (vu le manque de papier, il le tenait dans son livret de campagne); à chaque minute de liberté, il y inscrivait quelques lignes nouvelles en notant les événements heure par heure. « Un exploit! s'exclamait Grokholets. Personne n'écrit l'histoire du régiment : quand la guerre sera finie, nous réquisitionnerons votre journal pour l'état-major et nous lui ferons une reliure en or. — Personne n'a le droit de me le prendre! » répliquait Kozèko, inquiet. « C'est une affaire de conscience. Et ma propriété. — Non, lieutenant, c'est un bien national. » Grokholets roulait de gros yeux. « Les pages du livret de campagne appartiennent à l'état-major! »

Kozèko était plus vieux que Iaroslav, il était officier depuis deux ans au début de la guerre, mais Iaroslav ne pouvait se soumettre à son influence :

— Moi, je pense qu'à la guerre, on n'a pas le droit de vivre comme ça, pas un seul jour. On doit voler vers la victoire et non maudire la guerre! D'ailleurs, comment un grand peuple pourrait-il éviter les grandes guerres?

— M-m-m, faisait Kozèko comme s'il avait mal aux dents, tout en regardant autour de lui pour voir si personne ne pouvait les entendre, comment on peut les éviter? Mais tout le monde se débrouille! Tenez, Milochevitch, il s'est fait désigner pour je ne sais quelle mission, et Nicodimov pour les achats de bestiaux. Un homme intelligent ne traîne pas au bataillon, ne vous en faites pas.

— Je ne comprends pas, s'indignait Iaroslav. Pourquoi choisir de devenir officier de carrière quand on a des idées pareilles?

Avec une grimace malheureuse de regret, Kozèko soupira par-dessus son journal :

— C'est un secret... Quand vous aurez vous aussi une chaumière et un cœur... Ça peut sembler antipatriotique, mais je ne peux pas vivre sans ma femme. C'est pour ça que je souhaite la paix.

Ce Kozèko ne faisait qu'ajouter à ses soucis : nulle part où faire sa toilette! manger sans se laver les mains! dormir sans pouvoir se déshabiller! Cette avance qui ne rencontrait pas d'obstacle rendait déjà l'atmosphère du bataillon plus sombre et plus désespérée de jour en jour. Iaroslav s'était toujours représenté l'attaque comme quelque chose de joyeux : nous avancions, nous faisions des prisonniers, nous occupions le terrain, nous étions les plus forts! Les armées sont créées pour l'attaque, c'est pour l'attaque qu'on instruit les officiers. Or elle était déprimante, cette offensive de deux semaines — sans un combat, sans un Allemand, sans un blessé, accompagnée chaque nuit, à droite et à gauche, par les taches pourpres amorties de mystérieux incendies. Où donc étaient passées cette légèreté, cette joie qu'il avait éprouvées avec tout le monde, semblait-il, avec les soldats eux-mêmes, quand ils faisaient route vers le front dans le cahotage du wagon de marchandises et le flux de la brise estivale? Kramtchatkine conservait encore un air d'abnégation militaire, il ne pliait pas le dos et continuait de manger des yeux son sous-lieutenant; Viouchkov, lui, avait déjà le visage viré, on ne tirait plus de lui aucun de ses récits spontanés. Non seulement personne ne chantait plus au bataillon, mais les barbus évitaient même de parler trop fort; ils ne disaient plus que le strict nécessaire, comme s'ils craignaient d'irriter Dieu par leurs bavardages.

Il y avait aussi l'espace qui se rétrécissait, se réduisait, les bois qui se rapprochaient. On commença par envoyer des détachements et des demi-compagnies pour en fouiller l'orée, puis ce fut au régiment de s'y enfoncer tout entier, englouti par les arbres. Cette forêt n'était pas du tout comme la nôtre : ni troncs morts debout, ni chablis, ni bois pourri; c'est tout juste si on n'avait pas balayé par terre; les branches sèches étaient mises en tas et les layons tenus propres comme des couloirs. Dans toutes les directions, la forêt était coupée de secquières, en bon état quand elles n'étaient pas momentanément endommagées.

Chaque officier aurait dû avoir dans son porte-documents une carte de la région, pourtant la compagnie n'en possédait aucune et Grokholets avait la seule de tout le bataillon, décalque imprécis et peu lisible d'une carte allemande. Plus que les autres chefs de section, Iaroslav tournait autour de lui, guettant l'occasion de jeter un coup d'œil sur sa carte. Tous les poteaux indicateurs avaient été brûlés par les Allemands et les officiers se transmettaient les noms des villages en les rendant peu à peu méconnaissables; on venait de passer Saddeck, puis Kaltenborn, on bivouaquerait à Omulefofen. Et cette forêt où les pins atteignaient une vingtaine de mètres de hauteur s'appelait la forêt de Grünfliess.

Le 10 août, à partir de midi, résonna dans toute

la forêt le zinzin de l'artillerie, à une quinzaine de verstes sur la gauche, en direction de l'ouest, un vrai tir d'artillerie, obstiné, le premier. Indifférents, les régiments du 13e corps poursuivirent sans s'en faire leur avance au travers des forêts, vers le nord si calme, sans rencontrer personne. Et ils s'installèrent pour la nuit à Omulefofen.

Au matin, après le réveil dans le brouillard, le ventre vide pour la première fois, sans même les sempiternels biscuits, on entreprit comme toujours de former les colonnes par régiment et même par brigade, avec chacune à leur place l'artillerie et l'intendance. D'Omulefofen on s'apprêtait à repartir vers le nord; il faudrait contourner les grands bras écartés du lac Omulef.

On se préparait depuis longtemps, les prières préalables étaient dites, on allait se mettre en marche, la chaleur amollissante du soleil déjà haut ne cessait de croître — soudain un officier d'ordonnance arriva au galop de l'état-major de la division et remit un pli au général commandant la brigade. Le général convoqua aussitôt les colonels et, sur la route étroite, les régiments de Narva et de Koporié commencèrent à tourner en se mêlant : ni « en avant marche! » ni « demi-tour à gauche! » — la brigade devait conserver un ordre de marche parfait, mais en se dirigeant cette fois vers l'ouest — et l'autre rue. Le soleil dardait déjà tous ses rayons et les biscuits du petit déjeuner étaient à peu près oubliés quand les régiments partirent pour leur nouvelle destination. Deux verstes plus loin, ils vinrent donner dans la queue du régiment Sophie qui suivait la même route. Un peu plus tard, on vit au bout d'une laie le célèbre commandant du régiment de la Néva, le brave colonel Pervouchine, sur son cheval. Toute la division était donc là. Les troupes s'étirèrent tout au long de la principale route forestière, entre les colonnades de pins hauts comme des mâts, refaisant d'abord le même chemin que la veille, par Kaltenborn, puis obliquant à l'ouest, vers Grünfliess. Par-devant on entendait de nouveau quelques grondements dispersés, plus faibles que la veille, peut-être à cause de la chaleur, peut-être parce que l'artillerie se calmait. A marcher au-devant de la canonnade, tout le monde se sentait plus en forme, le moral était revenu : mieux valait cette certitude que le vide. (Kozèko : « Pourvu que ça soit fini avant qu'on arrive! »)

Il y eut un croisement de routes forestières, avec du sable labouré et, qui pis est, une côte en plein tournant. Et les attelages de l'artillerie, épuisés eux aussi, mal nourris, ne purent s'en sortir : les roues patinaient, plus assez de forces, pas assez de servants. Au secours de l'adjudant, une joyeuse bouille ronde, Iaroslav appela ses hommes et ils lui dégagèrent deux canons. Pour les autres, l'adjudant dut tout de même renforcer chaque fois de deux chevaux les attelages qui en comptaient déjà six — nouvelle perte de temps pour toute la colonne.

On marchait, on marchait, et la canonnade avait complètement cessé, selon le souhait de ce Kozèko de malheur. Au bout d'une quinzaine de verstes (le soleil commençait à décliner), la colonne tout entière fit halte — sans quitter la route, sans sortir des bois, et tout le monde s'allongea à l'ombre, à sa guise.

Pendant une bonne heure, des cavaliers affairés

passèrent au galop dans un sens et dans l'autre. Ni les soldats ni même les officiers subalternes ne pouvaient rien savoir. Puis le colonel du régiment réunit les officiers supérieurs et de nouveau — grincements, agitation, confusion, coups de fouet sur la croupe des chevaux — la division en ordre de marche changea de direction : on lui faisait faire demi-tour.

Les estomacs criaient famine, les semelles cuisaient les pieds, le soleil était déjà tombé derrière la forêt, il était grand temps de songer au bivouac et de préparer la soupe. Mais non, on repassa le carrefour, on retraversa la forêt : verste après verste, la division refit tout le chemin parcouru.

Et les pèlerins déguisés se renfrognèrent, grognant que les Allemands étaient partout maîtres de la situation, qu'ils les fourvoyaient pour leur perte, pour les avoir et les faire crever sans même se battre.

Il n'y eut pas de halte au coucher du *gentil soleil jaune* qui prophétisait pour le lendemain le beau fixe, la poussière et la chaleur; il n'y eut pas de halte au crépuscule, — toutes les verstes parcourues furent consciencieusement refaites en sens inverse. A l'obscure clarté des étoiles, on rentra dans Omulefofen et on réinstalla les popotes au même endroit. Mais la soupe ne fut prête qu'après la minuit, et les hommes s'endormirent juste avant le chant du coq.

Ils se levèrent de plomb et durent se forcer pour faire descendre le gruau du matin, le seul qu'ils verraient de la journée. Il faut dire qu'il venait d'arriver deux jours de biscuits. On se cherchait, on se rangeait, on se formait pour sortir d'Omulefofen comme la veille, en direction du nord. Et les soldats maugréaient, prédisaient qu'on ferait encore demi-tour. Iaroslav, qui n'avait pas assez dormi, essayait de plaisanter pour leur donner et pour se donner du courage : « Ah non, pas aujourd'hui, tout de même pas... »

Mais, comme ensorcelée par les jeteurs de sorts, la colonne restait sur place, sans dormir, sans se reposer, sans se mettre en marche. Voyant que le soleil était devenu plus ardent, plus meurtrier, l'état-major allemand invisible (Iaroslav ne trouvait plus d'autre explication!) commanda enfin à la colonne entière de changer de direction et de se reformer sur une autre route à la sortie du village, ni la première, ni la deuxième : entre deux!

Une autre heure pour former les rangs.

On partit. La journée était aussi chaude que la veille. Les sables croulaient tout autant sous les pas et les roues. Mais la route était plus mauvaise, plus abandonnée et les petits ponts avaient sauté. Toute la bonne force russe s'épuisait en détours et en halages, à se hisser hors des fondrières, à regrimper les remblais à pic pour retrouver la route. Une nouveauté : les Allemands avaient comblé les puits des environs avec de la terre, des ordures, des débris de voliges; il n'y avait plus d'eau que dans le grand lac — et pas moyen de s'en approcher.

Ce jour-là, on n'entendit plus tirer de nulle part. Militaire, civil, femme ou vieillard, on ne voyait toujours aucun Allemand. Notre armée elle-même semblait disparue, il ne restait personne, à part leur division qu'on faisait avancer sur cette route déserte, perdue. Il n'y avait même pas de Cosaques pour aller voir devant ce qui se passait.

Et le dernier des soldats, le plus inculte, comprenait que le Commandement ne savait plus où il en était.

Ce jour était le quatorzième de leur marche ininterrompue, le 12 août.

*

On marche le jour, on se traîne la nuit,
On porte à son cou la croix et l'amulette,
On porte en son cœur la brûlure secrète
Du terme fatal que nul n'a jamais fui.

15

A Neidenburg, petite ville qui empiétait si peu sur les champs, où tant de pierre était empilée sur tant de pierre, ce n'était pas l'unique place, juste une toute petite placette. Trois rues en partaient et elle avait plusieurs recoins. Une maison d'un étage qui faisait saillie et dont les vitrines du rez-de-chaussée et les fenêtres vénitiennes du premier avaient été brisées, fumait de l'intérieur, et de la cour montait une fumée encore plus épaisse.

Une demi-section éteignait le feu sans trop s'en faire. Des hommes avec des seaux d'eau tournaient le coin de la rue et franchissaient le portail (on entendait des craquements de planches arrachées et des coups de hache), d'autres faisaient la chaîne sur un plan incliné qui passait par une fenêtre du rez-de-chaussée.

Tout ce travail se faisait en plein soleil; les soldats avaient quitté leur chemise et ôtaient souvent leur casquette pour s'essuyer le front.

Ils prenaient leur temps à cause de la grosse chaleur et parce que, malgré les flots de fumée, il n'y avait pas vraiment d'incendie. Il n'y avait non plus ni cris d'encouragement ni murmure excité; beaucoup parlaient de leurs affaires, tout en allant; certains même racontaient des histoires drôles; on échangeait des rires.

Un sous-officier dirigeait le travail tandis qu'un enseigne (visage énergique légèrement rejeté en arrière, mouvements veules, insigne de l'Université) s'en désintéressait complètement et restait là debout à ne rien faire. Quelque temps immobile, il fit ensuite un petit tour sur la place dont les pierres égales et glissantes ressemblaient à des écailles de serpent, puis il se décida pour l'ombre profonde du perron d'en face où un drap marqué d'une croix rouge étreignait une colonne. Devant, sans son cocher, stationnait une voiture de la pharmacie; le cheval parfois frémissait.

Quelqu'un sortait justement sur le perron, un médecin, noir de poil, en blouse blanche, qui frottait sa tête engourdie et s'efforçait de respirer profondément. Ayant respiré, il se prit à bâiller, tantôt redressé, tantôt plié par ses bâillements. Il aperçut une petite planche sur l'escalier de pierre poli par l'usure et il s'assit aussitôt dessus, jambes allongées sur les marches, en s'appuyant en arrière sur ses mains; il se serait bien couché, il se serait bien laissé tomber à la renverse.

Ce jour-là, on n'entendait plus la canonnade, elle s'était éloignée; tout le bruit venait des soldats, toute la guerre était dans ce drapeau de la Croix-Rouge et dans les hauts flancs de ces bâtisses allemandes si différentes des nôtres et privées de leurs habitants.

L'enseigne n'avait pas d'autre endroit où s'asseoir que cet escalier, un peu plus bas. Ses traits décidés étaient particulièrement marqués, plus qu'il n'est de règle à son âge; l'uniforme lui allait comme un sac et l'expression avec laquelle il regardait ses hommes sans intervenir était celle de l'ennui.

Les soldats charriaient leur eau.

Vu l'absence de vent, la fumée montait tout droit; elle n'était pas poussée vers le perron.

Quand le médecin eut retrouvé son souffle, bâillé tout son saoul et regardé éteindre le feu, il jeta à son compagnon un coup d'œil en coin.

— Lieutenant, ne restez pas assis sur la pierre, il y a une planche ici.

— La pierre est chaude.

— Vous parlez! Vous allez avoir une sciatique.

— Une sciatique? La belle affaire! Quand il est question de vie et de mort.

— Oh, la sciatique se moque bien de ça, on voit que vous ne savez pas ce que c'est. Venez ici, venez.

L'enseigne se leva de mauvaise grâce et vint s'asseoir à côté du médecin. Celui-ci était un bel homme, net; sa moustache duveteuse et les brosses souples de ses favoris posaient sur ses joues deux grands arcs d'ombre noire; il avait l'air épuisé.

— Qu'est-ce que vous avez donc?

— J'ai... opéré. Hier. Cette nuit. Ce matin.

— Il y a tant de blessés que ça?

— Qu'est-ce que vous croyez? Et puis il y a des Allemands en plus des nôtres. Des blessures de toutes sortes... Une blessure de shrapnel au ventre, l'estomac, les intestins et le péritoine arrachés, et le blessé parfaitement conscient qui vit encore pendant plusieurs heures et qui insiste pour qu'on lui frictionne le ventre, qu'on le masse avec un onguent... Un trou au travers du crâne, une partie du cerveau sortie... D'après le caractère des blessures, le combat n'a pas été facile.

— Est-ce qu'on peut juger du combat d'après les blessures?

— Bien sûr. Quand il y a surtout des ventres ouverts, c'est que le combat a été sérieux.

— Mais maintenant vous avez fini?

— Tout ce que j'ai pu faire!

— Eh bien, allez vous coucher.

— Je vais d'abord me calmer. Le travail m'a tendu les nerfs, dit-il en bâillant. Il faut que je me détende.

— Ça vous fait tout de même de l'impression?

— Bah, pas du tout, seulement j'ai besoin de me détendre. Devant la mort, devant les blessures, on reste sans réaction, autrement on ne pourrait pas travailler. Le blessé est là qui vous regarde, les yeux comme des soucoupes, il demande sans arrêt s'il va mourir, et pendant ce temps-là vous lui tâtez froidement le pouls, comme si de rien n'était, en projetant un plan d'opération... Si les transports étaient corrects, on pourrait encore sauver quelques blessés du ventre et de la tête. C'est à l'arrière qu'il faudrait les opérer. Mais en fait de transports!... Nous avons deux breaks et un fourgon. Les Allemands emmènent leurs voitures en même temps que les chevaux. Et puis où les évacuer? Derrière le Narev? Cent verstes: dix de chaussées, quatre-vingt-dix de routes russes, ce serait de l'assassinat. Les Allemands, eux, évacuent leurs blessés dans des voitures automobiles; au bout d'une heure, ils sont dans la salle d'opération la plus moderne.

L'enseigne, la mine sévère, regarda le médecin.

Celui-ci pestait :

— Et si tout d'un coup la situation changeait! S'il fallait reculer? Nous ne pourrions pas. Nous tomberions entre les mains des Allemands avec toute l'ambulance. Si au contraire on avance, il faudra encore enterrer les cadavres. Parce qu'il y en a encore par là qui sont restés sur place; avec la chaleur, ils se décomposent.

— Pire ce sera, mieux ce sera, dit âprement l'enseigne.

— Pardon? — Le médecin n'avait pas compris.

Une lueur s'alluma dans les yeux de l'enseigne, un instant plus tôt paresseusement indifférents :

— Les cas particuliers de soi-disant bienfaisance ne font qu'embrouiller le problème et en retarder la solution. Dans cette guerre (et d'une façon générale en Russie) plus mal ça ira, mieux ça vaudra!

Le médecin haussa les petites brosses perplexes de ses sourcils et les maintint dans cette position :

— Comment ça?... Vous voulez que les blessés soient abandonnés à la fièvre, au délire, à la contagion qui les éprouvent et les achèvent? Que nos soldats souffrent et meurent? C'est ça qui serait mieux?

Le visage énergique et intelligent de l'enseigne était de plus en plus sévère et intéressé ;

— Il faut savoir considérer les choses d'un point de vue *général* si on ne veut pas se fiche dedans. Combien n'ont jamais souffert et ne souffrent en Russie? Il faut qu'aux souffrances des ouvriers et des paysans vienne s'ajouter la souffrance des blessés. La façon scandaleuse dont on les traite a son bon côté : elle nous rapproche du terme. Plus ça ira mal, mieux ça vaudra.

L'enseigne gardait la tête légèrement renversée en arrière, si bien qu'il n'avait pas l'air de s'adresser à cet unique interlocuteur; on aurait dit qu'il parcourait du regard tout un auditoire : « Est-ce que quelqu'un a encore des questions à poser? »

Le médecin en avait perdu son envie de dormir; il regardait de tous ses yeux cet enseigne si sûr de soi.

— Si je vous comprends bien, je ne devrais pas opérer? Pas faire de pansements? Plus il en mourrait, plus la liberté serait proche? Le porte-drapeau de votre régiment de Tchernigov, par exemple, qu'on vient juste de... avec sa lésion des gros vaisseaux... et les douze heures qu'il est resté en avant des lignes jusqu'à ce qu'on le ramène... un pouls filiforme... pourquoi perdre son temps avec lui? C'est bien ça?... C'est bien ça, votre « point de vue général »?

Un éclair fauve brûla dans les yeux de l'enseigne :

— Pourquoi est-ce qu'ils ont tous foncé comme des moutons derrière ce réactionnaire de colonel? Étendaaaard déployé!!! Et voilà tout le régiment qui susurre! On joue avec nous comme avec des soldats de plomb.

Mais quelque chose intriguait le chirurgien :

— Excusez-moi, vous n'êtes pas officier de carrière, qu'est-ce que vous êtes?

L'enseigne haussa ses épaules étroites :

— Quelle importance? Un citoyen.

— Oui, mais de votre spécialité?

— Juriste, si vous y tenez.

— Ah, juriste! comprit le médecin et il hocha plusieurs fois la tête : c'était bien ce qu'il se disait, ou ce qu'il aurait dû se dire : Ju-riste...

— Quelque chose qui ne vous plaît pas? dit l'enseigne sur ses gardes.

— Oui. Que vous soyez juriste. Les juristes, passez-moi l'expression, ça prolifère chez nous comme des lapins.

— Quand un pays tout entier est en proie à l'illégalité, c'est qu'il n'y en a pas encore tellement!

— Il y a des juristes dans les tribunaux, des juristes à la Douma, continuait le médecin sans entendre, des juristes dans les partis, des juristes dans la presse, ils parlent dans les meetings, ils écrivent des brochures... — Il écartait ses grands bras. — Et peut-on vous demander ce que ça suppose comme études, d'être juriste?

— Des études supérieures. A l'université de Saint-Pétersbourg, expliqua l'enseigne avec une amabilité glacée.

— Drôles d'études supérieures. Dix manuels à potasser, un examen, voilà tout votre... bagage. J'en ai connu, des étudiants en droit : ils passaient leurs quatre ans à peigner la girafe, tracts, conférences, agitation...

L'enseigne, que la colère assombrissait, le mit en garde :

— C'est bas de parler comme ça pour un intellectuel! Songez-y, vous portez de l'eau au moulin de...

C'était juste. Le médecin sentit qu'il dépassait les bornes, mais aussi l'enseigne l'avait poussé à bout. Il se corrigea :

— Je veux dire que si vous aviez choisi de devenir médecin ou ingénieur, vous sauriez ce que c'est que les examens. Et puis aussi que, quand on a des connaissances positives, on ne peut pas rester les bras croisés, qu'il faut travailler. C'est de travailleurs, d'hommes actifs que la Russie a besoin.

— Comment n'avez-vous pas honte! — L'enseigne le regardait toujours avec un air d'ardent reproche. — Aider à mettre la dernière main à cette saloperie! Mais il faut la détruire sans aucun regret. Pour ouvrir la voie à la lumière!

La dernière main? Le médecin n'avait apparemment rien dit de semblable, il n'avait parlé que de soigner.

— Mais vous avez sans doute fait votre médecine à l'Académie militaire? se hâta de demander l'enseigne aux yeux de braise.

— A l'Académie.

— Quelle promotion?

— 1909.

— Voilà. — L'enseigne calculait rapidement, les ailes de son long nez droit étaient frémissantes. — En somme, pendant la crise de 1905 à l'Académie, vous avez été renvoyé, vous avez cédé, et vous avez signé la déclaration de fidèle sujétion?

Le visage du médecin s'obscurcit, grimaçant; il rabattit les pointes de ses moustaches qui rebiquèrent aussitôt :

— Et voilà, tout de suite la fidèle sujétion... Mais si on veut devenir médecin militaire et qu'il n'existe qu'une Académie dans le pays? Le gouvernement peut être aussi démocratique qu'il vous plaira, il est tout de même en droit d'exiger qu'il n'y ait pas de meetings antimilitaristes dans son Académie militaire, non? Selon moi, il n'y a rien de plus normal.

— Et le port de l'uniforme? Les étudiants qui doivent saluer comme les simples soldats?

— A l'Académie militaire? Je ne vois pas ce que ça a de terrible.

— Fayottage! jeta l'enseigne en joignant soudain les mains. On n'arrête pas de céder sur tous les points et après, on s'étonne...

— Et après, on soigne les blessés! — Le médecin lui aussi était en colère. — Laissez-moi mes blessés. Fayot!!... Prenez garde de ne pas vous retrouver demain entre mes mains. Avec une épaule en petits morceaux.

L'enseigne eut un petit rire. Il n'avait rien de méchant, c'était un jeune homme plein de sincérité, partageant les convictions de la fleur des étudiants russes :

— Mais personne n'a rien contre l'humanité! Soignez tant qu'il vous plaira! On peut regarder ça comme un secours mutuel. Mais n'allez pas donner des justifications théoriques à cette sale guerre!

— Mais je n'ai pas... Mais est-ce que j'ai...? — Le médecin était déconcerté.

— Une guerre de « libération »!... Il faut bien aguicher les gens. « Au secours de nos frères de Serbie! » Les Serbes, on a pitié d'eux! Pendant que chez nous, on réprime dans tous les coins. De ceux-là on n'a pas pitié!

— Enfin, tout de même, l'Allemagne...

Le médecin était décontenancé, comme il est d'usage en Russie, devant l'aplomb de la jeunesse.

— Tenez, il faut regretter que Napoléon ne nous ait pas battus en 1812. Ça n'aurait été qu'un mauvais moment à passer et on aurait eu la liberté

Et le juriste, sous son déguisement exécré, en remettait, en rajoutait, et des idées mûrement réfléchies auxquelles on ne pouvait faire pièce de but en blanc. Le médecin, de plus en plus disposé à un armistice, eut un mouvement de sympathie :

— Et comment vous a-t-on mobilisé? Ni exemption ni sursis?

— Eh bien, je me suis fait coincer... A mon comm... au temps! En avant m... au temps! Arme sur... au temps! Demi-tour, au pas de gymnastique! Alors j'ai passé le concours des enseignes de réserve.

— Bon, faisons connaissance, — le médecin tendit sa grosse main à la fois molle et solide : Fédonine.

Il y reçut les quatre doigts minces et osseux du juriste :

— Lenartovitch.

— Lenartovitch? Lenartovitch... Attendez, j'ai déjà entendu ça quelque part... C'est possible, oui?

— Ça dépend du cercle de vos intérêts, répondit Lenartovitch sur la réserve. J'ai un oncle qui a été exécuté à l'issue d'un procès célèbre.

— A-ah, c'est ça, reconnut le médecin d'un air d'autant plus fautif et respectueux qu'il avait effectivement en tête un souvenir confus qui hésitait, ballottait entre un coup de revolver au but, une bombe qui avait foiré et une mutinerie sur un bateau de guerre. Oui, oui, c'est ça, c'est ça... Vous avez un nom en partie allemand, n'est-ce pas?

— L'un de mes ancêtres était Allemand, justement un médecin militaire, sous Pierre le Grand. Par la suite, nous nous sommes russifiés.

— Et vous avez quelqu'un à Pétersbourg?

— Ma mère. Et ma sœur. Elle suit les cours Bestoujev [1]. Je viens justement de recevoir une lettre d'elle: vous vous rendez compte, elle l'a écrite le 23 juillet, le quatrième jour des hostilités, et aujourd'hui nous sommes le combien? Le 12 août! Qu'est-ce que c'est que ça? Tout de même pas une poste? Ils utilisent des chars à bœufs ou quoi? A moins qu'ils ne manipulent le courrier au cabinet noir? — Il s'exaltait de plus en plus. — Et pour les journaux c'est pareil, tenez : 1er août! Et on appelle ça une poste! Comment est-ce qu'on peut vivre comme ça? Ce qui se passe en Russie, en Allemagne, en Europe — mystère! Une seule chose est certaine, c'est que Neidenburg est pris, et qu'il l'a été, on peut le dire, sans combats. Ça n'empêche qu'on l'a tout de même bombardé, incendié, et qu'il faut maintenant éteindre le feu : allez, brave Ivan russe, charrie tes seaux...

— Ouais, les Allemands ont mis le feu aussi...

— Les grands magasins, c'est les Allemands, mais

1. Établissement d'enseignement supérieur féminin organisé en 1878 à Saint-Pétersbourg par l'historien K.N. Bestoujev-Rioumine et qui fonctionna jusqu'à la révolution d'Octobre; le diplôme donnait le droit d'enseigner dans les écoles secondaires de jeunes filles. (*N.d.T.*)

les faubourgs, c'est les Cosaques. Enfin... Et sur le front autrichien, est-ce qu'ils savent quelque chose de nous? Et nous, nous savons quelque chose sur eux? Est-ce qu'on peut faire la guerre de cette façon? Des bruits, des on-dit! Un cavalier est passé qui a chuchoté quelque chose, voilà toutes nos nouvelles! Est-ce que quelqu'un respecte l'armée qui se bat? On nous méprise! Et vous venez nous parler de la Russie, de l'Allemagne!... Les hommes défoncent la porte d'un appartement abandonné, c'est la honte sur l'armée très-chrétienne : punitions, salle de police! Le lieutenant-colonel Adamantov, lui, peut rassembler une collection d'aiguières et de pots à lait en argent, ça n'a pas d'importance, c'est permis. La voilà, votre Russie.

Mais sans cette guerre infecte, les jeunes filles se seraient-elles parées d'une telle blancheur, qu'elles faisaient descendre si bas sur leur front, presque jusqu'aux sourcils, si sévères, si pures, si nouvelles? Inconnue, anonyme, d'éducation, d'origine et de couleur de cheveux indéterminées, vêtue d'une robe secrète, une infirmière sortit sur le seuil :

— Qu'est-ce qu'il y a, Tania?

— Valérien Akimych, le blessé de la mâchoire s'agite, vous ne voulez pas venir?

Et plus de discussion, plus personne sur les marches. Le médecin soupira et partit en emmenant selon son droit l'infirmière à la blancheur de cygne — et le regard triste de ses yeux éteints ne fit que passer sur Lenartovitch.

Bien sûr, ces blouses et ces voiles étaient un amusement pour ceux qui étaient assurés de leur sort et un opium pour la masse des soldats.

Un lieutenant-colonel montant, selon son droit lui aussi, un cheval nerveux, surgit soudain sur la place; il cria, rugit d'une voix de stentor :

— Qui commande ici?

Les soldats chargés de seaux accélérèrent le mouvement tandis que Lenartovitch, avec une hâte mesurée, en s'efforçant de ne pas perdre sa dignité, descendait les marches, traversait la place et, sans beaucoup se redresser tout en rentrant pourtant le ventre, portait la main, de travers, à sa casquette :

— Enseigne Lenartovitch du 29e régiment de Tchernigov!

— C'est vous qu'on a laissé ici pour éteindre les incendies?

— Oui. C'est-à-dire : affirmatif.

— Et alors, lieutenant, qu'est-ce que c'est que cette foire? L'état-major de l'armée arrive, il va s'installer à deux maisons d'ici, et ça fait trois jours que vous êtes en train d'éteindre votre feu? Vous vous moquez du monde d'aller chercher l'eau à une telle distance avec des seaux. Vous n'êtes pas fichu de trouver une pompe?

— Une pompe, monsieur le lieutenant-colonel? Au bataillon on ne...

— Creusez-vous un peu les méninges, vous n'êtes pas à l'Université!!! A quoi bon éreinter vos hommes? Suivez-moi, je vais vous montrer où il y a une pompe, et un tuyau. Il suffisait de fouiller les hangars!

Et, majestueux sur son beau cheval, le lieutenant-colonel partit devant comme un triomphateur.

Lenartovitch traînant à sa suite, comme un prisonnier.

16

Vorotyntsev mit un jour et deux nuits pour atteindre Soldau. Sans doute aurait-il pu arriver plus tôt, il avait bien vite renvoyé le sous-officier d'escorte, il voyageait sans bagage, mais, ignorant de l'effort qu'il exigerait encore de son cheval, il n'avait pas voulu l'éreinter. Et c'est sur une monture bien repue qu'il entra dans la ville le 13 au matin, avant la grosse chaleur.

Soldau, en bonne petite ville allemande, ne mordait pas inutilement, à la russe, sur la campagne fertile; elle n'était pas enlaidie par ces anneaux morts de terrains vagues, de décharges et de zones lépreuses; quelque route qu'on prît pour y entrer, on était brusquement encerclé par les maisons de briques qui se clapissaient sous leurs toits de tuile jusqu'à mi-hauteur de leurs deux et trois étages. Dans ces petites villes, les rues propres comme des couloirs sont entièrement habillées de dalles de pierres ou de galets lisses et réguliers; chaque maison se distingue des autres, par ses fenêtres ou ses clochetons. Peu d'espace suffit à l'Hôtel de Ville, à l'église, de petites placettes avec leurs maisons de poupée, un monument à quelque célébrité, et puis tant de boutiques de toutes sortes, des caves à bière, la poste, la banque, et même, parfois, un parc miniature derrière une grille de fer forgé — et tout aussi brutalement les rues cessent avec la ville : un pas de plus après la dernière maison et l'on est sur la grand-route qui se déroule entre deux rangées d'arbres parmi les champs réglés comme un cadastre.

Soldau était complètement vidée de ses habitants, mais nos troupes ne l'avaient pas remplie tout à fait. De place en place, aux abords des magasins et des entrepôts, on avait posté des sentinelles; sage mesure, car Vorotyntsev en dépassa deux qui étaient déjà saccagés. Il regardait la ville et s'abandonnait à son flair, certain de n'avoir pas à s'en repentir; au risque de faire un bout de chemin en trop, il ne demanda à personne la direction de l'état-major du 1er corps. Près d'un tout petit hôtel particulier qui avait pourtant sa grille, son jardinet, son jet d'eau et son perron à deux colonnes, il aperçut une automobile, un coupé « Balto-russe ». L'endroit n'avait rien d'un état-major : il était trop désert. Toutefois, la voiture lui donna à penser qu'il pouvait trouver là l'homme qu'il devait justement voir avant d'aller au quartier général.

Il mit pied à terre et ressentit soudain dans son dos toute sa fatigue. A un arbre proche de l'automobile, il noua la longe de son cheval et laissa sa capote attachée à la selle; personne ne faisait attention à lui. Tout en dégourdissant ses jambes maladroites, il pesa sur la grille du jardin. Elle céda. Il entra.

La vasque était encore humide de son eau écoulée, les fleurs encore intactes, alignées dans leurs petits massifs desséchés. Ce n'est qu'après avoir contourné un bosquet près du jet d'eau que Vorotyntsev remarqua, adossé au perron sur un banc de pierre aux accoudoirs zoomorphes, un officier d'un certain âge, corpulent, mal rasé et plutôt mal peigné; il avait l'air mécontent et fumait une « pipe » qu'il avait lui-même roulée. Au-dessous de la ceinture, il était vêtu en officier, avec le pantalon bouffant des Cosaques; comme il était en bras de chemise, on ne pouvait déterminer son grade, mais son visage et son maintien suggéraient l'officier supérieur. D'ailleurs, il ne bougea guère en voyant s'approcher le colonel.

Sans faire le salut réglementaire (il se contenta d'élever deux doigts vers sa casquette) Vorotyntsev demanda :

— Dites-moi, ce n'est pas le colonel Krymov qui s'est arrêté ici?

— Ou-hm! fit l'officier mal rasé sans se déranger, avec un petit hochement de tête qui confirmait sa mauvaise humeur.

— C'est vous?

— Moi.

Toujours aussi négligent du règlement et de la hiérarchie (il y était incité par la somnolence de Krymov), le nouvel arrivant tendit, ou plutôt jeta droit devant lui sa paume grande ouverte :

— Vorotyntsev. C'est vous que je viens voir,

Krymov se souleva un peu de son banc, juste ce qu'il fallait pour être poli, et même un peu moins étant donné sa corpulence. Il se révéla tout entier dans la façon dont il serra la paume tendue de Vorotyntsev de sa main ronde et dure et la retira aussitôt pour en désigner le banc à côté de lui. Puis il continua de fumer sans chercher à en savoir plus long; pourtant, à Soldau, on ne rencontrait pas des colonels du grand quartier général à tous les coins de rues.

Le temps de s'asseoir sur le banc et de s'essuyer le front, Vorotyntsev savait déjà comment il devait parler à Krymov, en faisant l'économie des mots et des grades; il savait aussi que s'il ne lui plaisait pas encore, ils trouveraient bientôt tous les deux un terrain d'entente :

— Je viens de la part d'Alexandre Vassiliitch. Il m'a dit que vous...

— J'avais deviné.

Vorotyntsev fut tout de même étonné :

— Deviné? comment?

Krymov pointa le menton vers la rue, de l'autre côté du jet d'eau :

— Je reconnais le cheval. Je l'ai monté la semaine dernière... Comment l'avez-vous amené jusqu'ici?

Vorotyntsev ne put s'empêcher de rire :

— C'est plutôt lui qui m'aurait amené.

Krymov fit la moue, incrédule :

— En selle? Depuis Ostrolenka?

Vorotyntsev eut un petit oui guttural, bouche fermée : qu'y avait-il là d'étonnant? Pourtant il avait bien mal aux reins, et le dos raide.

Krymov était déjà mieux disposé, mais il avait toujours la paupière plissée :

— Pas mal. Et pourquoi pas par le train?

— Le train, est-ce encore la guerre? répliqua gaiement Vorotyntsev. — Mais, à un mouvement imperceptible de la lourde tête, il saisit qu'on ne s'intéressait pas tant au cavalier qu'au cheval. — Non, je ne l'ai pas crevé. Et je l'ai nourri comme il faut.

— Juste. — Cette fois, Krymov approuvait nettement de la tête. — Le train, ce n'est plus la guerre.

Quoique ce soit bien pratique. — Il tira de sa poche une blague imperméabilisée. — En feuille, de l'Oussouri. C'est du bon.

— Voilà longtemps que j'ai cessé de fumer.

— Vous avez tort. — Krymov fronçait les sourcils. — Sans tabac, ce n'est pas la guerre non plus. Combien de temps?

— Ça fait deux ans.

— Pour venir d'Ostrolenka?

— Ah!... je suis parti avant-hier soir.

Krymov enregistra en clignant des yeux.

— Et Alexandre Vassiliitch? il reçoit mes rapports?

— Il ne m'en a rien dit.

— Je lui en ai envoyé trois. Le quatrième va partir. Et vous?

— Eh bien... je... — Vorotyntsev n'avait pas encore saisi la manière elliptique de ce balourd à la physionomie brouillée de sommeil. — Je... — Il comprit : Je viens du G.Q.G.

Pas de pire recommandation que celle-là : cela voulait dire des contrôles, des vérifications, un étranger chez soi... Qu'est-ce qu'il pouvait bien venir chercher, ce veinard enrubanné?

Krymov s'était rassombri :

— Ce n'est pas le tout, il faut se laver, et puis déjeuner. Pour ma part, je ne fais que me lever, je suis rentré de cette nuit. En me réveillant, j'ai tout de suite pensé...

— D'où?

— A-ah... De la cavalerie, la division Stempel.

— Dites-moi, ces deux divisions de cavalerie, elles y sont ou elles n'y sont pas? dit avidement Vorotyntsev, saisissant l'occasion de lancer la conversation. Qu'est-ce qu'on peut en attendre? Que font-elles?

— Ce qu'elles font? Elles mangent du foin. Lioubomirov a eu hier une affaire sérieuse. Il voulait prendre la ville. Il ne l'a pas prise.

Ils entrèrent. Les premières demeures de Saint-Pétersbourg auraient pu avoir ces meubles à l'éclat amorti, les bronzes et les marbres de la méchante petite Soldau. Bien sûr, tout était plus ou moins violenté : il y avait, épars, de la dentelle, des rubans, des épingles de corail, des peignes; on n'avait rien ramassé.

Krymov occupait la maison avec un seul Cosaque qui bondit hors de la cuisine en s'entendant héler d'une voix tonitruante : « Eustathe! »

Les deux colonels arrivaient en effet à la cuisine. En dépit de son âge et de sa haute taille, Eustathe était très mobile; il s'intéressait fort à la cohorte de pots, de boîtes et de tonnelets en porcelaine, en bois ou en fer-blanc, dont le contenu était porté sur des étiquettes indéchiffrables. Tandis qu'il préparait les repas, sa tête semblait montée sur un pivot et il s'arrangeait pour goûter et flairer l'un après l'autre tous les produits.

Krymov ordonna de préparer le petit déjeuner pour deux, puis il montra à Vorotyntsev une salle de bains avec du marbre et un miroir. Le robinet marchait! Du linge, des dessous abandonnés deux jours plus tôt pendaient encore, tout imprégnés de paix.

— Tiens, je vais me raser, décida Vorotyntsev.

Il eût été plus naturel de refermer sur soi la porte de la salle de bains, mais il n'en fit rien; il ôta son ceinturon et, s'étant vivement débarrassé de sa tunique, se retrouva en bras de chemise comme le maître de maison.

Alors Krymov, au lieu de s'éloigner, entra, s'assit sur le rebord de la baignoire et mouilla tout de traviole une nouvelle cigarette qu'il venait de rouler d'un seul geste rapide.

Eustathe apporta l'eau chaude. Tout en maniant le rasoir de sûreté, Vorotyntsev — à qui Krymov n'avait pourtant rien demandé — expliqua sa mission et les raisons qui l'avaient amené au 1er corps. Hélas, il voyait bien maintenant qu'il avait sans doute fait le voyage pour rien.

Il ne croyait pas encore tout à fait à ce qu'il disait, mais il était malheureusement bien près de le faire. Tout à l'heure, sur le banc à têtes d'animaux, il ne pensait encore rien de tel; cette idée lui était venue tandis qu'il se rasait. Quand on l'avait prévenu qu'il y avait déjà Krymov sur le flanc gauche, il avait hésité, il aurait dû s'écouter, ne pas venir ici, aller plutôt trouver Blagoviechtchenski sur le flanc droit. Mais Vorotyntsev avait ce malheureux défaut de caractère : s'enflammant pour quelque projet, il ne savait plus revenir sur une décision prise trop vite. C'est avant Ostrolenka qu'il avait projeté de venir au 1er corps où il voyait la clé de toute l'opération.

Et maintenant, plus rien ne pouvait y faire, ni chevaux, ni trains; il aurait fallu des ailes pour parvenir en une heure auprès de Blagoviechtchenski.

Krymov lui semblait de plus en plus positif, ne fût-ce que parce qu'il ne se hâtait pas de s'habiller, de se camoufler sous ses épaulettes, et qu'il restait là, en bras de chemise, à tirer des bouffées de sa « pipe » sur le bord de la baignoire. Ce qui pouvait être fait au 1er corps d'armée le serait aussi bien sans lui par ce rustaud.

Ayant bien écouté son hôte, Krymov redevint débonnaire :

— Pour rien, assurément, dit-il. Moi-même, je ne sers à rien. Notre saint dévot ne reconnaît même pas l'autorité du général commandant l'armée. Il sait que son 1er corps jouit de la protection du commandant suprême, et il espère! On nous a bien enlevé la Garde, pourquoi pas lui? En venant ici, il est passé par la cathédrale, à Vilna, et il a déclaré : « Ne craignez rien! Me voici qui pars pour la guerre! » Il va rester là planté comme un mannequin dans sa vitrine, à attendre la fin prochaine des hostilités — et la distribution des récompenses.

Krymov s'était tassé sur lui-même, ses jambes pendaient, et la baignoire était sous lui comme une barque sans mât ni rames.

Mais c'est son air inerte et la morosité de ses paroles qui rendirent à Vorotyntsev son assurance :

— Eh bien, nous allons prendre Artamonov à l'esbroufe. Je lui apporte un ordre écrit de Samsonov. S'il bronche, nous entrons par téléphone en contact avec la Stavka. Plus exactement, sans suivre le canal ordinaire : il y a là-bas quelqu'un qui comprend la situation, il fera tout ce qu'il pourra. Il faut passer par-dessus la tête de Ianouchkievitch, et de Danilov, et trouver le bon moment pour arriver jusqu'au grand-duc... Là-bas non plus il n'y a ni unité ni organisation. Le commandement du 1er corps, ça doit être le 8 qu'ils l'ont transmis à Samsonov — et l'ordre n'est toujours pas arrivé! Encore une fois il y a quelqu'un qui fait traîner les choses. C'est tout de même effarant : en première ligne, à la pointe du combat, un corps d'armée qui n'est soumis à aucun commandement supérieur! Au moins Artamonov semble-t-il agir? Il a pris Soldau et il poursuit son avance?

— Vous parlez d'une avance! Tiens, je vais me raser aussi, de toute façon... Son avance! Un sacré *menteur*, oui. — Krymov était soudain devenu brun de colère; il alla jusqu'au miroir en roulant des épaules et en revint après un demi-tour, tandis que Vorotyntsev s'asseyait sur la petite chaise de dame. — Il a écrit à l'état-major de l'armée qu'il y avait une division allemande à Soldau, et cela sans la moindre reconnaissance, sans le moindre interrogatoire de prisonnier : il avait, disait-il, intercepté je ne sais trop quelle communication téléphonique! — Krymov battait la mesure avec son rasoir. — Il y avait à Soldau deux régiments de la Landwehr, ils sont partis tout seuls; il a bien été obligé de l'occuper, cette ville! Eh bien, il a encore fallu qu'il raconte des craques! — Magnifiquement emmoussé, Krymov s'emportait de nouveau. — N'a-t-il pas communiqué que si les Allemands ont abandonné Neidenburg, c'est parce qu'il avait pris, lui, Artamonov, Soldau?

— Et Usdau?

— Usdau? C'est la division de cavalerie qui l'a prise, ce n'est pas lui. Il a bien fallu qu'il avance encore un coup, le pauvret.

— C'est donc ça... Je ne l'ai jamais vu, cet Artamonov.

— Qui l'a vu? Même Alexandre Vassiliitch ne l'a jamais vu. Ses étoiles, il les doit à la gueusaille chinoise. Tout comme Kondratovitch...

— Kondratovitch, vous ne l'avez pas rencontré ces temps-ci?

— Vous pensez! Il essaie de rassembler les morceaux de son corps d'armée à l'arrière, et il en est fichtrement content. C'est un fieffé trouillard.

— Qui est-ce que vous avez vu alors?

— J'ai vu Martos.

— C'est un bon général.

— Je ne vois pas ce que vous lui trouvez. Une petite marionnette nerveuse qui est venue à bout de tous ses officiers. On n'a pas le moral à l'état-major du 15ᵉ, c'est un état-major foutu.

— Et Blagoviechtchenski?

— Un sac de merde. Ou plutôt de chiasse, ça dégouline de partout. Quant à Kliouïev, c'est une lopette, pas un homme de guerre.

— Et le chef d'état-major ici, au 1ᵉʳ corps, comment est-il?

— Un ahuri. Il n'y a rien à lui dire.

Vorotyntsev n'en pouvait plus, il éclata de rire.

On alla déjeuner. Eustathe avait aussi préparé un carafon d'eau-de-vie. Krymov en remplit deux verres d'autorité, sans rien demander.

Mais Vorotyntsev refusa l'eau-de-vie au risque de compromettre cette conversation à cœur ouvert; il ne savait pas boire avant l'action, et ce trait de caractère n'était pas russe; il ne buvait qu'aux affaires arrangées, terminées, réussies.

Krymov referma son poing autour de son verre :

— Un officier doit être hardi — face à l'ennemi, face à ses chefs... et face à l'alcool. Trois conditions. Sans elles, pas d'officier.

Il but seul. Et se renfrogna. Mais il acheva tout de même ce qu'il avait à dire sur Artamonov. Il manquait effectivement deux régiments au 1er corps, mais ne manquait-il pas quelque chose à tout le monde? Aucun corps d'armée n'était au complet. Artamonov, lui, en avait tiré la conclusion qu'il ne pouvait pas se battre. Tout en disant bien joliment : « A l'offensive, je répondrai par l'offensive. » Surtout, c'était un menteur! Que faire avec un menteur? Lui casser la gueule? Le provoquer en duel? Tout cela avait obligé Krymov à aller voir Martos et ils s'étaient entendus : une colonne devait être formée qui attaquerait Soldau par l'est. C'est alors que les Allemands avaient d'eux-mêmes abandonné la ville.

Vorotyntsev s'en prit à la cavalerie : on l'employait mal, on la réduisait à des tâches de sûreté et d'exploration. Si encore on l'avait engagée dans une grande opération de reconnaissance en avant du front — mais non! Ce qu'il aurait fallu, c'est la rassembler toute sur un flanc pour tenter une manœuvre d'enveloppement... Et cependant, tous ces généraux étaient des généraux de cavalerie : Jilinski, Oranovski, Rennenkampf, Samsonov... Rien que des généraux de cavalerie...

— Ne touchez pas à Samsonov! ordonna Krymov. Quant à la cavalerie, si on ne sait pas de quoi il retourne, mieux vaut se taire.

Il but son deuxième coup et entreprit d'expliquer coléreusement que la cavalerie était bonne, qu'elle menait des combats difficiles et que les pertes y étaient lourdes. Donner l'assaut, à cheval, à des maisons de pierre, à des troupes motorisées, il fallait le faire! Mais voilà! quelque chose n'allait pas dans l'organisation. On n'arrêtait pas de la faire changer de direction, de lui assigner de nouvelles zones d'opérations, elle traversait trois fois de suite la même rivière... et ses missions! comment s'en serait-elle sortie? Détruire, à l'arrière, les voies de chemin de fer, puis contrordre — ne plus les détruire...

On n'élude pas le rituel russe; au troisième verre, c'était fatal, ils burent ensemble. Ce qui les unissait, Krymov et lui, chacun l'avait décelé dans l'autre : de cette campagne, ils n'attendaient rien pour eux-mêmes.

De la cavalerie ils passèrent à l'artillerie; cela aussi était fatal.

— C'est pendant la guerre russo-japonaise que nous l'avons compris : le sort de la prochaine serait réglé par la puissance de *feu;* nous avions besoin d'artillerie lourde, de mortiers en grand nombre, mais ce sont les Allemands qui ont agi en conséquence, pas nous. Par corps d'armée, nous avons 108 canons, ils en ont 160, et quels canons! Parce que chez nous, quand c'est pour l'armée, on est toujours dans un « manque extrême de moyens », pour l'armée, jamais d'argent! Pour la Cour, ça, on en trouve. Ils veulent la victoire et le triomphe, mais sans débourser.

— Avec ces canailles de la Douma... — Krymov remplissait les verres tout en faisant la moue. — La Douma...

— Mais pas du tout! — Vorotyntsev s'enflamma et

saisit la balle au bond. — Au contraire, la commission de la Douma d'État accusait le ministère de la Guerre de *ne pas exiger*, d'exiger trop peu de moyens financiers! Combien de fois, ces dernières années, la Douma n'a-t-elle pas rappelé qu'il fallait développer l'artillerie, que nous n'étions pas prêts? Or, en huit ans, le ministère n'a rien fait qu'élaborer un programme! Il a été approuvé en mai dernier, et aussitôt les Allemands ont déclenché la guerre. Mais vous savez bien que c'est le *moral* qui compte, c'est ce que pensaient Souvorov, et Dragomirov... Tolstoï aussi... Alors, à quoi bon dépenser de l'argent pour acheter des canons? Et dans nos places? C'est tout juste si nous n'avons pas encore des bombardes! Qu'on charge à la poudre noire!

Quel besoin, quel intérêt avait-il de convaincre Krymov? Mais il y avait des problèmes sur lesquels Vorotyntsev ne pouvait pas passer comme ça. Et, avec cette vodka, il n'était pas près d'en finir. Au lieu d'aller trouver Artamonov...

Krymov avait le visage rechigné mais amical. Il n'était pas gagné par la véhémence de son compagnon; depuis belle lurette, il connaissait tout cela et il approuvait du chef comme s'il eût entendu exposer quelque loi naturelle.

De plus en plus copains, les deux Mikhaïlovitch, Alexandre et Georges, en vinrent au tutoiement. Vorotyntsev aurait bien remis cela à plus tard, mais il ne put faire autrement : toujours le rituel russe. Ils ne se décidaient pas à rendre visite à Artamonov et prolongeaient outre mesure leur petit déjeuner.

Ils parlèrent des pillages. Krymov posa son poing

noueux entre les assiettes : des cours martiales et des exécutions pour l'exemple! Il avait déjà fait une démarche en ce sens auprès de Samsonov.

C'était un militaire, c'était un officier conséquent. Vorotyntsev, lui, appliqua ses deux paumes sur la table, l'éventail de ses doigts le plus ouvert possible :

— Non. Tout ce que tu voudras, je ne suis pas capable de faire fusiller nos soldats. Parce qu'ils sont pauvres et que, pauvres, nous les avons conduits dans un pays riche? Parce que jamais auparavant nous ne leur avions montré quelque chose d'aussi bien? Parce qu'ils ont faim et que, depuis une semaine, nous ne leur avons rien donné à manger?

Le poing de Krymov ne fut pas desserré, il se durcit encore, il heurta la table :

— Enfin, c'est une honte pour la Russie! C'est la désagrégation certaine de l'armée! Alors, ce n'était pas la peine de venir ici.

— Ah ça, peut-être que...

Ah ah. Krymov retira son poing.

— ... peut-être que ce n'était pas la peine.

Ici, Krymov comprit le malheur et les limites de Vorotyntsev : il était atteint du mal de l'intelligentsia et, bien qu'intelligent, perdu pour l'armée.

— Une décision de l'état-major, pour qu'on fasse des réquisitions régulières! Une intendance forte et rapide! expliqua-t-il.

— *Rapide*, vous connaissez l'étymologie du mot *rapide*?

— ... elle arrive immédiatement, avec les régiments. Elle ramasse tout le bétail et elle le répartit. Elle confisque les batteuses trouvées sur place, elle réquisitionne les moulins, elle bat, elle moud, elle cuit le pain et elle le distribue aux régiments!

— Voyons, c'est de la fantaisie, Alexandre Mikhalytch! Les Allemands, oui, mais nous! Ce n'est pas nous qui pouvons faire ça!

Il disait « ce n'est pas nous », mais plein d'un secret orgueil, il savait que certains l'auraient pu; il se reconnaissait l'efficacité et l'égale obstination des Allemands, ce qui lui avait toujours donné l'avantage sur les hommes comme Krymov qui sont enclins aux ardeurs et aux colères passagères.

Il devait terminer ce déjeuner, en finir avec cette conversation, aller pousser Artamonov en avant et obtenir sa complète subordination à la IIe Armée. Il se demandait comment il ferait venir à l'appareil le colonel de la Stavka dont il avait besoin. Krymov eut du mal à se lever comme si, le gros de son travail maintenant achevé avec cette conversation matinale, il n'avait plus rien de mieux à faire que dormir. Il allait pourtant partir avec Vorotyntsev, évidemment, à l'instant, et si la moutarde lui montait au nez, il casserait même la gueule à Artamonov, aussi sec.

— Et après, tu iras jeter un coup d'œil sur la division de Mingin, voir où elle est? Si elle n'a pas fait sa jonction avec Martos? — Vorotyntsev fit en sorte que sa question n'eût pas l'air d'un conseil.

Krymov grogna quelque chose comme un oui, mais évasivement. Il semblait fatigué de ses derniers déplacements et jugeait sans doute plus simple de rester sur place.

A cet instant, ils entendirent les premiers tirs distincts d'une canonnade.

— Tiens-tiens.

— Tiens-tiens.

Et ils sortirent.

On tirait quelque part vers le nord. A une quinzaine de verstes. L'air déjà brûlant étouffait le grondement lointain.

Artamonov n'aurait jamais commencé de lui-même. Ainsi, c'étaient les Allemands?

17

Comme l'avaient soutenu Postovski et Filimonov, il était exclu que le déplacement de l'état-major de l'armée pût avoir lieu le 12 août. On n'eut pas trop de la journée pour prendre les mesures préalables, se préparer et surtout vérifier et coordonner avec l'état-major du front une nouvelle liaison télégraphique par Bielostok-Varsovie-Mlawa et de là, en utilisant les lignes télégraphiques allemandes, jusqu'à Neidenburg. L'état-major du frond nord-ouest ne pouvait laisser avancer celui de la IIe Armée sans s'être assuré de rester avec lui en liaison télégraphique permanente, de façon à donner ses directives et à faire ses rapports. C'est ainsi que le déplacement de l'état-major fut fixé au matin du 13 août.

Pour Samsonov, la journée du 12 fut encore une journée de grande tension. Après avoir, la veille, effectué six marches, les corps d'armée entamaient aujourd'hui la septième. De nouveau, on avait adressé à Jilinski la demande circonstanciée d'une journée de repos et, de nouveau, elle avait été rejetée ; l'adversaire allait fuir, échapper, n'avait-il pas Rennenkampf sur les talons ! Les informations fournies par la patrouille de reconnaissance des divisions de cavalerie de l'aile gauche signalaient, en face, une grosse concentration des forces de l'adversaire. De nouveau ce que pensait Samsonov se confirmait : l'ennemi se concentrait *sur la gauche*. Mais avoir raison n'avait rien de réjouissant, et il était accablé de perplexité. Que fallait-il faire ? Le raisonnement le plus simple incitait à faire virer les corps d'armée sur la gauche au lieu de les faire avancer. Mais avoir été traité de *froussard* restait encore marqué au fer rouge en Samsonov. Il était las de ses discussions avec Jilinski. La guerre avec ceux qu'il avait au-dessus de lui était encore plus exténuante que la guerre avec ceux qu'il avait devant lui, et il appréciait ce compromis sur la direction de l'offensive qui semblait avoir été, la veille, quasi atteint. Et puis le premier télégramme de Jilinski avait eu l'effet d'un baume — ce télégramme qui le félicitait de sa victoire à Orlau. Et puis, enfin, il fallait bien que l'état-major du front disposât de renseignements certains, s'il continuait à défendre cette position, et la patrouille de reconnaissance de la cavalerie pouvait avoir exagéré les forces de l'adversaire. Une division du 13e corps d'armée, la veille, avait obliqué à gauche, pour rejoindre Martos, près d'Orlau. Il eût peut-être mieux valu qu'elle y restât, mais elle avait déjà réussi à rejoindre son corps d'armée, elle avait déjà repris sa progression vers le nord et il était impensable, psychologiquement, de la déplacer de nouveau vers la gauche. C'est qu'un tel mouvement tournant du corps d'armée était chose délicate, exigeait un arrêt de l'avance et peut-être même un mouvement croisé des arrières.

C'est à ce moment-là que, pour le plus grand dépit de Samsonov, arriva à Ostrolenka le général anglais Alfred Knox. Pourquoi était-il venu? Mystère. Plus exactement, il était venu exprimer les bons sentiments des Anglais qui avaient l'intention de débarquer sur le continent dans quelque six mois. Samsonov, qui déjà n'aimait guère l'artifice des sourires de commande des Européens, s'en ressentait d'autant plus maintenant de la présence de cet hôte qui le dérangeait et le distrayait. Samsonov n'en finissait pas de tirer au clair tout ce qui arrivait, tout ce qu'il pensait, dans sa tête vibrante d'angoisse, et fallait-il encore se soucier d'accueil diplomatique!

Le soir du 12, prenant prétexte de l'heure tardive, Samsonov avait refusé de recevoir Knox, il ne pouvait pourtant se dispenser de l'inviter à déjeuner pour le 13. Mais bien avant ce déjeuner, il avait reçu un rapport alarmé d'Artamonov, disant que de puissantes forces ennemies se concentraient contre lui. Et aussitôt, encore à jeun, Samsonov avait rassemblé quelques membres de l'état-major autour d'une carte et il était sur le point de prendre la décision de faire virer les corps d'armée sur la gauche, mais les membres de l'état-major l'en dissuadèrent, lui rappelant que des détachements amenés par voie ferrée et qui rejoignaient le 23e corps d'armée étaient en train de marcher vers

Soldau et qu'il était possible, en attendant, de les mettre à la disposition d'Artamonov tandis que les corps d'armée centraux continueraient leur avance. C'était une solution toute trouvée.

Oui, effectivement, on pouvait penser que c'était une solution, et même assez simple. Pour le moment. On rédigea l'ordre.

On alla déjeuner. Samsonov avait ceint son sabre d'or. Il aurait fallu partir au plus vite et voilà qu'il y avait ce déjeuner officiel avec boissons, mains à serrer, amabilité, traduction d'une langue à l'autre. Et tout traînait en longueur, prenait du retard. Knox, homme racé qu'on aurait dit porté et mûri par des dizaines de générations, encore jeune et de comportement plus jeune encore, buvait très volontiers, et d'une manière générale, était très détendu, très amical. Rien que leur uniforme y prédispose — le revers ouvert, le cou à l'aise, des épaulettes qu'on ne sent pas sur les épaules tant elles sont réduites. Il faut dire aussi que Knox le portait avec une aisance particulière. Il avait la poche de sa veste gonflée de documents, une haute décoration s'y balançait, comme ça, sans façon.

Samsonov avait espéré qu'avec ce déjeuner, il en aurait terminé avec son hôte et qu'aussitôt après Knox retournerait chez Jilinski, chez le grand-duc à Saint-Pétersbourg, là où il voulait, du moment qu'il lui ficherait la paix. Que non! Voilà que Knox s'en allait avec lui prendre place dans l'automobile, portait sa capote en bandoulière, laissant le soin à son ordonnance, comme l'expliqua l'interprète, de joindre le reste de ses effets au matériel de l'état-major.

Après un regard échangé avec ses officiers, le commandant en chef prit ses dispositions : Filimonov ne l'accompagnerait pas dans l'automobile, le Britannique avec l'interprète s'y installèrent à sa place, et Postovski fit expédier à travers tout le Royaume de Pologne une dépêche au capitaine Ducimetière, à Neidenburg, pour que soient prévus le dîner et service de rigueur.

Et ce fut le départ, le reste de l'état-major étant chargé de les suivre dans des fourgons, des chars à bancs et à cheval. L'automobile décapotable du commandant en chef, avec son avant rebondi, son volant haut, était escortée par huit Cosaques dont on ne pouvait dire qu'ils fussent de tout premier choix car on n'enlevait pas à la division ses meilleurs escadrons. Le chauffeur ne poussa guère l'automobile, adoptant l'allure que pouvaient soutenir, au trot, les huit piques cosaques.

C'est là que Samsonov aurait eu besoin de se taire. Regarder en silence ces verstes que ses corps d'armée avaient traversées et que lui n'avait encore jamais vues — une cinquantaine de verstes jusqu'à Chorzele et quinze jusqu'à Janowo, et encore une dizaine de verstes le long de la frontière allemande, enfin, le passage de la frontière, et puis une douzaine de verstes sur le sol étranger, conquis par ses corps d'armée sans une goutte de sang et sans un coup de feu.

La chaleur, la touffeur, commençaient à se faire sentir, comme tous ces jours derniers, mais quand on roulait il y avait un peu de vent et on était bien pour réfléchir et peut-être que là, en marche, aurait pu se faire dans l'esprit du commandant en chef cette clarté tant attendue. Il n'arrivait pas à comprendre la confusion qu'il ressentait, du moment que les ordres étaient donnés et exécutés... Mais la confusion était là, léger brouillard persistant, points qui ne se recouvraient pas, comme s'il voyait double. Samsonov l'éprouvait sans cesse, souffrait.

Sur ses genoux, le commandant en chef avait installé une grande sacoche porte-cartes à laquelle était fixée, bien tendue, mais légèrement agitée par le vent, une carte au 1/420 000 du théâtre entier des opérations, et ainsi, il s'apprêtait à regarder tour à tour la carte et le paysage pendant tout le trajet.

Mais il y avait maintenant, derrière son dos, sur la banquette arrière, le Britannique friand d'informations qui voulait, lui aussi, tout comprendre et regardait par-dessus l'épaule de Samsonov, pointant déjà son index vers la carte, là, réclamant des éclaircissements sur les moindres détails.

Au grondement du moteur était venu s'ajouter ce bourdonnement de frelon et Samsonov désespéra de se décanter en route, d'y voir plus clair, de rester un peu en tête à tête avec lui-même.

Ce qui intéressait particulièrement Knox, c'était le 6e corps d'armée, sur l'aile droite, qui avait le plus profondément pénétré en territoire allemand et à qui il ne restait, pour arriver à la mer Baltique, guère plus de chemin qu'il n'en avait déjà fait.

Oui, il était exact que le 6e corps d'armée avait dû, dès hier, occuper Bischofsburg et aujourd'hui, de toute évidence, il était encore plus au nord.

Telles étaient les indications portées sur la carte, d'après lesquelles il lui fallait estimer la situation avec le Britannique. Car il était tout de même impossible d'avouer à un allié européen que les Russes portent des indications sur les cartes sans en savoir plus long sur les faits, que les messages radio n'arrivent pas toujours, sans qu'il y ait d'autre liaison que celle assurée par les courriers, et encore ceux-ci circulent-ils en pays étranger sans couverture, sans protection. Le corps d'armée de Blagoviechtchenski s'était tellement déporté sur la droite qu'il avait cessé d'être une aile, ne couvrait déjà plus rien du tout, était devenu un corps d'armée isolé, victime d'une mésentente.

Mais, Dieu merci, on avait enfin obtenu le consentement de l'état-major du front et, ce matin, il avait reçu l'autorisation de déplacer le 6e corps d'armée sur la gauche, vers les corps d'armée centraux. Oui, bien sûr, il était déjà en train de faire mouvement — ici, là, près du lac Daddai — et de se diriger sur Allenstein.

Et là-bas plus loin, il y avait bien Rennenkampf? Il avançait? Oui, c'était ce que disaient les communiqués.

Et cela, c'était la division de cavalerie? Oui, elle couvrait l'aile.

C'était là aussi, c'était là, dans ce gouffre, qu'avait été entraînée la division de cavalerie de Tolpygo qu'on aurait tellement eu besoin d'avoir sous la main en ce moment! Elle aussi était perdue pour le commandant en chef.

Qu'aurait-on pu dire à l'hôte indésirable? Qu'aucune de nos formations n'avait été complétée et que le 23e corps d'armée, lui, n'avait même pas encore été rassemblé? Que, commandant nominal d'une armée, Samsonov ne disposait, en réalité, que des deux corps d'armée et demi centraux vers lesquels il était précisément en train de rouler, sans même connaître leur emplacement exact?

C'était justement sur les corps d'armée centraux que Knox, tatillon, s'enquérait maintenant : où étaient-ils?

De son doigt vigoureux, Samsonov indiquait : le 13e, voilà..., ici, approximativement, là... Voilà, c'était par ici, vers le nord, approximativement, qu'il était en train de se déplacer, entre ces lacs...

Il allait donc au nord?... Oui, il se dirigeait vers le nord... Il marchait sur Allenstein. Et dès aujourd'hui il devait prendre la ville. (Il aurait dû la prendre hier, mais n'était pas arrivé jusque-là.)

Et le 15e?... Eh bien, le 15e, il devait être à la même hauteur, en direction du nord, lui aussi. Il devait prendre Hohenstein hier. (L'avait-il pris?...) Et aujourd'hui, il devait être beaucoup plus loin.

Et le 23e?

Si seulement le commandant en chef avait su avec certitude quand il serait rassemblé et envoyé aux premières lignes! La division de Mingin s'était exténuée à rejoindre Martos et, aussitôt, avait été envoyée au combat.

Et le 23e... Eh bien, lui non plus ne devait pas être loin... Il devait couper cette route qui va de Hohenstein vers le nord-ouest.

Mais qu'aurait-on pu répondre à Knox s'il avait voulu savoir quelque chose sur les Allemands : où se trouvaient *leurs* corps d'armée à eux? Combien y en avait-il? Quelle direction ils suivaient?... Un espace vide, inhabité, de lacs, de forêts, de petites villes, de routes et de voies ferrées, voilà, c'était ça, les Allemands, c'est tout ce qu'on en voyait, c'est tout ce qu'on en savait. Une proie facile et attirante.

Lui-même, qu'avait-il fait? A tous les corps d'armée il avait envoyé chaque jour des ordres d'opérations précis sur la direction à tenir, les objectifs à atteindre, et qui correspondaient aux désirs exprimés par ses supérieurs. Mais il y avait que les instructions n'étaient pas soudées par un plan unique, clair. *Que fallait-il faire précisément?* S'enfoncer... couper des voies de communication... empêcher... et *le plan de l'opération, en quoi consistait-il?*

Un instant, Samsonov crut qu'il allait enfin comprendre, mais voilà que Knox l'interrompait : et le 1er corps d'armée? et ces deux divisions de cavalerie-là?

Que le diable t'emporte!... Toutes elles... elles couvrent l'opération de l'aile gauche... Elles constituent un *gradin* solide.

Samsonov posa la sacoche à ses pieds près de la portière, uniquement pour mettre fin à la conversation qu'il menait avec l'Anglais à travers le bruit du moteur. Avec toutes ces explications et avec la chaleur qui montait, Samsonov sentit refluer ses forces et maintenant, ce qu'il aurait voulu, ce n'était plus réfléchir, ce n'était plus regarder autour de lui, mais faire un petit somme sur ce siège moelleux.

On maintenait la vitesse de l'automobile au rythme des chevaux cosaques. En cours de route, on en changea une fois. Lorsqu'on dépassait un convoi, un hôpital de campagne, un poste de sellerie, toujours on s'arrêtait et le commandant en chef entendait les rapports. A Chorzele et Janowo, on inspecta les postes de commandement ainsi que les unités en place, pour savoir qui les y avait laissées et dans quel but. On fit une halte, on descendit de l'automobile et on passa un moment assis à l'ombre près d'une petite rivière. Le soleil était au zénith lorsque, escortés des Cosaques en ordre rigoureux, avec prudence et solennité, on atteignit un vieux pont de bois, descendant par la pente polonaise et remontant par la pente prussienne sur une terre nouvelle.

Des villages tout de briques apparaissaient maintenant çà et là, que chaque maison aurait pu protéger à l'égal d'une forteresse et qui, pourtant, avaient été livrés sans un coup de feu. Bientôt, après un virage, ils se retrouvèrent sur l'excellente route de Willenberg à Neidenburg, absolument intacte.

La route effleurait un moment les contreforts sud de la vaste forêt de Grünflies, après quoi elle les mena à travers une région découverte, plongeant de collines en collines qu'on aurait crues basses mais qui ouvraient de vastes panoramas.

Pour Knox, l'agrément particulier de ce voyage et de cette journée tenait au fait qu'il était, dans cette guerre, le premier Anglais à mettre le pied sur le sol ennemi. Déjà, en chemin, il avait composé quelques lettres pour l'Angleterre que ce soir, dans une ville allemande, bien sûr, il avait l'intention d'écrire, et entre-temps il absorbait autant d'impressions qu'il pouvait en contenir car un bon style veut qu'on ne se répète pas d'une lettre à l'autre.

Dans une lourde odeur de brûlé se dressa enfin devant eux Neidenburg. De loin on apercevait sur le clocher vert un grand cadran blanc aux aiguilles dentelées, puis se montrèrent des maisons bleues, grises, roses.

Partout, des inscriptions sur pierre, en relief, gravées. Avant les opérations militaires, tout ici respirait le confort; à présent, quoique nulle part on ne vît d'incendie à proprement parler, il y en avait maintes traces : les trous béants calcinés des fenêtres, çà et là des toits effondrés, des murs noircis, des débris de verre projetés sur le pavé, les fumées bleuâtres, puantes, de foyers qu'en divers points on n'avait pas fini d'éteindre. Et il y avait toute la chaleur accumulée par les pierres, les tuiles, le fer, qui venait s'ajouter à la chaleur du jour.

A l'entrée de la ville, le commandant en chef fut accueilli par l'un des officiers du groupe envoyé pour préparer le cantonnement et qui les précéda, leur montrant le chemin. Après un tournant, sur la place de l'Hôtel de Ville, apparut la maison qui avait été choisie et qui, non seulement n'avait pas été touchée par l'incendie, mais encore était entourée d'autres maisons intactes. Un lieutenant-colonel dévala les marches roides du perron et, se mettant au garde-à-vous devant l'automobile, rapporta d'une voix retentissante que tout était prêt pour les recevoir, que la liaison télégraphique était en place, ainsi que le dîner, le coucher, et aussi que la ville brûlait depuis le jour de sa prise mais qu'à l'heure actuelle, grâce aux efforts déployés par les unités affectées à cette tâche, les incendies étaient maîtrisés.

Ensuite, le commandant de la place, nommé par Martos trois jours auparavant, vint se présenter. Vint aussi se présenter le digne bourgmestre. (Les habitants étaient bien quelque part, mais on ne les voyait pas.)

En pénétrant dans la ville, aucun d'entre eux n'avait remarqué que parvenait jusqu'ici, sourd, feutré par la chaleur, mais abondant et régulier, un martèlement semblable à celui que produirait une multitude de pas pesants et ininterrompus. Postovski fut le premier à tendre l'oreille, une fois, deux fois. Il hocha la tête : « Tout près. » Trop près de l'endroit où se trouvait l'état-major de l'armée. Le commandant de la place affirmait que c'était loin.

Et, de nouveau, cela venait *de la gauche*. Un combat sérieux. Qui était-ce donc? Profitant de ce que l'Anglais avait le dos tourné, Samsonov et Postovski réussirent à s'orienter, jetèrent un coup d'œil sur la carte. Il ressortait que c'était sur la gauche de l'endroit où se trouvait Martos. Il y avait toutes les chances que ce fût Mingin, la malheureuse moitié du corps d'armée non rassemblé. Il aurait pourtant dû se trouver plus loin!

Ils montèrent et pénétrèrent dans la fraîcheur des murs. De proportions si modestes, vu du dehors, le bâtiment comprenait au premier étage une salle aux murs garnis d'armoiries sculptées avec trois fenêtres en arceaux réunis — une salle tellement vaste qu'on avait du mal à croire qu'elle avait pu se loger dans ce bâtiment. C'est là que la table était déjà mise, préparée pour eux, garnie d'argenterie ancienne, de coupes marquées d'armoiries dorées, et il ne restait rien d'autre à faire qu'à s'attabler pour le dîner, après s'être signé (le commandant en chef se signait, sans rien imposer à personne).

En bas, entre l'église et l'Hôtel de Ville, une fumée bleu-gris flotta durant tout le dîner.

Et l'on entendait au loin les pas lourds, sourds, qui martelaient, martelaient.

L'abondance des vins entraînait à de nombreux toasts et se délectant par avance de tout ceux à venir, Knox se leva pour porter le premier. L'air préoccupé de Samsonov ne lui avait point entièrement échappé durant le trajet, non plus que l'espèce de tristesse résignée qu'il lisait dans ses grands yeux au lieu de l'éclat arrogant du vainqueur, aussi le général allié se fit-il un aimable devoir de réconforter les généraux russes et de leur expliquer leur succès.

— Ce sont des pages glorieuses pour l'armée russe! disait-il. Les générations à venir vont évoquer le nom de Samsonov à l'égal du nom de... Zouvorov... Vos corps d'armée avancent magnifiquement et suscitent l'admiration de toute l'Europe civilisée. Vous rendez un noble service à la cause commune de la Triple Alliance. Au moment crucial où la Belgique sans défense est déchiquetée par le léopard... où, pour parler en militaire, Paris est menacé, votre offensive fera tressaillir l'ennemi!!

La glace était rompue et pas plus moyen d'éviter les toasts que les obus quand ils vous tombent dessus : on buvait à Sa Majesté l'empereur! à Sa Majesté le roi d'Angleterre! à la Triple Alliance même!

N'était son hôte d'outre-mer, Samsonov ne se serait pas attardé à dîner. Il aurait voulu, à pied, faire le tour de cette petite ville, tout voir. Il lui fallait marquer sur la carte son nouvel emplacement et revoir toute la situation sous un angle nouveau : savoir à quelle distance se trouvaient un tel et un tel; les routes qui les reliaient à lui; savoir avec qui il était en liaison télégraphique et où passait celle-ci. Il lui fallait s'expliquer à lui-même ce rude combat au nord-ouest, envoyer quelqu'un là-bas, avoir des informations. Un besoin inquiet de venir à bout de quelque chose dans ses pensées, dans ses décisions, ne cessait de le ronger, d'exiger une totale présence d'esprit, et pour le moment aucun de ces vins ne passait, n'avait de goût.

Mais il existait le rite de l'hospitalité et de la politesse entre alliés. Et le vin, même avalé sans goût, n'en a pas moins pour effet de réchauffer le cœur, de faire un peu tourner la tête et d'apaiser.

Et pourquoi, à la fin des fins, fallait-il voir quelque chose de mauvais là où le général, qui n'était pas bête, ne voyait que du bon?

Et, s'étant levé de toute la masse de son corps, le commandant en chef annonça un toast bref.

— ... au soldat russe! Au saint soldat russe pour qui endurer et souffrir sont une habitude. Comme on dit : le soldat russe, ce n'est rien de le tuer, encore faut-il l'abattre!

Postovski, qui n'avait pas manqué, aussitôt après leur arrivée, de se présenter à l'état-major du front, et qui ensuite avait fait goûter les mets aux garçons de l'hôtel pour s'assurer qu'ils n'étaient pas empoisonnés, était, partant, tout à fait détendu et d'humeur fort gaie devant ce dîner de gala. Si seulement il n'y avait pas eu, trop près, cette canonnade. Avant de servir, il examinait pointilleusement chaque bouteille (il y avait là des inscriptions écrites à la main sur des étiquettes que traduisait le capitaine Ducimetière), et lui qui, d'habitude, était modestement réservé, s'épanouit aux louanges de l'hôte. Oui! les Allemands avaient fui spectaculairement ! Oui! la victoire était manifeste. Et si la Ire Armée allait à la vitesse de la IIe Armée...

La conversation devint générale. Il se trouvait là aussi deux colonels de l'état-major et, sans recours à aucune carte, une divergence soudain se fit jour : tous pensaient que la IIe Armée devait encercler les Allemands et les couper de leurs arrières mais chacun de ceux qui dirigeaient l'opération comprenait à sa façon *quelle* était l'aile qui devait s'engager, la droite ou la gauche. Il semblait qu'on ne pouvait encercler la Prusse orientale sans engager son aile *gauche* — ce qui était certain, pourtant, c'est que l'aile gauche était stationnaire tandis que c'était l'aile *droite* qui avançait.

Cependant, ne retenant que l'essentiel de ce que Postovski avait dit et le développant, le général Knox prit la peine de se lever (oui, c'était manifestement un sportsman) et, à l'occasion du nouveau toast qu'il portait, il expliqua que la défaite de l'armée prussienne marquerait la fin de l'Allemagne, dont toutes les forces étaient à l'ouest et rivées là. A l'est, elle serait dénudée. Et aussitôt après la Prusse, forçant la Vistule, les armées russes se fraieraient le chemin le plus court, en droite ligne, sans obstacle, *sur Berlin.*

Ces coupes, on venait de les lever, on ne les avait pas encore vidées quand l'officier de service pénétra dans la salle, attendant le moment de faire son rapport. Samsonov, d'un signe de tête, l'y invita et posa sa coupe sans y avoir touché.

— Excellence! Le général Artamonov vous demande à l'appareil.

Le commandant en chef repoussa sa chaise avec bruit et, oubliant de s'excuser sortit d'un pas lourd.

Son cœur... oui, son cœur sentait bien...

Le chef d'état-major, les traits altérés, le suivit, glissant d'un pas feutré sur les lattes du parquet.

Dans le local du télégraphe, c'était le silence. Les appareils Hughes imprimaient à petits coups monotones. Samsonov recevait, dans ses grandes mains blanches et molles, la bande légère.

Le général d'infanterie Artamonov présentait ses respects au général de cavalerie Samsonov.

Réciproquement.

Le général Artamonov considérait de son devoir de porter à la connaissance du général Samsonov que, ce jour, avaient eu lieu, en commun avec le colonel Vorotyntsev de l'état-major général, des entretiens télégraphiques avec la Stavka au sujet du degré de subordination du 1er corps d'armée à l'état-major de la IIe Armée. Ce problème serait élucidé à la Stavka. La décision définitive du commandant suprême n'était pas encore connue pour le moment.

(Élucider, de nouveau. De nouveau on tournait autour du pot.)

Le général Samsonov espérait cependant que le général Artamonov avait exécuté la demande que lui adressait le commandement de la IIe Armée de *maintenir* fermement son corps d'armée au nord de Soldau en vue d'une meilleure couverture...

Oui, c'était ce que le général Artamonov avait déjà fait avant même qu'on l'en priât. Les positions étaient occupées et maintenues au-delà d'Usdau

Usdau... (vérification sur la carte).

Avait-on rencontré, ce faisant, une résistance de la part de l'adversaire?

Non, pas hier. Pourtant, les forces très importantes signalées ce matin...

— ... On vous a affecté des formations complémentaires.

— ... oui, oui; je les ai reçues...

Ces forces importantes avaient attaqué le corps d'armée aujourd'hui, ce qui faisait que le général Artamonov avait été contraint d'importuner le général Samsonov.

Quelle était plus précisément l'importance des forces de l'adversaire et quelle était l'issue du combat?

Toutes les attaques avaient été repoussées, toutes les formations avaient vaillamment résisté. Quant aux forces de l'adversaire, d'après ce qu'on pouvait en supposer, elles dépassaient celles d'un corps d'armée, selon toute vraisemblance elles devaient représenter trois divisions. Ce qui était également confirmé par la mission aérienne de reconnaissance.

Déjà beaucoup de bande ininterrompue s'était échappé d'entre les doigts du commandant en chef, d'abord pour passer entre les doigts de Postovski, puis pour échouer sur le sol où elle s'enroulait pêle-mêle.

Samsonov laissa retomber sa grosse tête, les yeux au sol. En regard de toute cette Prusse déserte, d'où pouvaient surgir toutes ces forces, là-bas? Est-ce que cela signifiait que l'adversaire s'était déjà échappé de toute la Prusse orientale, était déjà loin du filet qui lui avait été tendu, sans avoir pourtant passé la Vistule, sans avoir fui, et qu'il commençait maintenant à faire pression sur la gauche?

Ou bien étaient-ce des forces fraîches, nouvellement amenées droit d'Allemagne?

Alors, quoi? Ne fallait-il pas aussitôt, à l'instant même, faire marcher tous les corps d'armée sur la gauche?

A l'instant même prendre une décision...

A l'instant même.

Mais peut-être qu'Artamonov exagérait. Il se laissait volontiers aller à la panique. Il exagérait, c'était le plus probable.

Ce qu'il devait faire, c'est *attaquer!* Seulement voilà, on n'avait toujours pas l'accord de la Stavka!

Mais se maintenir, cela il le devait! Lui aussi, il représentait un corps d'armée et demi.

L'appareil marchait à vide, Postovski retenait et redressait la bande afin qu'elle ne s'emmêlât point.

Le général Samsonov demandait, en tout cas, au commandant du 1er corps d'armée de défendre fermement les positions actuelles et de ne lâcher du terrain à aucun prix, sinon l'opération d'armée se trouverait compromise dans son ensemble.

Le général Artamonov assurait le commandant de la Ire Armée que son corps d'armée ne broncherait ni ne reculerait d'un pas.

18

Vers quatre heures de l'après-midi, venant du sud par une route empierrée, le général de brigade Nietchvolodov approchait de Bischofsburg. Nietchvolodov était à cheval (avec quelques cavaliers à ses côtés) et allait bon train, devançant son détachement de quelque cinq cents mètres.

Son détachement, il aurait été difficile de dire ce que c'était. C'était Dieu sait quoi.

Nietchvolodov, en fait, avait été affecté au 6e corps d'armée pour commander une brigade d'infanterie. C'était une fonction qu'il avait exercée dans diverses divisions depuis six ans. Cette fonction inutile qui le plaçait au-dessus de deux commandants de régiment et au-dessous d'un commandant de division, Nietchvolodov considérait qu'elle n'avait été créée que pour déshabituer du service actif tous les généraux de brigade. Et il en avait pris son parti. Mais dans le 6e corps d'armée, grande avait été sa surprise : un jour avant la déclaration de guerre, à Bielostok, sans lui retirer sa brigade, on l'avait nommé également « commandant de la réserve » du corps d'armée. La notion de « commandant d'une réserve » existait en temps de guerre; pour une opération donnée, à un moment critique, on pouvait créer une réserve qui couvrait le reste des unités, mais jamais Nietchvolodov n'avait vu qu'on constituât une réserve qualifiée de permanente le jour même de la mobilisation générale. Était-ce parce que Blagoviechtchenski ne savait plus où fourrer tant de généraux dans son corps d'armée, ou bien, dès avant le début de la guerre, se préparait-il déjà à battre en retraite?

C'était une chose étrange que l'effectif de cette réserve : aux deux régiments de Nietchvolodov, à celui de Schliesselburg et à celui du Ladoga, on avait tout bonnement rattaché un certain nombre de formations particulières : un groupe de mortiers, un bataillon de pontonniers, une compagnie de sapeurs, une compagnie de transmissions et aussi sept escadrons de Cosaques du Don (y compris l'escadron spécial qui protégeait l'état-major du corps d'armée et ne le quittait pas d'une semelle) et tout cela était devenu la réserve de Nietchvolodov. Tout à fait comme si ces formations n'avaient pas constitué dans le corps d'armée un instrument ramifié, mais n'avaient été qu'une gêne et ne faisaient qu'embrouiller, pour Blagoviechtchenski, la classification élémentaire de l'infanterie : quatre compagnies font un bataillon, quatre bataillons un régiment, huit régiments un corps d'armée. Et de plus, le 6e corps d'armée s'était vu assener une chance qui échoit à peu de corps d'armée : il recevait un groupe d'artillerie lourde, aux calibres peu connus dans l'armée russe — des obusiers de six pouces. Ce cadeau-là, incongru au possible, c'est pour le coup que Blagoviechtchenski n'avait su qu'en faire, et il l'avait affecté à la *réserve*. (Ce fonctionnaire, il n'était pas fou! Un armement plutôt rare, on en répond d'autant plus si on le perd. Même les mitrailleuses, précieuses comme elles l'étaient, il s'efforçait de ne pas les faire envoyer en première ligne, les gardant plus volontiers à l'état-major ou encore dans le convoi sanitaire.)

Eh bien, même une réserve de cet acabit, on ne lui laissa pas la moindre chance de la rassembler au complet! Il faut dire que c'était impossible et n'avait d'ailleurs aucun sens. On lui avait même enlevé son propre régiment de Schliesselburg qu'on avait fait avancer, si bien que la brigade elle-même n'existait plus, tandis qu'on avait retenu Nietchvolodov pour consolider les arrières, et ce détachement avec lequel, tel un mannequin idiot, il rejoignait le gros de ses troupes, se composait de son régiment du Ladoga (là encore privé de l'un de ses bataillons), des sapeurs, des pontonniers et des télégraphistes, cependant qu'il n'avait ni cavalerie, ni artillerie à sa disposition.

Du reste — Nietchvolodov s'en rendait bien compte — les deux divisions qui étaient devant lui n'étaient pas moins démantelées : chacune d'elles avait égaré un quart de ses effectifs en route, dans l'une il manquait un régiment entier et dans l'autre on avait éparpillé une douzaine de compagnies.

Nietchvolodov était dépourvu de cette grandeur inhérente au grade de général : poitrine bombée, visage ravagé, allure digne. Plutôt maigre, avec de longues jambes (même sur un grand étalon, ses étriers descendaient bas), toujours sérieux et taciturne, et en ce moment très sombre même, il ressemblait bien plutôt à un officier prolongé qui aurait végété dans des fonctions subalternes.

Tous ces jours derniers, il était sombre d'avoir à s'occuper uniquement des opérations stupides de commandement aux arrières et d'être privé de son régiment de Schliesselburg. Il était encore plus sombre aujourd'hui parce que même l'état-major du corps d'armée, habituellement raisonnable, s'était retrouvé à l'avant de Nietchvolodov et, le matin, sur sa lancée, avait pénétré dans Bischofsburg. Peu après, devant eux, un intense grondement s'était fait entendre qui révélait un combat sérieux. Et il était encore bien plus sombre, ces deux dernières heures, depuis que s'étaient mis à apparaître chariots vides conduits par des hommes du train terrifiés, voiturettes chargées de blessés, petites bandes de chevaux aux jambes et aux sabots écrabouillés. Puis les blessés se firent plus fréquents. Il y avait maintenant aussi des soldats du régiment d'Olonetsk, de Bielozersk, quelques-uns aussi des compagnies enlevées au régiment du Ladoga, et, parmi eux, un sous-officier rengagé d'un certain âge, que Nietchvolodov connaissait bien. On vit passer aussi quelques officiers. Nietchvolodov arrêtait ceux qu'il rencontrait, questionnait brièvement et, d'après les témoignages émus, morcelés, qu'il recueillait, il essayait de se faire une idée du combat qui avait commencé le matin et qui n'était pas encore terminé.

Comme toujours quand on se trouve sur des traces fraîches, devant la relation de participants venus d'endroits différents et qui ne se sont encore rien raconté les uns aux autres, l'histoire apparaissait entièrement contradictoire. Certains disaient qu'ils avaient passé la nuit tout près des Allemands, seulement eux n'en savaient rien, et les Allemands non plus. D'autres, qu'ils étaient en train d'avancer ce matin sans rien soupçonner, et qu'ils s'y étaient heurtés en ordre de marche, avaient été pris sous un feu terrible alors qu'ils n'étaient absolument pas prêts pour la bataille et n'avaient aucun abri (oui, le tir des Allemands venait *de côté* et non de face !). D'autres encore, qu'on les avait, eux, déployés à l'avance pour la bataille et qu'ils avaient même une tranchée à mi-corps où s'abriter. Parmi les officiers, certains pensaient qu'ils s'étaient heurtés à une colonne latérale d'Allemands qui battaient en retraite venant de l'est et que nous les avions effrayés bien plus qu'ils ne nous avaient effrayés, mais qu'ils avaient tout de même déployé ensuite un grand feu d'artillerie, avec un tir très fourni. Et nous, on les attendait à l'est, c'est à l'est qu'ordre avait été donné de placer les avant-postes. Non, rectifiait-on : on avançait direction nord. Et le régiment d'Olonetsk, c'était même vers l'ouest qu'il se déployait. Oui mais, dès que les Allemands avaient mis bon nombre de batteries en action (« il y en avait cinquante », « non, cent! », « deux cents! »), et aussi les shrapnels, et que, en plein au-dessus et dans la masse des colonnes, ça s'était mis à éclater et à trouer nos rangs par dizaines, alors ç'avait été la débandade, alors tout s'était mêlé, alors, il en était tombé des milliers et sur un bataillon il restait quoi? — une douzaine d'hommes. Pas du tout, on avait bien tenu, la compagnie du régiment de Bielozersk était elle-même montée à l'attaque. A l'attaque! On était acculés au lac, à ne plus savoir où se mettre, et c'est là qu'on avait commencé à jeter les armes, même les fusils, et qu'on avait plongé.

Ce qui ressortait pourtant de toute évidence, c'était que les pertes avaient été considérables, qu'un certain nombre de bataillons étaient totalement anéantis (et chaque bataillon, c'est mille hommes ni plus ni moins). Ce qui ressortait, de toute évidence, c'était qu'en deux semaines on avait pris l'habitude de ne pas rencontrer, de ne pas voir, de ne pas entendre l'adversaire et d'avancer allégrement à travers une terre étrangère, sans patrouilles de reconnaissance et, à certains endroits, sans même se soucier de placer des avant-postes. Et c'est ainsi qu'on avait avancé hier aussi, dépassant Bischofsburg de plus de cinq verstes, traversant une voie ferrée très importante pour les Allemands, qui figure comme un axe horizontal de la Prusse orientale, et on continuait avec la même insouciance, comme si l'on avait été chez soi, dans la province de Smolensk, faisant alterner le train et la troupe et s'attendant à tout sauf à rencontrer, dans ce pays, des troupes autres que russes. Et lorsque, soudain, le combat avait éclaté, il n'y avait ni plan prévu d'avance, ni ordre d'opérations. Et cela, la masse des soldats le sent tout de suite, et elle se défait aussitôt.

Seulement Nietchvolodov ne trouva aucun blessé de son régiment de Schliesselburg, et impossible de comprendre où il pouvait bien se trouver, ce qu'il pouvait bien faire.

Derrière Nietchvolodov, les soldats de son détachement, eux aussi, croisaient ces mêmes blessés et trouvaient le moyen, au passage, d'en apprendre suffisamment pour ce qui les concernait. Cela, c'était mauvais.

Du nord parvenait, encore maintenant, un sourd grondement intermittent.

Dans ces conditions, et quoique devancé par l'état-major du corps d'armée, il ne restait à Nietchvolodov qu'à envoyer des avant-postes.

La chaleur semblait ne pas avoir encore baissé, mais le soleil contournait sensiblement l'épaule gauche et chauffait l'oreille gauche.

Déjà s'ouvrait une échappée qui découvrait la ville, intacte, sans incendies, avec ses clochetons et ses tourelles gris et rouges, quand, sur la gauche, sur la route transversale en terre battue, Nietchvolodov aperçut un nuage de poussière et discerna une colonne de plus d'un bataillon d'infanterie accompagné d'une batterie d'artillerie. Elle progressait lentement et, elle aussi, sans aucune mesure de précaution.

L'adversaire, en principe, ne pouvait se trouver sur la gauche, et d'ailleurs, sur la gauche, il n'aurait dû y avoir personne. Oui mais c'est ainsi qu'on se fait avoir, après quoi on peut toujours s'en prendre à la bêtise des autres.

Au bout de ses jumelles, pourtant, Nietchvolodov ne tarda pas à s'assurer que c'étaient des Russes. Devant cette colonne aussi, il y avait un officier à cheval, avec seulement un galon, sans étoiles. Le cheval était bien nerveux, tirait de côté, s'agitait, secouait la tête, montrait les dents, et son cavalier le matait. Nietchvolodov aperçut aussi un petit chien roux mêlé de noir, aux grandes oreilles en feuilles de chou, qu'on ne pouvait pas ne pas remarquer et qui courait sur le bord de la route. D'après ce petit chien qui ne quittait jamais sa compagnie, on reconnaissait aussitôt la division de Richter.

A en juger par leur allure, les cavaliers devaient se rencontrer juste au croisement. Ayant remarqué le général et la colonne qui le suivait, l'officier fit volte-face et, redressant son cheval qui s'était trop déporté, il cria d'une voix forte à ses hommes :

— Hé-ho, le régiment de Souzdal! Une halte de dix minutes. Repos.

Il avait lancé son ordre gaiement, sans le moindre signe de fatigue. Les soldats, eux, étaient fourbus :

ils se traînèrent péniblement jusqu'au bord de la route et, sans même déposer leur capote roulée, se contentant de ranger leurs fusils en petits faisceaux, ils s'affalèrent sur la première herbe poussiéreuse venue, bien qu'il n'y eût que cent pas de plus à faire pour trouver l'ombre des arbres et l'herbe verte.

L'officier s'approcha sur son cheval bai, nerveux, et, avec un geste tournant, très crâne, de la main, se présenta :

— Capitaine Raïtsev-Iartsev, mon colonel! Aide de camp du chef de bataillon du 62e régiment de Souzdal.

Entre ses lèvres impertinentes, on apercevait une dent en or. Et le cheval lorgnait, inquiet, et agitait la tête.

— Il n'est pas à vous? fit Nietchvolodov, le désignant du regard.

— Pris il y a deux heures, mon colonel! Il faut lui laisser le temps de s'habituer.

— Vous êtes dans la cavalerie?

— J'en étais, mon colonel, mais Dieu m'en a fait descendre pour mes péchés.

Il y avait chez le capitaine cet entrain que Nietchvolodov connaissait bien, cette ardeur crâne, qui font la beauté de l'authentique officier de carrière : né pour la guerre, il n'y a que là qu'on vit! Nietchvolodov en avait brûlé, lui aussi, de cette ardeur qui pourtant s'était atténuée avec le temps.

— Vous l'avez pris où?

— Eh bien, il y a là une propriété abandonnée, des écuries épatantes! Je vous conseille d'aller jeter un coup d'œil! C'est près du lac euh...

La main de Nietchvolodov, d'elle-même, faisait déjà glisser sa sacoche vers l'avant, l'ouvrait.

— Vous en avez une belle carte! Voilà, c'est le lac Daddai pour le bain des put... ains, fit-il, ajoutant en un murmure une assonance inconvenante.

Nietchvolodov se laissa aller à sourire :

— Et qu'est-ce que vous êtes allés faire là-bas?

— Pour notre division, vous savez, sept verstes, ça s'appelle pas un détour! On se promenait, puis on a changé d'avis et demi-tour.

Il avait quelque chose d'attirant, ce lascar. Il y avait aussi ce cheval qui dansait — pas moyen de regarder la carte ensemble. Et puis, il y avait ce soleil qui tapait.

— Si on allait se mettre un peu à l'ombre, proposa Nietchvolodov.

Le capitaine à la dent en or acquiesça aussitôt d'un signe de tête.

Ils laissèrent leurs chevaux.

— Micha! fit Nietchvolodov, s'adressant à son aide de camp, le lieutenant Rochko aux bonnes joues roses (le sang jeune ne demandait qu'à affluer sous sa peau). Pendant que la colonne continue à avancer, toi, tu vas filer en avant voir s'il n'y a pas quelque part une route pour éviter Bischofsburg. S'il n'y en a pas, essaie de trouver une rue qui ne passe pas devant l'état-major du corps d'armée.

Rochko, aux joues roses, à l'esprit alerte, Rochko, aussitôt, avait tout compris, et il s'en fut avec sa petite troupe.

Dans la fraîcheur doucement éventée du bois, Nietchvolodov et Raïtsev-Iartsev s'assirent en tailleur, le général prit sa carte et l'ouvrit plus en grand. Les doigts repliés avec à l'annulaire un anneau d'or, Raïtsev-Iartsev, se servant comme d'une baguette de son petit doigt à l'ongle très long et pointu, donna rapidement des indications, des informations.

Hier, leur division — trois régiments moins celui qui était en retard — avait tenu ici la ligne de front, face à l'est, et on disait que l'adversaire était là, pris dans une souricière, et allait essayer de se dégager. Pourtant, il n'y avait pas eu un seul coup de feu. Après quoi ils avaient reçu l'ordre de se replier sur Bischofsburg. Ce matin, ils y avaient fait du sur place. Juste avant midi, le commandant de leur corps d'armée avait donné l'ordre à leur division d'aller à l'ouest, en contournant par le sud le lac Daddai et de continuer ensuite sur Allenstein, à une quarantaine de verstes. C'est ainsi que, n'ayant pas eu le temps de déjeuner, ils étaient repartis, sans rencontrer personne, sans le moindre coup de feu et crevant de chaud, mais, après une dizaine de verstes, une fois le lac contourné, un officier de l'état-major du corps d'armée était arrivé avec un nouvel ordre de Blagoviechtchenski : il fallait retourner aussitôt à Bischofsburg et même, prendre position à *l'est* de la ville. Le régiment de Souzdal était en queue, dans la colonne de la division, il avait donc fait demi-tour en premier et maintenant il revenait sur ses pas. Entre-temps, un officier était arrivé avec un troisième ordre : *seul* le régiment de Souzdal, avec deux batteries, devait retourner et prendre position devant Bischofsburg aux ordres du commandant du corps d'armée. Le reste de la division devait prendre la direction du *nord*, suivre l'autre rive du lac Daddai, et avancer de façon à opérer, après le lac, sa jonction avec la division de Komarov qui était de ce côté-ci du lac. Une chance encore que le régiment de Souzdal se fût trouvé en queue — si l'ordre avait visé le régiment d'Ouglitch, eh bien, il serait maintenant occupé à fendre deux régiments dans cette direction-ci, et le régiment de Souzdal, occupé à faire l'inverse dans la direction opposée.

Raïtsev-Iartsev avait entrepris d'exposer tout cela gaiement, comme si un méli-mélo pareil avait fait son bonheur, mais devant Nietchvolodov glacialement sérieux, il cessa de faire étinceler sa dent en or. Il se contentait de tapoter la boucle de son ceinturon du bout de son ongle effilé.

Il en avait de la bravoure, leur commandant de corps d'armée! Napoléon n'était pas plus hardi! Il n'aurait pas voulu siéger dans un comité de bienfaisance à l'arrière, non, il sillonnait hardiment une terre étrangère, il la quadrillait toute du mouvement entrecroisé de ses troupes. On lui détruisait un quart de corps d'armée à l'avant, il avançait la moitié d'un corps d'armée sur la gauche! Il n'avait peur de rien, voyons donc! Il ne faut pas oublier que, dès avant le commencement de la guerre, il avait constitué une réserve, et à présent, que Nietchvolodov le tire d'affaire!

Le détachement de Nietchvolodov passait déjà devant eux, se dirigeant vers Bischofsburg. Le bataillon de Raïtsev-Iartsev était couché dans l'herbe, les canons étaient là, sur la route, le reste des hommes du régiment de Souzdal ne se montrait pas encore.

Il fallait se dépêcher de partir, chercher ses soldats du Schliesselburg, chercher le commandant de la division, mais ce n'est plus tellement facile de replier une carte quand on vient d'apprendre du nouveau : le dessin déjà familier, vu et revu des dizaines de fois, fascine, fait apparaître des éléments toujours nouveaux, toujours nouveaux, et menaçants.

Tous ceux qu'on avait pu, on les avait arrachés à leurs unités, tous ceux qu'on avait pu, on les avait affectés à d'autres commandements; les soldats du régiment de Souzdal par exemple, voilà qu'on les mettait aux ordres du commandant du corps d'armée en personne. Tout s'était désespérément embrouillé, l'ordre de subordination et le commandement. Et Richter, quand bien même il arriverait au bout du lac Daddai, avec qui allait-il opérer une jonction, là où nos hommes avaient été mis en déroute? Où était-elle donc, sur la droite, la division de Tolpygo? Son régiment de uhlans avait été démantelé comme la cavalerie du corps d'armée, et la division elle-même, à tout bout de champ on en modifiait la direction et la mission. Où étaient-ils donc, sur la droite, les Allemands? Il y avait longtemps qu'ils étaient partis, bien sûr. Où était-il donc, sur la droite, Rennenkampf? Quel besoin aurait-il eu de se hâter, il savourait sa victoire, tandis qu'à l'avant, il y avait le risque. Un pays désert, pas un son, pas un coup de feu. Où était-il donc, sur la gauche, le 13e corps d'armée?

Partout, le silence. Un air vide.

— Eh bien, capitaine, merci!

Dans sa paume rêche, Nietchvolodov serra la main de Raïtsev-Iartsev, il sauta en selle et, au trot, accompagné de son ordonnance, il fila sur Bischofsburg, dépassant son détachement.

Là, les Allemands, apparemment, avaient préparé leur défense : sur les cinq cents derniers mètres avant d'arriver à la ville, des deux côtés de la route, les buissons avaient tous été taillés pour dégager la visibilité et permettre le tir, et au bord de la route, le premier bâtiment de la ville, un grand entrepôt de briques, présentait une dizaine de meurtrières.

Mais rien de tout cela n'avait servi.

Venant en sens inverse, une importante colonne de blessés valides sortait de la ville. Nietchvolodov ne posait plus de questions, il se contenta de lancer :

— Les gars! Il y en a parmi vous du Schliesselburg?

Il n'y en avait point.

Près de l'entrepôt, Rochko, avec ses bonnes joues rondes, Rochko l'attendait, tranquille. Il annonça qu'il n'y avait pas de détour possible par la route mais, des rues, il en avait trouvé et y avait posté des jalonneurs.

Nietchvolodov s'en fut chercher l'état-major du corps d'armée à travers ces rues étroites et fraîches entre les maisons rapprochées.

La première impression qu'on avait, c'était que la ville était peuplée de blessés russes, tant étaient nombreux les pansements qui se détachaient en blanc dans les rues et aux fenêtres. Mais il y avait aussi les habitants de la ville. On emmenait quelque part sous escorte un civil allemand qui n'était pas encore un vieillard et puis deux autres encore. Au coin de la rue, quelques Allemandes avaient entouré un officier des uhlans et, toutes à la fois, elles lui disaient quelque chose avec feu, et l'une après l'autre elles montraient alternativement son sabre et leur propre poitrine. Un peu plus loin, deux Allemandes avaient sorti un seau êmaillé et donnaient de l'eau à boire aux soldats qui plaisantaient avec elles.

Nietchvolodov sut où se trouvait l'état-major en apercevant l'automobile de Blagoviechtchenski et les Cosaques de l'escadron d'escorte. Rochko et les autres restèrent dehors; lui, monta à grands pas les marches de granit, passa le vestibule arqué et se mit à chercher le commandant.

A l'état-major, c'était le branle-bas des caisses partout. Venait-on d'arriver? Était-on sur le point de partir? Il ne parvint ni jusqu'à Blagoviechtchenski ni jusqu'au chef d'état-major. Il rencontra le colonel Nippenstroem de la section du général quartier-maître.

— Qu'est-ce que vous faites là, vous? fit Nippenstroem, tout effrayé. Vous n'avez pas encore rejoint Komarov? Il y a longtemps que Komarov vous attend!

— Je n'ai pas pu faire plus vite, répondit Nietchvolodov qui parlait encore plus lentement, encore plus froidement que d'habitude. J'aurais voulu demander au commandant...

Nippenstroem agita les bras.

— Si le commandant vous voit, il vous coupera la tête. Filez au plus vite...

— Mais où? Je ne connais pas ma mission, moi.

— Comment cela? Vous ne savez rien? Vous avez ordre de rassembler votre réserve et de couvrir la retraite du corps d'armée. Serbinovitch vous donnera tout...

— Mais où est ma réserve? Où est mon artillerie?

— Là-bas, là-bas, tout est en place, on n'attend plus que vous.

— J'ai avec moi les sapeurs, les pontonniers, les télégraphistes...

— Vous les laissez tous ici!

— Et où est mon régiment de Schliesselburg?

— Serbinovitch le sait sûrement! Allez voir Serbinovitch! Nous aussi nous partons! Nous nous sommes trop avancés.

Nippenstroem était pressé : il devait envoyer, pour la deuxième fois, un message radio au 13ᵉ corps d'armée pour dire que le 6ᵉ avait été attaqué par de puissantes forces ennemies et n'irait pas prêter main forte au 13ᵉ à Allenstein. On l'avait déjà prévenu une fois, et le 13ᵉ avait accusé réception mais sans donner de réponse.

Ce mouvement en direction d'Allenstein, non, vraiment, il n'y avait pas moyen de l'exécuter. Pour s'épargner des désagréments et ne pas risquer de voir ses décisions contrées, Blagoviechtchenski avait donné ordre de ne pas en rendre compte, pour le moment, à l'état-major de l'armée, et d'en informer simplement son voisin.

Entre deux fenêtres gothiques, dans la pénombre, Nietchvolodov, long, maigre, immobile, se détachait sur le trumeau, semblable à la statue oubliée d'un chevalier.

Il resta là un moment, tapotant des doigts le mur de pierre.

Les officiers de l'état-major déplaçaient et chargeaient une grande boîte en forme de coffre.

Et Nietchvolodov ne chercha plus personne et ne posa plus de questions. Il sortit. Il monta en selle. Il commençait à s'éloigner tout en écoutant Rochko lui annoncer que le détachement s'enfonçait déjà vers le nord et que le régiment de Schliesselburg était introuvable.

C'est alors qu'on entendit du bruit venant de l'état-major. Nietchvolodov tourna la tête. On mettait en marche le moteur de l'automobile. Le général Blagoviechtchenski, en toute hâte, descendait, coupant à l'oblique, le large escalier de granit, sans voir Nietchvolodov ni qui que ce fût sur la place. Le chef d'état-major et quelqu'un d'autre encore, qui portait des rouleaux de cartes, le suivaient au pas de course.

Ils montèrent dans l'automobile. Les portières claquèrent. Sur la petite place, l'automobile fit un virage pour prendre la direction opposée. Blagoviechtchenski ôta sa casquette et fit un grand signe de la Croix.

Étaient-ce les soubresauts ou bien le vent — ses cheveux gris étaient défaits sur une tête de bonne femme incapable de s'y retrouver même dans sa batterie de casseroles.

Nietchvolodov, au trot, sortit de la ville, accompagné de sa suite.

19

— Mon lieutenant! Hep! Mon lieutenant! criait-on gaiement.

Iaroslav, qui était dans la queue devant le puits, se tourna vers la route

Une demi-batterie — quatre canons — s'approchait et celui qui avait crié, s'adressant à Iaroslav, c'était cet adjudant-chef à la tête sphérique qu'il connaissait depuis avant-hier (n'était-ce pas il y a un mois?) : c'étaient précisément ces canons-là que la section de Kharitonov avait aidé à dégager des sables.

— Ah! s'exclama Iaroslav, tout content, et il leva les deux bras, le saluant à la manière non pas d'un officier mais d'un gamin. — Vous voulez de l'eau?

— Et elle est comment votre eau? C'est pas de l'eau-de-vie, des fois? demanda l'adjudant trapu, tassé, au poitrail bombé, aussi gai, cette fois encore, que la dernière fois.

— Elle est dou-ou-ce, allez-y! répliqua, dans la queue, un fantassin d'une autre unité. Un peu de poussière sur le dessus, un peu de sable au fond...

Déjà le soleil avait sérieusement glissé sur l'épaule gauche, mais il faisait encore très chaud.

— Figurez-vous que le puits disparaissait sous un ramassis de planches, mais nous l'avons dégagé! expliquait Iaroslav d'une voix criarde dont la sonorité enfantine lui faisait honte mais qu'il n'arrivait absolument pas à grossir. C'est de l'eau très supportable, vous les voyez boire, tous!

L'adjudant ôta sa casquette et fit signe à ses hommes de s'arrêter. Il avait une tête dégarnie, toute ronde, toute jaune, semblable à la boule d'un fromage hollandais, à cette différence près qu'elle était plus volumineuse. Et, fixées à cette boule, devant, il y avait des moustaches couleur de blé, bien fournies et qui se terminaient en pointes.

Le puits se trouvait à l'entrée d'une propriété composée de quelques bâtisses spacieusement disposées sur une vaste clairière. On avait rangé les canons sur le côté. Les conducteurs portaient des seaux d'eau destinés aux chevaux tandis que les servants traînaient un bidon au couvercle vissé que, très probablement, ils avaient déjà réussi à piquer aux Allemands.

L'artillerie faisait des jaloux parce que, sur ses roues, elle emportait le superflu indispensable. Et pas seulement pour ça. Iaroslav confia amèrement à l'adjudant :

— Vous, vous avez des soldats qui sont des soldats, c'est vrai quoi! Tandis que moi : on les enlève à la charrue pour les projeter en Allemagne... Qu'est-ce que je peux faire avec ça?

L'adjudant souriait, content :

— Nous, c'est de la science! Les culs-terreux, on n'en a rien à faire.

L'adjudant était tellement homme posé, ferme, et si sensiblement l'aîné de Iaroslav, que le tout jeune officier se sentait gêné d'avoir des étoiles, gêné de le dépasser en grade et même en taille avec, à côté de ça, une silhouette toute frêle. Cette gêne, Iaroslav s'efforçait de la compenser par une attitude aimable, non militaire.

— Excusez-moi, comment faut-il vous appeler?

— Adjudant quoi! disait l'autre avec un sourire, tout en essuyant la sueur de son visage basané.

— Mais comment vous appelez-vous?

— On s'appelle pas entre militaires, fit le fromage hollandais à travers sa moustache frissonnante.

— Entre hommes, on s'appelle.

— Moi, on m'a jamais appelé autrement que Terenti.

— Et votre nom?

— Tchernega. Et vous? demanda-t-il, tout machinalement pourtant, parce que, au-delà de Iaroslav, au-delà du puits, là-bas, du côté de la propriété, son regard s'était fixé, attentif, et ses petites oreilles aussi. Et aussitôt, s'adressant au sous-officier d'artillerie, sans presque le chercher, sans se tourner vers lui, il ordonna :

— Kolomyka! Dis donc, c'est pas des poules qu'on entend là-bas? Vas-y voir. Prends deux types avec toi. N'oublie pas d'emporter un sac, et puis ménage pas les coups de bâton.

Iaroslav fut choqué : des artilleurs tellement bien, un adjudant tellement bien, et eux aussi!? Qui tiendrait le coup alors! Il prévint :

— La propriété a déjà été nettoyée. Il n'y a personne et on a tordu le cou au dernier coq. Dans le jardin, c'est vrai, il y a des pommes.

Dans le jardin, des soldats traînaient çà et là, on les voyait d'ici. Et il y en avait encore d'autres qui s'y infiltraient — pas d'autorisation, pas de surveillance. Du reste, ce n'étaient pas, semblait-il, des hommes de la section de Kharitonov — ceux-là, rompus, étaient trop contents de pouvoir rester un peu assis tant qu'on ne les remettait pas en marche.

Mais Tchernega n'en démordait pas :

— Faut voir là-bas, derrière les plates-bandes, un peu plus loin. Je sais ce que je dis. Prenez aussi deux seaux et allez jeter un coup d'œil dans les remises. S'il reste de l'avoine, faites signe, on s'en occupera.

Tchernega prenait ses dispositions avec beaucoup d'assurance, sans rien demander à ses officiers. Mais voyant que le sous-lieutenant aux taches de rousseur, si serviable, était choqué, il passa aux éclaircissements :

— L'artillerie, vous savez ce qu'il lui faut? De l'avoine et aussi de la viande. Autrement, les chevaux ne tirent plus le canon, les mains ne soulèvent plus l'obus. Avec une oie rôtie dans la fonte, voilà ce que j'appelle la guerre!

Cela, il l'avait ajouté d'une voix traînante, et à l'image de l'oie rôtie il en avait le visage qui fondait. Et, vrai, où était le mal? Mais, à y réfléchir... Iaroslav en était tourmenté.

— Le soldat, c'est un brave homme, ce n'est pas lui, c'est sa capote qui maraude, poursuivait Tchernega, essayant de le tranquilliser. Nous, on n'a de *légère* que la dénomination. Le canon, chez nous, en armement, il fait ses 125 pouds [1]. L'obus, il n'est pas loin du demi-poud. De quoi s'amuser au lancer, non?

Sur une grosse poutre posée par terre était assis Kozèko, les jambes repliées, son fidèle livret de campagne posé sur les genoux. Il y prenait des notes. L'œil et l'oreille perpétuellement aux aguets, il ne manquait pas non plus de braquer sur Tchernega des regards attentifs — désapprobateurs.

Là-dessus, le capitaine cria de loin :

— Kharitonov! Vous me remplacez, je reviens tout de suite! et, accompagné de deux soldats, il poussa au-delà de la propriété et tourna derrière les plates-bandes vers l'endroit où Tchernega avait déjà envoyé ses hommes.

Kozèko le suivit d'un regard perçant. Et de nouveau,

1. 1 poud = 16,38 kg. (*N.d.T.*)

il retournait à son carnet. Il écrivait tout en croquant dans une pomme. Était-elle acide, était-ce de désagrément — il grimaçait.

Le puits était en béton et surmonté d'un petit auvent dont l'ombre était déjà longue. A grand fracas, des bras vigoureux de soldats, tournant la manivelle, tirant la chaîne, faisaient vivement descendre et remonter toujours le même seau. On transvasait aussitôt dans les gamelles, dans d'autres seaux, se pressant les uns les autres, se traitant d'empotés et de manchots, se poussant, éclaboussant alentour et pataugeant dans la boue tandis que les gamelles déjà vidées se tendaient de nouveau, cherchant à se trouver sous le filet d'eau. Leurs seaux remplis, les artilleurs les emportaient à toute allure mais sans rien éclabousser, vers les grosses lèvres tendres des chevaux désharnachés. On hurlait contre les artilleurs : avec des bidons pareils, aucun puits n'y suffirait! Et pas de provisions, ah mais! Pas de provisions! Buvez tant que vous voudrez, mais sur place. Hep là, doucement, ce n'est pas fait pour s'arroser la tête, bougres d'andouilles! Vous avez le lac, allez vous y tremper jusqu'au cou.

A travers leur propre rumeur, leurs jurons et le cliquetis environnant, tous s'étaient déjà habitués au grondement continu sur la gauche, du côté encore ensoleillé, au grondement du combat. Ils semblaient même ne pas l'entendre. Entre eux et ce combat, là-bas, il n'y avait pas beaucoup de verstes, mais il y avait beaucoup de lacs. Aujourd'hui, toute la journée, tout le temps qu'ils avaient marché, sur leur gauche, il y avait toujours eu des lacs, petits et grands, près et loin. Et ce n'était pas seulement le commandement, c'étaient aussi les lacs qui faisaient que leur route s'écartait vers le nord, se séparait en toute sécurité du combat voisin.

Des lacs, il y en avait aussi à droite. Et, une heure plus tôt, ils avaient emprunté un isthme boisé qui ne faisait guère plus de six cents mètres, entre deux grands lacs, celui de Plauziger et de Lansker dont on ne distinguait que très confusément, à l'œil nu, les rives opposées. Et ils avaient tant peiné dans ce long couloir boisé, désert, entre les lacs, qu'à présent, bien que l'espace se fût ouvert devant eux, rien d'autre ne pouvait concerner leur division, hormis ce qu'il y avait dans ce couloir — où il n'y avait rien, ni personne.

On apporta à boire à Terenti. L'eau était froide, elle saisissait à la gorge et elle était un peu trouble, mais les entrailles en voulaient, encore, plus encore.

Tchernega s'assit sur la poutre, invitant Iaroslav à venir le rejoindre. Il prit une blague fermée par un cordon coulissant, l'ouvrit.

— Dans ma pipe du tabac, à bas les tracas. Vous ne fumez pas, mon lieutenant?

Sur la soie noire de la blague, au fil framboise, savamment, patiemment, avec des fioritures, avait été brodé : T.T.

— Eh bien, dites donc, la terre en rugit, disait Tchernega tout en jetant des regards à la rive ensoleillée. Et nous, là, on avance, sans fouiller les forêts, et il n'y a pas de doute, ils sont là, perchés dans les pins, à nous regarder dans leurs jumelles, et ça téléphone, ça téléphone. En ce moment même, ils sont là perchés, et par téléphone l'état-major allemand sait tout sur notre compte, sait qu'on est en train de boire de l'eau, poursuivait Terenti avec conviction, regardant la forêt qu'ils venaient de quitter.

Mais, en contradiction avec le sens inquiétant de ses propos, il ne s'y précipitait pas, ne manifestait aucune émotion — était-ce de la paresse, était-ce cette force dont il regorgeait?

Le sous-lieutenant Kozèko, lui, soudain inquiet, leva la tête et dit :

— Et les avant-postes! Nous fonçons à telle allure que les flancs-gardes se trouvent rigoureusement à la hauteur des compagnies. Et les pointes d'avant-garde, eh bien, il arrive que la colonne les dépasse. Rien de plus facile que de nous étendre tous à la mitrailleuse.

— Le pire, reprit Kharitonov, inquiet lui aussi, c'est qu'on n'y comprend rien. Aujourd'hui encore, on a déjà fait quinze verstes. Aux toutes dernières nouvelles, d'après l'ordonnance du commandant du régiment, il y en aurait encore dix à faire avant ce soir. Ce matin, on avait lancé le bruit qu'une division japonaise arrivait à notre aide.

— Je l'ai entendu dire moi aussi, fit Tchernega, hochant la tête, soufflant placidement sa fumée.

Il respirait la force, à ne savoir qu'en faire.

— Allons donc, quelle ineptie! Et pourquoi les Japonais? A moins que ce ne soit une de nos divisions qu'on aurait retirée de là-bas?...

— On dit aussi que Guillaume en personne a pris le commandement des troupes en Prusse orientale, rajoutait encore Tchernega, qui, d'ailleurs, ne se souciait pas plus de Guillaume que de tout le reste.

Kharitonov sentait en Tchernega quelque chose

d'aîné, de bon, de sûr. Et bien qu'il ne convînt point à un officier de déplorer, devant un adjudant, l'imbécillité de ses chefs, il dit :

— Et avant-hier? On nous a fait faire trente verstes aller et retour pour rien! Bon, à l'aller, c'était pour prêter main-forte. On n'avait plus besoin de nous! Passons. Mais au retour, on aurait tout de même pu penser à nous diriger directement, sans nous faire retourner à Omulefofen? On pouvait très bien se priver d'Omulefofen! Et on aurait eu, nous aussi, une journée de repos, comme l'autre division.

Tchernega, lui, fumait. Il comprenait, il hochait sereinement la tête. Cette sérénité qui admettait tout, voilà justement ce que Iaroslav aurait tant aimé faire sienne.

— Et derrière, il y a une heure, vous avez entendu cette fusillade? poursuivait Kozèko. C'est bien possible que les Allemands aient fait une brèche dans nos arrières.

Tchernega, sa pipe au coin des lèvres, la serra entre ses dents.

— Qu'est-ce qu'il écrit, l'autre? Il serait pas en train de nous enregistrer, des fois?

Iaroslav riait maintenant.

— Vous êtes militaire de carrière?

— Non, non! Pas si bête.

Sur sa tête globulaire, la casquette tenait crânement de côté, et tenait bien.

Iaroslav se demandait ce qu'il pourrait poser comme question pour satisfaire son besoin de savoir quel genre d'homme était cet adjudant, comment le comprendre.

— Et vous êtes... de la ville? De la campagne?

— Eh ben, c'est plutôt... la province, répondit Tchernega avec embarras, sans plaisir.

— C'est quelle province?

— Peut-être Koursk... ou bien Kharkov? fit-il, rembruni.

Iaroslav n'avait pas envie de renoncer à la compagnie de ce gaillard tellement savoureux. Si seulement il avait su comment mener la conversation avec lui :

— Vous êtes marié? Vous avez des enfants? demandait-il avec prévenance, comme si d'avance il avait répondu affirmativement à la place de Tchernega.

Et Tchernega regarda le sous-lieutenant de ses yeux-billes-bien-roulantes :

— A quoi ça sert de prendre femme quand il y a celle du voisin?

Là-dessus arriva à fond de train le sous-officier d'artillerie. Il informa son adjudant, à voix basse, afin que les autres ne l'entendissent pas :

— Il y a de l'avoine! Et des jambons fumés! Et un rucher. Le propriétaire n'est pas là. Parti depuis ce matin. Il n'y a qu'un gardien, un Polonais qui dit : prenez tout ce que vous voulez! Pour le moment, j'y ai posté des sentinelles! Faut faire vite! L'infanterie rafle déjà les chevaux, pille la basse-cour.

En un instant, Tchernega était devenu un homme actif. Il bondit sur ses jambes courtes, vigoureuses. Il n'attendait que cela. Il cria :

— Allez les gars! A cheval! Et que ça saute! En avant! — Et, s'adressant à Kolomyka : Prends la tête de la colonne, moi je vais prévenir le capitaine.

La boule de fromage, encore tout en sueur sous sa casquette plantée de côté, observait, le regard plein d'assurance, à travers les petites fentes de ses yeux.

Et tous les canons se dirigèrent vers le tournant, se postèrent là et les caissons d'artillerie virèrent derrière les plates-bandes.

A leur rencontre, de derrière les plates-bandes, surgirent allégrement deux cabriolets attelés de deux chevaux et une carriole à ressorts.

Kozèko, aux aguets, ne perdait rien de la scène. De loin, il avait tout saisi, tout jugé, et aussitôt il commenta :

— Eh oui, tantôt c'était le chef de bataillon qui roulait en cabriolet et maintenant ce sont aussi les capitaines qui roulent en cabriolet et l'aumônier en carriole. On prend les hommes de troupe pour en faire des cochers. Il n'y aura bientôt plus personne pour se battre.

— Ça va! fit Iaroslav, agacé. Et vous-même, vous vous êtes gêné pour prendre des pommes?

— D'accord, j'ai eu un moment de faiblesse. — Et Kozèko, sans regret, jeta la pomme qu'il était en train de manger. — Je n'ai besoin de rien qui me vienne de l'Allemagne, tout ce que je demande, c'est de m'en tirer vivant...

— Vous vous en tirerez! Vous vous en tirerez sûrement

— Qu'est-ce qui vous fait dire ça? fit Kozèko en levant de son bloc-notes un regard rempli d'espoir. Bien sûr, un coup direct est peu probable, mais un shrapnel...

— Qui ne prend pas de risque ne risque rien! On vous enverra faire les achats de bestiaux! Rangez-moi ce journal intime, faites former les rangs!

Le soleil n'était plus très haut, et, même sans combat, il leur faudrait aujourd'hui marcher jusqu'à la nuit et dans la nuit. Un autre bataillon s'était approché du puits tandis que les compagnies placées en tête de leur bataillon déjà se mettaient en rangs, déjà se mettaient en route. Iaroslav commença de rassembler et de former sa section.

Derrière, se frayant un chemin à travers l'infanterie traînante et trébuchante, chevauchaient quelques capitaines et officiers supérieurs accompagnés de six Cosaques de la garde du corps — deux d'entre eux avaient des pansements tout frais. Le colonel qui était devant, sombre, non rasé, arrêta son cheval, regarda Kharitonov. Le sous-lieutenant frêle et empressé accourut, se mit au garde-à-vous, fit son rapport.

Juste à ce moment-là, de derrière les plates-bandes, parvint le glapissement reconnaissable entre tous, et qu'on entend de loin, le glapissement d'un cochon.

— Ce sont vos soldats, lieutenant, qui se livrent au pillage?

— Non, mon colonel! Mes soldats, les voici.

— Et pourquoi n'êtes-vous pas en marche? Où est le capitaine?

Kharitonov tourna rapidement la tête : le cabriolet du capitaine n'était plus là.

— Je le remplace, dit-il, se souvenant soudain.

— Vous serez puni! dit le colonel sans méchanceté, distraitement. Vous avez l'ordre de maintenir une marche forcée. Vous devez, aujourd'hui, atteindre une voie ferrée et continuer le long de cette voie ferrée, à droite, sur cinq verstes, et vous voilà avachis près d'un puits. Où est le commandant du bataillon?

— Devant, mon colonel.

Iaroslav comprenait de moins en moins : les Allemands étaient à gauche et nous, nous tournions à droite?

Les cavaliers repartirent. Si eux, du moins, avaient compris quelque chose dans cette errance à travers les isthmes boisés!

C'étaient des officiers d'état-major du 13e corps d'armée. Une heure auparavant, ils avaient échappé de justesse à la mort : ils avaient essuyé un feu nourri de la part de leur propre infanterie qui les avait pris pour des Allemands. Ils n'en attendaient pas moins d'ailleurs (hier, de la même façon, les Russes avaient tiré sur une automobile de l'état-major et l'avaient détruite) et c'est pourquoi ils avaient pris, pour les accompagner, six Cosaques qu'on distinguait bien grâce à leurs piques. Il n'empêche qu'à deux cents pas, l'infanterie russe, les ayant pris pour les premiers Allemands qui, enfin, se montraient, les avait attaqués.

Ils étaient porteurs du tout dernier ordre de l'état-major de l'armée : accélérer le mouvement de leurs corps d'armée sur Allenstein! Et pendant ce temps-là il était parvenu du 6e corps d'armée, perdu au loin sur la droite, un message radio apparemment important, étant donné qu'il avait été émis par deux fois, coup sur coup. Pourtant, personne dans l'état-major du 13e corps d'armée n'avait pu le déchiffrer : pour une raison ou pour une autre, les codes ne correspondaient pas. Et à l'état-major, on ne savait que penser.

Les cavaliers restèrent un moment près des canons, rattrapèrent le commandant du bataillon dans son cabriolet, puis un autre. A tous, le colonel adressait des menaces, faisait comprendre qu'il s'agissait d'avancer à marches forcées.

Après avoir dépassé le régiment, puis après trois verstes encore à travers la forêt, ils débouchèrent au bord de la route sur les cadavres de deux Allemands, des civils exposés là, troués par des piques, défigurés par des coups.

— C'est le travail de vos Cosaques, je n'en doute pas, dit le colonel à l'adjudant cosaque, blessé au moment où il arrêtait la fusillade de l'infanterie.

L'adjudant haussa l'épaule, ne répondit rien — sa mâchoire était bandée.

Et sur le côté, d'une maison isolée, il s'échappait une épaisse fumée noire, présage d'un redoutable incendie.

20

A cinq heures de l'après-midi, n'ayant attendu l'arrivée de Nietchvolodov que pour lui transmettre l'ordre de prendre position et de tenir (les instructions ultérieures lui seraient communiquées par écrit) le général Komarov, commandant de la division, quitta les lieux avec son état-major à la suite de l'état-major du corps d'armée. La mission, il l'avait communiquée non pas le doigt sur une carte, mais en faisant tourner sa main en l'air, — cette attaque allemande venant du nord avait été « extrêmement inattendue », il n'était même pas sûr que ce fût là leur véritable direction, peut-être avaient-ils engagé une aile? En tout cas, le régiment de Bielozersk tenait la ligne de défense du côté nord et c'était là qu'il fallait le relever. Il demandait à Nietchvolodov de ne pas prendre pour des Allemands les hommes de la demi-division de Richter qui étaient en train de contourner le lac Daddai par l'ouest et devaient, d'un moment à l'autre, arriver en renfort. Le colonel Serbinovitch, chef d'état-major de la division, ne put rien dire à Nietchvolodov, non seulement sur les positions et les forces de l'adversaire, mais encore sur les positions et la situation de nos propres unités restées en place. Les groupes d'artillerie lourde et de mortiers, il l'assurait qu'ils étaient là-bas, plus loin, quelque part à l'avant, et pour une raison ou pour une autre, il lui prit un bataillon du Ladoga. Pour le moment, il ne pouvait rien lui dire de précis sur le régiment de Schliesselburg qui, la nuit dernière, avait été dirigé vers l'est, et il ne pouvait préciser le lieu où se trouverait, à présent, l'état-major de la division, mais il promettait d'envoyer régulièrement des officiers d'ordonnance.

Et là-dessus ils disparurent tous tellement vite que Nietchvolodov ne s'en aperçut même pas. Il tomba sur un sous-lieutenant du régiment de Bielozersk qui lui déclara avoir vu, de ses propres yeux, le commandant de leur régiment monter, à l'instant même, dans l'automobile avec Komarov et partir avec lui pour Bischofsburg. Et leur régiment? Le régiment de Bielozersk avait, le matin, subi de lourdes pertes et devait maintenant se replier en totalité. Il restait pourtant, là-bas, à l'avant, quelque chose comme deux bataillons en position.

Et c'est ainsi qu'avec ses deux bataillons du régiment du Ladoga, Nietchvolodov avançait, à la recherche de son artillerie. Prudemment, envoyant des patrouilles, il progressait le long de la voie ferrée vers la gare de Rotfliess d'où l'arc du remblai devenait insensiblement une ligne droite, et c'est là que, derrière un bosquet, il aperçut effectivement une batterie de canons de 42 et, plus loin, une batterie d'obusiers lourds, en position de tir — le reste devait aussi se trouver dans les parages.

La poitrine tendue du général se relâchait.

A peine avait-il atteint la guérite de pierre, à la gare de Rotfliess, que déjà se présentaient le commandant du groupe des obusiers, un homme aux moustaches noires en tuyau, et le commandant du groupe d'artillerie lourde, le colonel Smyslovski, un homme pas très grand, absolument chauve, au crâne lisse comme un miroir, mais qui portait une longue barbe de magicien d'un jaune grisâtre et qui avait beaucoup d'assurance.

Durant les semaines passées, Nietchvolodov les avait vus deux ou trois fois, mais là, il remarqua tout particulièrement l'ardeur joyeuse qui brillait dans les yeux du colonel, comme si celui-ci n'avait attendu que l'heure du tir et rayonnait à présent que ce moment était enfin arrivé. (C'était déjà une joie de ne pas avoir à quitter des positions fortifiées.)

— Le groupe est au complet? demanda Nietchvolodov en lui serrant la main.

— Les douze pièces! lâcha Smyslovski.

— Et les munitions?

— Soixante par canon! Il y en a encore à Bischofsburg, on peut les faire venir.

— Tous sont en position?

— Tous. Et en liaison téléphonique.

C'était la grande nouveauté des dernières années que de relier par câbles les observateurs et les positions défilées des batteries — tous n'y réussissaient pas encore.

— Vous avez eu assez de câbles?

— J'en ferai encore poser jusqu'ici. Les hommes des mortiers nous ont aidés.

Nietchvolodov n'en demanda pas davantage, il n'y avait pas de temps à perdre — et quand bien même ils les auraient volés, ces câbles! Et puis, il avait vu le colonel de la section des mortiers lisser d'un air satisfait sa moustache en tuyau...

— Et chez vous?

— On en a soixante-dix.

Tout le reste, ici, ne se formulait pas. Il était clair qu'ils allaient faire feu, qu'ils n'allaient point fuir à moins d'en avoir reçu l'ordre. Ça, c'était une chance! — une artillerie pareille, des commandants pareils et une liaison par câbles!

Et tout était là soudain en suspens, encore une, trois, cinq minutes. Se faire une idée des lieux; déterminer la position de l'ennemi, celle des Russes; choisir les lignes de défense; y envoyer les bataillons du Ladoga; choisir avec les artilleurs un poste d'observation commun; installer les transmissions; régler sur les buts auxiliaires. Et si en une, trois, cinq minutes, tout n'était pas examiné, décidé, notifié, commandé dans le bon ordre et comme il le fallait, alors dans la demi-heure qui suivrait, rien ne serait fait comme il le fallait et si c'était justement pendant cette demi-heure que les Allemands arrivaient ou commençaient à bombarder, il ne nous servait plus à rien d'avoir des yeux rayonnants, une liaison par câbles et soixante obus par canon : ce serait la fuite.

C'était ce moment militaire où le temps se condense jusqu'à l'explosion : tout maintenant, rien plus tard!

— Il y a aussi un château d'eau tout près! annonça Smyslovski. Et en ce qui concerne les buts auxiliaires, c'est fait. Mais l'ennemi a un peu avancé.

Nietchvolodov, sans rien dire, baissa la tête pour passer à travers la porte basse de la guérite et sortit. Les artilleurs le suivirent.

Au pas de course, ils traversèrent les rails brûlants d'où montait une odeur d'huile chaude.

Nietchvolodov fit signe à l'un des commandants de bataillon (il ne lui restait plus de commandant de régiment — on peut toujours s'en passer) et donna l'ordre d'aller immédiatement relever le bataillon de Bielozersk, de voir si la ligne de défense avait été bien choisie, sinon d'en constituer une autre et aussi, s'ils tenaient à la vie, de creuser des tranchées, quand bien même on n'aurait pas le temps de les faire très profondes.

Par-delà la forêt lointaine se fit entendre un petit bruit sec, le son enfla et le petit nuage jaune d'un shrapnel allemand éclata devant eux, à gauche, au-dessus du château d'eau.

— Ils en ont déjà envoyé par ici aujourd'hui, fit

Smyslovski approbateur, mais nous n'avons pas bronché, alors ils ont cessé.

Ils se mirent à gravir l'escalier de bois. Nietchvolodov, tout en montant, dégageait ses jumelles de dessous son ceinturon. En haut de l'escalier, ils trouvèrent un local avec une vue vers l'ouest et vers le nord. Des téléphonistes y étaient déjà installés devant deux téléphones à ronfleurs. La fenêtre qui donnait sur l'ouest était vitrée et aveuglée par un soleil jaune bas. On n'y voyait rien pour le moment. La fenêtre nord offrait une bonne vue, la vitre était cassée et les jumelles ne se signaleraient pas par leurs reflets à l'attention des Allemands.

C'est là, entre les fenêtres, sur un coffre, près des téléphones, qu'on avait aussi déployé une carte.

Tout ce que ces hommes savaient de la situation, c'était ce qu'ils voyaient de leurs propres yeux, ce qu'ils comprenaient par eux-mêmes.

Les Allemands tirèrent un percutant, puis un autre. Tir de réglage, eux aussi, probablement. Au-delà de la grande ligne de chemin de fer, à GrossBessau, il y avait concentration, mouvement. Le long de la forêt aussi. Rien ne se dirigeait par ici, pourtant, ni en colonne ni en ligne.

Mais ils pouvaient se mettre en branle à tout moment.

— Et là-bas, à Gross-Bessau, il n'est pas resté de Russes? On ne va pas envoyer des pruneaux sur nos hommes?

— Sûrement pas, d'après mes conclusions.

— Il en est resté, et même beaucoup, fit le moustachu sérieux qui commandait les mortiers. Là-bas, justement, il n'en est resté que trop.

En effet, avant Rotfliess, il n'y avait pas eu de morts. Tous les morts, c'était après. Mais la question posée ne s'appliquait déjà plus à eux.

— Le soleil est à gauche, on pourrait faire du bon tir au nord, expliqua Smyslovski. Ils ont un mirador trigonométrique, si seulement on pouvait le leur raser!

A gauche, du côté du lac, une batterie allemande tirait, ce qui signifiait que, là aussi, il y avait de l'infanterie. Ce qui signifiait que Richter ne viendrait pas.

Nietchvolodov donna l'ordre de placer un autre bataillon du Ladoga face à l'ouest. Et aussi de partager entre les deux ailes la compagnie de mitrailleurs du régiment.

Et c'était tout. Après cela, il n'avait plus personne à sa disposition. Il restait encore tout un demi-cercle à droite, au nord-est et à l'est, mais on n'avait personne à y poster. Serbniovitch lui avait enlevé un bataillon du Ladoga et Nietchvolodov l'avait laissé faire sans rien dire.

Il fut un temps, dans sa jeunesse, où il s'échauffait, remettant toujours tout en question. Mais après des années de service, l'amertume avait pris le dessus et il se taisait, aussi bien quand on pouvait laisser faire sans rien dire que quand on devait supporter sans rien dire.

Du reste, d'un instant à l'autre, sur la droite, on pouvait voir apparaître les piques de la cavalerie de Rennenkampf.

Du reste, comme c'était déjà le cas lors de la guerre avec le Japon, ce n'est pas la cavalerie qui fait la guerre: la cavalerie, à la guerre, on l'épargne. On félicite les commandants en chef selon qu'ils ont plus ou moins bien préservé leur cavalerie.

Rennenkampf, on ne savait plus rien à son sujet, il était mort, il était muet.

Et, par conséquent, Blagoviechtchenski avait raison de se replier : avec qui pouvait-il espérer faire sa jonction?

Si la IIe Armée pénétrait en Prusse comme une tête de bœuf, alors eux, ici, en ce moment, à la gare de Rotfliess, figuraient la pointe de la corne droite. La corne avait pénétré dans le corps de la Prusse orientale sur les deux cinquièmes de son territoire. Tenant la gare de Rotfliess, ils coupaient la principale voie ferrée, l'avant-dernière, par laquelle les Allemands pouvaient se projeter tout au long de la Prusse. Il était clair que les Allemands ne pouvaient survivre sans cette gare. Et il était raisonnable que tout le 6e corps d'armée se rassemblât précisément ici.

On pouvait du moins bénir le sort qu'il ne fût point resté d'imbéciles affairés au-dessus d'eux, car il n'est rien de pire. Leur méchant petit groupe formait le bout de la corne mais, du moins, il ne tenait qu'à eux de ne pas faire de bêtises.

Deux commandants de batterie arrivèrent, qui se mirent à crier des ordres.

On pouvait tenir jusqu'à la nuit. Si seulement on avait eu quelqu'un à poster à droite, au tournant...

D'en haut, on voyait se replier les soldats de Bielozersk : l'infanterie avançait et on faisait rouler les cabriolets sur le côté, loin de la gare, à travers bois. Le tir des Allemands était plus menaçant et ceux qui s'en allaient de cet endroit impossible étaient bien contents de vider les lieux.

Nietchvolodov descendit du château d'eau.

Se dirigeant vers lui courait à grandes enjambées bondissantes un officier de haute taille au visage lisse, bien en chair, plein de témérité. D'un dernier bond il arriva devant le général, s'arrêta, fit son salut d'une main qui, emportée par son élan, partit derrière l'oreille ou peu s'en faut, et annonça d'une voix de basse, de très près :

— Excellence! sous-lieutenant Kossatchevski, commandant du bataillon du régiment de Bielozersk! Nous considérons comme une lâcheté de vous abandonner! Permettez-nous de ne pas nous replier!

Mais l'équilibre lui manqua, il trébucha, faillit tomber sur le général. Il y avait la même témérité dans ses yeux pleins de hardiesse sous des sourcils très bien dessinés.

Nietchvolodov le regardait comme s'il n'avait pas compris.

Puis un rictus féroce lui tira les lèvres de côté. Il répondit, mécontent :

— Allons... allons, voyons...

Puis, de ses longs bras, il étreignit Kossatchevski, trébuchant.

Tandis que la file de soldats, au loin, s'égrenait. Les cabriolets roulaient. Les hommes allaient, boitillant, vacillant.

Pouvaient-ils le vouloir — vouloir rester? Ou bien était-ce seulement leurs officiers? Ou bien seulement Kossatchevski?

— Et vous êtes combien?

— On a eu des pertes. Il y a deux compagnies et demie.

— Tournez par ici. Vous allez vous poster là, je vais vous montrer...

Déjà, un à un, nos obus sifflaient joyeusement, filant en tir de réglage.

Et de tous côtés arrivaient les fougasses allemandes — fouets d'acier rejaillissant tout noirs.

Et c'étaient maintenant des rafales.

Oui, mais voici qu'à notre tour nous tirions des rafales. Quatre coups — ça c'était Smyslovski. Six coups — c'étaient les mortiers.

Et le barbu chauve qui se frottait les mains, tapait des pieds, sautillait, accueillit Nietchvolodov en haut, dans le château d'eau :

— On l'a eue, mon général!! La trigonométrique, on la leur a soufflée!!!

Nietchvolodov, pourtant, n'eut pas le temps de le féliciter : ce fut, soudain, le fracas d'un arbre gigantesque qu'on abat, un sifflement féroce! ici!!

Le château d'eau fut secoué et s'enveloppa d'un nuage de poussière.

21

Lorsque les canons tonnent, on n'a pas besoin de patrouille pour savoir que l'adversaire ne fuit pas, que l'adversaire est fort. Lorsque les canons tonnent, c'est en fonction de la force et de la puissance de ce fracas que croît la force que l'on suppose à l'ennemi. On imagine que là-bas, au-delà des forêts et des collines, il y a, au sol, une masse tout aussi redoutable, une division, — un corps d'armée.

Et peut-être n'y a-t-il rien de tout cela. Peut-être n'y a-t-il que deux bataillons incomplets, plus un autre bien délabré, tandis que les coups de pioche ne font que commencer de creuser les trous des tireurs.

Mais il faut pour cela que les canons tirent judicieusement et pas n'importe comment. Il faut que les obus ne manquent pas. Il faut qu'ils tirent sans trahir leurs positions ni par la fumée, ni par la lueur du tir — et ceci, de jour comme de nuit.

Il en allait précisément ainsi chez Smyslovski et chez le colonel des mortiers. Et c'était ce qu'en avait attendu Nietchvolodov qui, du premier coup d'œil, avait reconnu en eux des commandants nés. Et quand on a affaire à un commandant-né, le succès d'une opération militaire dépend de lui pour plus de la moitié. Commandant-né, Nietchvolodov sentait qu'il l'était, lui aussi, et cela depuis sa naissance ou presque. C'était ce qui lui avait donné la force, à dix-sept ans, de quitter volontairement l'école militaire et de choisir le service actif, pour y parvenir au grade de sous-lieutenant, pas plus tard que ceux de son âge qu'on avait couvés en serre chaude, puis d'entreprendre ses études directement à l'Académie de l'état-major général, pour en sortir à vingt-cinq ans, non seulement parmi les premiers, mais encore en sautant un grade, à cause de ses remarquables succès dans les sciences militaires.

Aujourd'hui, ils étaient trois, réunis là d'une manière fort heureuse, et avec cela, Dieu avait envoyé Kossatchevski. Et la méchante poignée qu'ils formaient avait accompli l'impossible : à l'étroit en ce lieu situé près de la gare de Rotfliess, ils avaient, pour tout un soir, arrêté ces forces ennemies massives, sans cesse renforcées, appuyées par une puissante artillerie.

Tout d'abord, vers six heures passées, après un tir bref, les Allemands, venant du nord, avaient commencé leur avance sans même se mettre en ligne — non, ils avançaient en colonne, tant le succès de la journée leur avait donné d'assurance.

Mais là-dessus, deux groupes d'artillerie, à partir de cinq positions camouflées, de leurs vingt-quatre pièces au tir ajusté, avaient déversé sur eux une pluie oblique de shrapnels, les avaient pilonnés de leurs noires fougasses et les avaient fait reculer, disparaître dans le relief, dans la forêt.

Nos bataillons, cependant, se hâtaient de creuser leurs tranchées.

Les Allemands, perplexes, se turent.

Le soleil lentement déclinait.

Être prêt à y rester, à ne pas battre en retraite, à faire de ce combat le grand combat de sa vie, le dernier, celui qui clôt toute une carrière militaire, c'est là un sentiment naturel pour un commandant-né.

Et c'est ainsi qu'ils tenaient aujourd'hui, contraints par l'adversaire, par la situation, par les circonstances. Il n'aurait pourtant pas été mauvais d'avoir un ordre : étaient-ils là pour longtemps? y aurait-il du renfort? et que devaient-ils faire ensuite?

Mais rien ne venait. Elle n'arrivait pas, l'estafette promise avec des instructions, des explications, ou ne serait-ce que pour voir s'ils étaient encore en vie.

Partis en toute hâte, l'état-major du corps d'armée et l'état-major de la division semblaient avoir oublié la réserve qu'ils avaient laissée là — ou bien avaient-ils eux-mêmes cessé d'exister?

A dix-huit heures vingt, Nietchvolodov envoya un message au chef de la division, s'informant de la conduite à tenir. L'officier d'ordonnance ne savait même pas où le porter.

Les Allemands perdirent du temps pour observer, regrouper leurs forces. Ils gonflèrent et voulurent lancer un ballon captif qui leur aurait sûrement permis de repérer toutes nos batteries — mais quelque chose ne marchait pas, le ballon ne s'éleva pas. Ils déclenchèrent alors un triple tir, démolirent complètement le château d'eau, détruisirent entièrement la gare (l'état-major de la réserve avait couru se réfugier dans un abri de pierre à toute épreuve), puis ils se mirent à avancer, mais en ligne, prudemment, en utilisant les creux du terrain. De nouveau les batteries russes, n'ayant été ni repérées, ni réduites au silence, prirent ces creux comme objectifs et, grâce à leurs obusiers, purent atteindre les éléments entassés derrière les défilements.

Cependant, le soleil se couchait derrière le lac où déjà se dirigeait le pur croissant de la lune. Parmi les Russes, ceux qui la virent, ce fut par-dessus leur épaule gauche. Et les Allemands, ce fut par-dessus l'épaule droite.

Le jour s'éteignait. L'air fraîchissait à mesure que la nuit étoilée s'étalait. Le froid dispersait vite, la chassant vers le haut, l'odeur de brûlé de la fusillade, l'odeur des décombres. On enfilait les capotes.

Aux alentours de huit heures, les Allemands se

turent : était-ce sous l'impulsion commune à tous les humains de considérer que le soir met un terme aux efforts du jour, ou bien n'avaient-ils pas encore terminé leurs préparatifs?

Ayant donné ses ordres pour qu'aussitôt fussent distribués à tous le déjeuner et le dîner bloqués en un seul repas déjà prêt et pour que les bataillons fournissent chacun leurs pointes fixes, Nietchvolodov grimpa sur un pan de mur de la gare détruite. De là, profitant des dernières minutes grises, il scruta les lieux. Aussi longtemps que le cadran de l'horloge fut visible, il vit avec étonnement l'aiguille marquer huit heures, puis huit heures un quart... trois heures avaient passé, personne n'arrivait de l'état-major de la division.

Alors il descendit prudemment du mur démoli puis dans l'abri, projetant vers le haut, tout au long de la voûte, une ombre allongée. Nietchvolodov alla jusqu'à la bougie posée sur la dernière marche, il s'accroupit et, prenant appui sur ses genoux, il écrivit au chef de la division :

« 20 h 20, Gare de Rotfliess.

« Le combat s'est apaisé. J'ai vainement cherché à vous localiser (du moyen d'écrire autrement d'inférieur à supérieur : " Vous avez fui? "). J'ai pris position à la gare de Rotfliess avec deux bataillons du régiment du Ladoga. (Parler du bataillon de Kossatchevski, c'était impossible : qu'il ne se fût pas replié, c'était là une infraction à la discipline...) Je cherche une liaison avec le 13e, le 14e et le 15e régiments. (C'est-à-dire : avec tout le reste de la division. Du moyen de le crier plus fort!) J'attends vos instructions. »

Sorti de la cave, il expédia un courrier.

Et dans l'obscurité presque totale, il distingua Smyslovski, petit, barbu, qui venait vers lui d'un pas rapide.

Ils s'étreignirent. La casquette de l'autre se ficha dans le menton de Nietchvolodov.

Ils se tapotèrent l'un l'autre dans le dos.

— Peu de nouvelles réjouissantes, dit Smyslovski d'une voix joyeuse. Des obus, s'il en reste une vingtaine... La même chose chez les mortiers. J'ai envoyé en chercher. Je ne suis pas sûr qu'on en rapporte — allez savoir ce qui se passe à Bischofsburg!?

Mettre les batteries en ordre de marche? Cela signifiait la retraite.

Mais le succès, c'était ceci : dans chacun des deux groupes d'artillerie, il n'y avait que quelques blessés, et des blessés légers. On réunit les rapports des bataillons : il y en avait aussi très peu chez eux, — sans comparaison avec ce qui s'était passé le matin.

Celui qui résiste ne tombe pas. C'est le fuyard qui tombe.

— J'ai ramassé des éclats, disait Smyslovski tout réjoui. Ce qu'ils envoyaient avec leurs mortiers, c'était apparemment des vingt et un centimètres — pas mal!!! Ça peut démolir cet abri!

Les blessés des bataillons arrivaient. Le poste sanitaire aux fenêtres camouflées par des rideaux les expédiait à Bischofsburg.

Le bruit léger des voiturettes trahissait la chaussée.

Dans la gare, on voyait les officiers d'état-major, les estafettes passer en coup de vent, les téléphonistes se consulter, les infirmiers aussi, très posément, mais c'était pourtant une rumeur de satisfaction qui s'élevait de toutes parts.

Les hommes de Nietchvolodov qui, en chemin, avaient rencontré aujourd'hui tant de blessés terrifiés, se sentaient victorieux.

C'était le calme plat dans un air fraîchissant. Pas un son ne venait du côté des Allemands. Dans l'obscurité, on ne voyait pas les décombres. Le soir paisible, étoilé, se déployait en une coupole d'où la lune avait maintenant disparu.

— A neuf heures, ça fera quatre heures — dit Nietchvolodov, assis sur le toit incliné en pente douce de l'abri voûté. Il est bientôt neuf heures?

Smyslovski, qui s'était assis à côté de lui, leva les yeux vers le ciel, regarda à droite, à gauche ;

— Ça ne va pas tarder.

— Comment le savez-vous...?

— D'après les étoiles.

— Et c'est tellement précis?

— J'ai l'habitude. A un quart d'heure près, c'est toujours possible.

— Vous vous êtes particulièrement occupé d'astronomie?

— Comme le doit tout bon artilleur.

Nietchvolodov savait qu'ils étaient quatre frères, les Smyslovski, et tous officiers d'artillerie, et tous connaissant leur affaire, experts même. Il y en avait un que Nietchvolodov avait déjà rencontré.

— Vous vous appelez comment, vous?

— Alexis Konstinytch.

— Et vos frères, où sont-ils?

— Il y en a un qui est là, dans le 1er corps d'armée.

Nietchvolodov trouva dans la poche de sa capote une lampe électrique dont il avait oublié l'existence, une bonne lampe allemande qu'un sous-officier avait trouvée quelque part, aujourd'hui, et lui avait offerte. Il l'alluma pour regarder sa montre.

Il était neuf heures moins trois minutes.

Sans descendre du toit de l'abri, il donna à voix basse l'ordre de préparer un courrier à cheval. A la lueur de la lampe, prenant appui sur sa sacoche de campagne et déplaçant la tache de lumière, il écrivit au crayon-encre :

« Au général Blagoviechtchenski. 21 heures. Gare de Rotfliess.

« Avec deux bataillons du Ladoga, avec les mortiers et le groupe d'artillerie lourde, je constitue l'ensemble de la réserve du corps d'armée. J'ai engagé le bataillon du Ladoga dans le combat. Depuis 17 heures, je n'ai aucune instruction du chef de la division. Nietchvolodov. »

A qui d'autre écrire? Et comment, en langage militaire, déclarer plus clairement : voici quatre heures que vous avez tous fui, bande de crapules! Faites signe au moins! Ici, on peut encore tenir, mais vous tous, où êtes-vous?

Il lut son message à Smyslovski. Rochko le porta au courrier. Celui-ci partit. Nietchvolodov donna aussi l'ordre de renforcer les avant-postes des bataillons.

Ils se taisaient. Assis sur le toit oblique de l'abri, les bras autour de ses genoux relevés, Nietchvolodov se taisait.

Avoir une conversation avec lui n'était pas chose

facile. Smyslovski savait que c'était un général pas comme les autres, qu'à ses heures de loisir il écrivait même des livres.

— Je vous dérange? Je peux m'en aller.

— Non, restez, fit Nietchvolodov.

Et pour quoi faire — allez-donc le savoir! Il se taisait, baissant la tête.

Le temps traînait. Quelque chose d'inconnu pouvait être en train de changer, de bouger, de se déplacer dans l'obscurité.

Perdre la vie, mourir, c'est effrayant à dire comme ça, isolément. Mais être là, coincés à deux mille hommes dans une obscurité paisible, sournoisement néfaste, abandonnés, oubliés, on avait l'impression que ce n'était même pas effrayant.

Ce calme tout de même ! On avait du mal à croire qu'il y avait eu, ici, un tel tonnerre. A croire à la guerre en général. Les militaires se cachaient, dissimulaient leurs mouvements, étouffaient leurs bruits, et de civils, il n'y en avait point. Et il n'y avait pas de lumière. Tout était mort. La terre morte, d'un noir dense, opaque, était étendue sous le ciel vivant, moiré, où toute chose avait sa place, connaissait ses limites et ses lois.

Smyslovski s'était appuyé de tout son dos contre le toit pentu de l'abri. C'était confortable. Il lissait sa longue barbe et regardait le ciel. Dans cette position, il avait, juste devant lui, la chaîne de perles d'Andromède qui s'étirait vers les cinq étoiles dispersées, très brillantes, de Pégase.

Et, petit à petit, ce pur éclat éternel calma l'élan qui avait poussé le commandant du groupe d'artillerie à venir ici pour expliquer que ses remarquables batteries lourdes ne pouvaient rester sur des positions de tir sans munitions et pratiquement sans couverture.

Il resta encore un moment étendu et dit :

— Eh oui, c'est comme ça! Nous nous battons pour une certaine gare de Rotfliess. Et pourtant toute notre Terre...

Il avait un esprit vivant, mobile, riche, qui ne pouvait rester une minute sans absorber, sans produire quelque chose.

— ... Enfant prodigue de l'astre royal, s'il vit, ce n'est que par les aumônes de lumière et de chaleur qui lui viennent de son père. Mais tous les ans il y en a moins, l'atmosphère s'appauvrit en oxygène. Viendra l'heure où notre pauvre édredon sera usé et toute vie sur terre périra... Si tous pouvaient s'en souvenir continuellement, que signifierait alors pour nous la Prusse orientale?... La Serbie?...

Nietchvolodov se taisait.

— Et à l'intérieur... Une masse en fusion qui ne cherche qu'à sortir. L'épaisseur de la couche terrestre est d'une cinquantaine de verstes, c'est la peau fine d'une orange de Messine, ou la pellicule du lait en ébullition. Et tout le bien-être de l'humanité se trouve sur cette pellicule...

Nietchvolodov ne disait rien.

— Déjà une fois, il y a de cela dix mille ans, presque tout ce qui était vivant a disparu. Mais nous n'en avons tiré aucune leçon.

Nietchvolodov se reposait.

La convention tacite de passer certaines choses

sous silence s'était établie d'elle-même et se prolongeait entre eux. Smyslovski ne pouvait ignorer que Nietchvolodov avait écrit pour le peuple *le Dit de la terre russe*, et, appartenant au monde cultivé, de toute évidence il ne pouvait l'approuver. Mais de même que toute la guerre devenait réellement chose futile devant la grandeur du ciel, de même leurs divergences, en cette soirée, passaient à l'arrière-plan.

Elles passaient à l'arrière-plan sans disparaître pourtant tout à fait. Ne venait-il pas en effet d'évoquer la Serbie? La Serbie était opprimée par un rapace, un puissant, et il restait nécessaire de la défendre même face aux étoiles.

— Car enfin, d'où vient la vie sur Terre? Lorsqu'on tenait la Terre pour le centre de l'univers, il était tout naturel de considérer que tous les germes étaient déposés dans une créature terrestre. Mais à partir du moment où c'est une petite planète fortuite?! Tous les savants se sont arrêtés devant l'énigme... La vie nous vient on ne sait d'où, apportée par une force dont on ne sait rien. Et on ne sait pourquoi...

Cela, pour le coup, plaisait davantage à Nietchvolodov. La vie militaire, faite de commandements univoques, n'admettait pas d'interprétation ambiguë. Mais lorsqu'il lui arrivait de méditer, à ses heures perdues, il croyait à la dualité de l'existence qui expliquait aussi bien, pour lui, les miracles de l'histoire russe. Mais il était plus difficile d'en parler que de l'écrire — en parler, c'était quasiment impossible.

Nietchvolodov répliqua :

— Oui... Vous, vous voyez tout en très grand... Moi je ne sais pas voir plus grand que la Russie.

Voilà justement qui était regrettable. Et plus regrettable encore qu'un bon général écrivît de mauvais livres et vît là sa vocation. Pour lui, l'orthodoxie avait toujours raison contre le catholicisme, le trône de Moscou contre Novgorod, et les mœurs russes étaient plus humaines et plus pures que celles des Occidentaux. On se sentait beaucoup plus à l'aise de parler cosmologie avec lui.

Mais c'était fait, il était lancé :

— Vous savez bien que chez nous, on ne comprend même pas la Russie. *La patrie*, chez nous, il y en a dix-neuf sur vingt qui ne savent pas ce que c'est. Les soldats ne combattent que pour la foi et le tsar, c'est là-dessus que repose l'armée.

Avait-on d'ailleurs besoin d'évoquer le cas des soldats quand il était interdit, même aux officiers, de parler politique? Tel était le règlement militaire et ce n'était pas l'affaire de Nietchvolodov de condamner ce règlement du moment qu'il avait reçu l'approbation de l'empereur. Pourtant...

— Il est d'autant plus important que la notion de patrie soit un sentiment intérieur commun à tous.

Il ramenait tout de même les choses à son livre, semblait-il, et pourtant, il eût été mal venu d'en parler sérieusement. Alexis Smyslovski, lui, par toute son éducation, avait dépassé le tsar, dépassé la foi, mais quand il s'agissait de la patrie, là, il comprenait fort bien, il comprenait !

— Alexandre Dmitrievitch! Est-il vrai, je l'ai entendu dire, que, déjà sous le règne précédent, vous aviez proposé une réforme du corps des officiers? une réforme de la Garde? une réforme de l'ordre de service?

— Oui, c'est vrai, fit Nietchvolodov sans plaisir, sans expression.

— Et alors?

Sa voix devint à peine audible :

— Suivons le courant. Faisons comme tout le monde...

De sa lampe, il éclaira sa montre.

Les Allemands étaient-ils allés se coucher? Ou bien s'infiltraient-ils lentement, déjouant la vigilance des avant-postes? Ou bien nous tournaient-ils par une autre route pour, demain, nous couper la retraite? Fallait-il prendre des décisions? Agir? Ou bien attendre docilement? Que fallait-il faire?

Nietchvolodov ne bougeait pas.

Soudain on entendit tout près un léger bruit, un échange de propos, des reproches ponctués d'injures — Rochko amenait une silhouette vers l'abri :

— Excellence! Tenez, voilà ce nigaud qui nous a cherchés pendant cinq heures. S'il n'a pas passé ce temps à dormir et s'il ne ment pas, il a failli se retrouver chez les Allemands.

Et il tendit un message.

Ils l'ouvrirent. A la lumière de la lampe, ensemble, ils lurent :

« Au général de brigade Nietchvolodov, 13 août, 5 h 30 de l'après-midi... »

Ils lurent encore une fois, Nietchvolodov alla jusqu'à frotter le chiffre : oui, c'était bien 5 h 30 de l'après-midi!...

« Le commandant de la division vous a donné l'ordre de couvrir, avec la réserve qui vous a été confiée, la retraite des unités de la 4e division d'infanterie qui menaient le combat au nord de Gross-Bessau... »

Au nord de Gross-Bessau, répéta Nietchvolodov à l'adresse de Smyslovski, d'une voix morose, monocorde.

Au nord de Gross-Bessau. Au-delà, non seulement de l'infanterie allemande, mais aussi de ces canons qui avaient tiré ces dernières heures, au-delà du ballon captif ? Là où, après la confusion du matin, seuls les corps des soldats russes étaient restés étendus durant toute la chaude journée. Fallait-il avoir la tête envahie d'ombres délirantes pour pouvoir écrire : « au nord de Gross-Bessau »!

Nietchvolodov dirigea de nouveau le faisceau de sa lampe vers le papier : et que fallait-il faire après Gross-Bessau?

Mais était-il besoin de continuer? Plus loin, il y avait :

« Pour le chef d'état-major de la division, le capitaine Kouznetsov. »

Pas le chef de la division, non, pas même le chef d'état-major — eux, ils s'étaient bornés à lui crier quelque chose tout en bondissant déjà dans une automobile ou dans un char à bancs, tout en s'éloignant déjà — mais pour eux, pour eux tous, le capitaine Kouznetsov qui, du reste, lui aussi avait filé à leur suite, et qui, pour envoyer le message, n'aurait pu trouver d'estafette plus empotée.

Nietchvolodov éclaira sa montre, écrivit sur le message qu'il venait de recevoir : 13 août, 21 h 55.

L'ordre avait mis près de quatre heures et demie pour lui parvenir. Mais il aurait aussi bien pu ne pas être envoyé du tout : était-ce tellement différent de ce que

Nietchvolodov avait, de ses propres oreilles, entendu Komarov lui dire à cinq heures de l'après-midi?

Et durant ces cinq heures, ils n'avaient pas eu le loisir de se pencher sur le sort ultérieur de la réserve.

Nietchvolodov leva vivement la tête, comme s'il avait entendu quelque bruit.

Rien. Le silence.

A voix basse, il dit :

— Alexis Konstinytch. Laissez deux obusiers en batterie, et que les autres se mettent en ordre de marche, direction sud. Et que le groupe des mortiers fasse de même.

D'une voix forte :

— Micha! File au galop à Bischofsburg! Vois toi-même ce qu'il y a comme unités là-bas, ce qu'elles ont comme mission. Qui les commande. Vois si on nous amène des munitions pour nos batteries. Essaie de savoir où sont ceux du Schliesselburg. Et reviens au plus vite.

Rochko répéta toutes les questions — un vrai plaisir : savoureux, précis, pas un oubli, puis il fit un bond, héla son escorte qu'on entendit aussitôt accourir — et il y eut le bruit sourd, qui bientôt se tut, des sabots des chevaux contre un sol tendre.

Une heure et demie plus tôt, c'était expressément pour cela que Smyslovski était venu car laisser les canons en batterie sans munitions, c'était les perdre. Maintenant qu'il en avait reçu l'autorisation, voilà qu'il regrettait de se retirer.

Bien au contraire, il aurait suffi de cette nuit tranquille pour que tout le corps d'armée les rejoignît et se déployât à leurs côtés.

Se retirer, cela signifiait que tout son tir n'avait servi à rien, que tous les obus étaient partis pour rien et qu'il y avait eu des blessés inutilement.

Et la nuit semblait tellement tranquille, tellement sûre.

Une demi-heure plus tard, ou davantage, Smyslovski revint à l'état-major de la réserve et trouva Nietchvolodov toujours à la même place. Il s'appuya à côté de lui contre la voûte :

— Alexandre Dmitritch! Et les bataillons?

— Je ne sais pas. Je ne peux... fit Nietchvolodov, parlant avec difficulté.

Après, c'est toujours facile de juger : bien sûr, il fallait se replier, et au plus vite! bien sûr, il fallait tenir, et ferme! Peut-être qu'en cet instant précis on était justement en train de leur couper la retraite. Peut-être qu'en cet instant précis les renforts étaient justement en train d'approcher, n'avaient plus qu'une verste à faire. Mais pour le moment, abandonné de tous ses supérieurs, ne sachant rien sur l'armée, rien sur le corps d'armée, rien sur les troupes voisines, rien sur l'adversaire, dans le silence, dans l'obscurité, au fin fond d'une terre étrangère, allez-y, prenez donc une décision et surtout qu'elle soit infaillible!

Ne voulant pas déranger, n'osant pas peser sur sa décision, Smyslovski, sans mot dire, était là, soutenant de son épaule la voûte de l'abri, lissant sa barbe.

Et soudain, voilà que tout avait changé! Les ténèbres désertes s'étaient ranimées! sans le moindre bruit pourtant : laiteux, blanchoyant, épais, interminablement long, venant de quelque hauteur, apparut le faisceau d'un projecteur allemand!

Et d'une main insensible, meurtrière, hostile, il se mit à tâter lentement les lieux qu'occupait la réserve de Nietchvolodov.

D'un seul coup, tout avait changé dans le monde, comme si douze pièces d'artillerie lourde avaient fait feu.

Nietchvolodov, avec souplesse, bondit sur ses jambes, et courut tout en haut de l'abri. Et Smyslovski, en quelques bonds, le rejoignit.

Le faisceau cherchait. Il avançait lentement, très lentement, quittant de mauvaise grâce les bandes qu'il venait d'éclairer, de découper. Il avait commencé par la gauche, à partir du lac, et pour arriver jusqu'ici, il avait du chemin à faire.

Nietchvolodov appela, cria l'ordre à transmettre aux bataillons : sous le faisceau, ne bouger en aucun cas, se cacher.

On courut transmettre.

Rien qu'un faisceau et il changeait tout. C'était clair : seule la nuit retenait les Allemands. Dès qu'elle prendrait fin, ou dans le courant de la matinée, ils avanceraient.

Si on attendait jusqu'au matin, alors il faudrait, demain encore, tenir toute la journée.

Si on n'attendait pas, alors il fallait partir tout de suite.

Et un deuxième faisceau s'alluma, à une certaine distance du premier et formant avec lui un angle non convergent mais divergent : le deuxième faisceau passa sur l'aile droite de Nietchvolodov, sur les bataillons du Bielozersk.

Derrière ces muettes massues de lumière, quelle force pouvait-on supposer?

De nouveau Nietchvolodov appela, fit transmettre, tendant son long bras :

— Au colonel Kossatchevski : aussitôt que le faisceau se sera écarté, faire quitter au bataillon l'ordre de combat et l'amener sur la route.

Ceux-là, en tout cas, il ne pouvait pas les garder plus longtemps.

— Allez, on monte à la gare! proposa Smyslovski.

C'était trop bête de laisser passer le moment, de ne pas en profiter pour essayer de voir un peu soi-même. Ils quittèrent l'abri, coururent vers les décombres de la gare et, à la lueur de la lampe, passèrent sur un tas de briques, se dirigeant vers la poutre inclinée qui permettait de monter sur le mur.

Mais un bruit de sabots, derrière eux, les arrêta. Nietchvolodov reconnut la voix de Rochko.

Ils étaient de retour.

Bien qu'essoufflé, c'était pourtant toujours de cette même voix pleine de santé d'un jeune garçon de la campagne, à travers laquelle s'exprimait la jeune force du corps et le vermeil des joues, que Rochko annonça :

— A Bischofsburg, il n'y a pas un seul commandant supérieur. Je n'ai pas trouvé le détachement de tête du parc d'artillerie. Toutes les formations se sont mélangées. Dans les maisons, il y a les blessés. Personne ne sait où aller. Les uns ont l'ordre de se replier, les autres non. Le régiment de Schliesselburg est retrouvé! — ils viennent d'arriver à Bischofsburg venant de l'est. Ils ont reçu l'ordre de Komarov de se replier au-delà même de l'endroit où nous étions ce matin. Et il y a encore la division de cavalerie de Tolpygo qui pénètre dans la ville. Elle a l'ordre, elle, de marcher vers l'ouest. Tandis que de l'ouest, il y a la division de Richter qui est en train de se replier, il y a des convois... C'est le tohu-bohu. Dans les rues, pas moyen de fendre la foule. Ils n'auront pas trop de la nuit pour s'y retrouver! Terminé.

Les projecteurs, lentement, fouillaient aussi en profondeur. Après quoi ils se déplaçaient sur le côté.

Ils se rejoignaient.

Onze heures un quart. A la date du 13 août, la réserve de Nietchvolodov avait arrêté l'adversaire au sud de Gross-Bessau. Il n'y avait pas d'ordre pour le 14 août. C'était à Nietchvolodov qu'il appartenait de le rédiger.

Et, debout sur le tas de briques brisées, dans les décombres de la gare, surveillant du regard le faisceau du projecteur qui approchait, Nietchvolodov articula doucement, avec même un rien de paresse :

— Nous nous retirons, Alexis Konstantinovitch! Faites quitter leurs positions aux dernières batteries. Faites progresser vos deux groupes d'artillerie vers les confins nord de Bischofsburg. Là, à tout hasard, voyez un peu comment se présente la situation et attendez-moi.

— A vos ordres, répondit Smyslovski. *Feci quod potui, faciant meliora potentes.*

Il s'en alla.

— Rochko! Fais dire aux bataillons du Ladoga de quitter sans bruit les lignes de défense et de venir ici.

Dans la gare, tout se figea : une tache lugubre, blafarde, une lumière morte était venue s'y poser. On était là, debout ou assis derrière les bâtiments, derrière les arbres. Dans les abris, les chevaux s'agitèrent. Ils hennissaient, tiraient sur les brides. Ordre avait été donné de les tenir solidement.

C'en était humiliant d'impuissance que d'avoir à se figer, pris dans cette lumière immobile : si le rayon ne bougeait plus, c'est toute la nuit qu'on aurait passée ainsi.

Mais c'était pire encore de voir le projecteur ramper, menaçant.

Le faisceau s'éloigna.

On levait le camp. Nietchvolodov descendit dans l'abri. Il rédigea son dernier ordre. Avant d'éteindre la bougie, il regarda encore longuement la carte.

Le 6e corps d'armée refluait, libre comme une boule de billard, ronde, lisse, sans attache, sans soucis.

Il laissait l'armée Samsonov exposée sans défense à un coup sur sa droite.

*

CORNE IL Y AVAIT, DIEU L'A BRISÉE.

23[1]

(ÉTAT DE LA SITUATION AU 13 AOUT)

> La témérité de corbeau du général Jilinski n'osait envisager d'encercler, en Prusse, un territoire plus large que l'angle formé par les lacs de Mazurie!

1. L'auteur ayant supprimé le chapitre 22 de son manuscrit définitif, a volontairement maintenu la numérotation antérieure des chapitres. (N. d. l'É.)

Et pourtant, un coup d'œil sur la carte aurait suffi à n'importe quel collégien allemand pour comprendre combien était vulnérable à une attaque russe tout le bras constitué par la Prusse orientale, exposée vers l'est et coincée sous l'aisselle pai le royaume de Pologne. Le plan des Russes était facile à prévoir : ils allaient amputer la Prusse. A l'est, du côté du Niemen où l'armée allemande, de toute façon, n'oserait pas attaquer pour ne pas allonger davantage son bras vulnérable, les Russes allaient installer un léger rideau de troupes, des forces de diversion. Et pendant ce temps-là, le gros de leur armée allait faire pression sous l'aisselle à partir du Narev et attaquer vers le nord.
S'il s'était agi d'une terre étrangère située loin de l'Allemagne, on aurait pu, devant une situation aussi défavorable, la céder en attendant. Mais cette terre-là avait engendré l'Ordre teutonique, elle était le berceau des rois de Prusse, elle devait donc être défendue quelles que fussent les circonstances.
Lors des grandes manœuvres annuelles, cette situation avait déjà été plus d'une fois mise à l'épreuve par le commandement allemand, et un plan énergique de contre-attaque avait été élaboré : grâce à un important réseau routier et ferroviaire qui devait être préalablement renforcé, on se dégageait de la poche en deux ou trois jours et on arrivait à frapper énergiquement le flanc de la principale concentration des forces de l'ennemi, à la surprendre, à l'encercler, à l'écraser même.
Il est vrai que depuis la guerre russo-japonaise, le danger semblait moindre et les instructions disaient : « Il n'y a pas lieu d'attendre de la part du commandement russe ni qu'il exploite rapidement des circonstances favorables ni qu'il exécute avec rapidité et précision une quelconque manœuvre. Les mouvements des troupes russes sont extrêmement lents, les décisions, la transmission et l'exécution des ordres se heurtent à de grands obstacles. On peut se per-

mettre, sur le front russe, des manœuvres qu'on ne pourrait entreprendre avec un autre adversaire. »
Malgré cette appréciation, les opérations engagées par les Russes en août 1914 stupéfièrent! Ce qui s'ébranla à l'est n'avait rien d'un rideau de diversion. Cela atteignait une dizaine de divisions d'infanterie et cinq de cavalerie, dont deux divisions de la Garde, la fleur de Saint-Pétersbourg. Tandis qu'au sud, durant ces mêmes journées, les Russes n'avaient nullement passé la frontière — en fait, ils n'étaient même pas à la frontière!
Perfide énigme! Pourquoi le mouvement des armées russes n'était-il donc pas synchronisé? Pourquoi l'armée du sud ne se hâtait-elle pas de devancer celle de l'est pour tenter l'encerclement? Fallait-il interpréter cela comme la dernière nouveauté de la stratégie russe : au lieu des théories d'encerclement qui étaient à la mode, ils choisissaient tout simplement de repousser l'ennemi, de le mettre dehors, ce qui de toute évidence exprimait la candeur propre au caractère national russe, si dépourvu de malice (*das russische Gemüt*)?
Eh bien, il n'y avait qu'à attaquer, en attendant, l'armée Rennenkampf sur le Niemen! Et le plus vite possible car des retards dans les opérations pouvaient être fatals. Le général Prittwitz, commandant de l'armée prussienne, jeta presque toutes ses forces à l'extrémité orientale de la Prusse. Et la victoire aurait pu être assurée : Rennenkampf, avec toute sa cavalerie, ignorait à ce point l'approche de l'adversaire que, pour le 7 août, jour où le combat devait être déclenché, il avait accordé à toute l'armée une journée de *repos*. Il n'avait eu personnellement aucune influence sur le déroulement du combat, et sa cavalerie ne s'était pas battue, tandis que ses divisions d'infanterie se battaient chacune dans son coin. Et néanmoins, ce jour-là, les Allemands avaient été punis de leur mépris pour l'ennemi : leurs instructions, en énumérant les vices du commandement

russe, avaient omis de rappeler la ténacité des fantassins russes et la qualité de leur feu d'artillerie — on avait retenu la leçon de la défaite devant le Japon. A Gumbinnen, malgré son artillerie deux fois supérieure, l'armée de Prittwitz avait été taillée en pièces et la bataille perdue. Au soir de cette dure journée, on annonça à Prittwitz que, ce jour-là, les aviateurs signalaient l'approche d'importantes colonnes de soldats russes venant du Sud. Même si l'on avait gagné la bataille de Gumbinnen, il aurait fallu, à présent, décrocher, se dégager de Rennenkampf. Ayant perdu Gumbinnen, Prittwitz était tenté de se retirer tout à fait de l'autre côté de la Vistule, d'abandonner la Prusse orientale.

Au demeurant, le décrochage se passa très bien : commencé le soir même, en une nuit il représentait déjà la valeur d'une journée de marche. Toute la journée suivante, celle du 8 août, puis le 9, et même au matin du 10, Rennenkampf — seconde énigme surprenante que posaient les Russes ! — n'essaya pas de rattraper l'adversaire, de le piétiner, de l'anéantir, n'essaya pas d'occuper de l'espace, des routes, des villes, non, il ne *bougeait pas*, laissant se former un écart de soixante kilomètres, après quoi il s'ébranla avec la plus grande prudence, à raison de dix à quinze kilomètres par jour (préservant du moins les effectifs de sa cavalerie).

Ayant réussi à retirer, en quarante-huit heures, trois des corps d'armée qu'il avait engagés contre Rennenkampf, Prittwitz décida de ne pas se replier de l'autre côté de la Vistule, mais plutôt de se regrouper à l'arrière, vers sa droite, et d'attaquer l'aile gauche de l'armée Samsonov qui approchait, venant du sud. Car — troisième énigme posée par les Russes ! — leur armée du sud n'essayait ni de tâter un peu le corps d'armée qu'elle avait en face d'elle (celui de Scholz, qui protégeait la Prusse comme un bouclier oblique), ni de l'encercler, ni même de l'attaquer de front, et, avec assurance, elle se déplaçait en diagonale à travers un espace désert et passant *devant* Scholz en lui présentant son flanc.

Pourtant, les pronostics envoyés la veille par Prittwitz lui-même à ses supérieurs, et la vague d'alarme qu'avait causée à Berlin le flot des réfugiés venant de Prusse, accomplissaient leur œuvre. Le 9 août, à l'état-major allemand, il fut décidé ce qui suit : destituer Prittwitz, prendre sur la Marne, dans l'aile qui s'approchait maintenant de Paris, deux corps d'armée, l'un appartenant à la Garde et l'autre aux troupes de ligne. C'est ainsi qu'avaient été compromis la bataille de la Marne et le dessein d'en finir avec les Français en quarante jours pour, ensuite, combattre contre la Russie.

A la tête de l'état-major de l'armée de Prusse, on nomma Ludendorff qui venait de se couvrir de gloire en Belgique : « Peut-être arriverez-vous encore à sauver la situation, à éviter le pire. » Dès le 9 au soir, il était reçu par Guillaume, décoré pour la prise de Liège, et au cours de la nuit du 9 au 10, dans le train spécial qui l'emportait de Coblence vers l'est, il rencontrait le nouveau commandant de l'armée, Hindenburg qui, en retraite, avait été rappelé. Mais l'ordre qui les précédait, qu'ils envoyaient du train pour regrouper l'armée, Prittwitz, sans attendre, avait déjà commencé de l'exécuter. (Une pensée stratégique commune, inculquée sans exception à tous les chefs militaires allemands selon le testament de Moltke-senior : un grand capitaine n'est qu'un fait du hasard, le sort de la nation ne doit pas dépendre d'un tel hasard; grâce à la science militaire, une stratégie victorieuse doit aussi pouvoir être mise en œuvre par des individus moyens.)

Cependant, les Russes posèrent une quatrième énigme : les messages radio en clair! Sans cesse on apportait à Ludendorff, qui venait d'arriver (et même en route, une automobile rattrapait la sienne pour les lui transmettre) des messages radio russes qu'on avait interceptés entre l'état-major de la

IIe Armée et les états-majors des corps d'armée et aussi une dizaine de messages radio de la Ire Armée datant du 11 août, et qui fournissaient des indications précises sur la disposition des corps d'armée, leurs missions, leurs intentions et sur le degré de leur sombre ignorance de l'adversaire. Le 12 au matin, il y avait même eu un message radio donnant toute la disposition des forces de la IIe Armée! Et il était clair que la Première n'empêcherait en aucune façon d'écraser la Deuxième.

N'était-ce pas une ruse, tout de même, que d'exposer tout cela au grand jour? Et pourtant non, tout concordait : les rapports des aviateurs, ceux des services de renseignements, des sociétés de soutien à l'armée, les coups de téléphone des civils. Dans toute l'histoire militaire, avait-on jamais disposé d'une carte aussi ouverte? Avait-on jamais eu autant de lumières sur l'adversaire? Une guerre sérieuse, dans une région lacustre, barrée par des forêts de pins hauts de vingt mètres, était devenue pour les Allemands chose aussi simple que des exercices sur un polygone d'entraînement.

Et les quatre énigmes comportaient une explication unique : les Russes ne savaient pas synchroniser les grands mouvements de troupes. Et c'est pourquoi on pouvait prendre le risque de remplacer le mouvement tournant par l'*encerclement!* La carte gémissait, la carte implorait, la carte montrait d'elle-même comment tracer les Cannes du XXe siècle.

La tentation était grande d'encercler toute l'armée Samsonov, mais il faut dire qu'elle s'était vraiment trop dispersée — les effectifs allemands n'y pouvaient suffire. Il fut donc décidé qu'on se bornerait à repousser les corps d'armée placés aux deux extrémités, à Usdau et à Bischofsburg, de façon à ouvrir un passage pour introduire les tenailles. C'est à cette fin que, depuis cinq jours, on regroupait les troupes allemandes. On amena par trains, en diagonale, à travers toute la Prusse, le corps d'armée du général von François. Quant aux corps d'armée de Mackensen et de Below (dont Rennenkampf avait annoncé qu'ils avaient été détruits et que ce qu'il en restait était allé se réfugier à Königsberg), ils avaient, à une allure normale, couvert quatre-vingts kilomètres, profité d'une journée de repos pour se remettre, et, le 13 août au matin, surpris la division de Komarov qui avançait en toute sécurité.

C'était cette journée du 13 août où Samsonov transportait enfin son état-major à Neidenburg et où l'on y portait des toasts à la prise de Berlin — sous la menace de la tenaille déjà engagée — au son de l'artillerie allemande toute proche, sept fois supérieure à la nôtre, qui tirait devant Mühlen contre la division de Mingin. La journée où le corps d'armée de Martos, qui longeait les flancs de Scholz mais en s'accrochant de plus en plus, en se tournant de plus en plus contre lui, le harcelait avec succès. La journée où le corps d'armée de Kliouïev, ne voulant rien savoir de l'adversaire, fonçait à travers les sables, vers le nord désert, en plein dans le traquenard, en plein dans le piège à loup, fonçait à travers d'irréversibles verstes, dont chacune allait coûter des bataillons. La journée du 13 août où, à la Stavka, on étudiait le plan qui permettrait de rappeler Rennenkampf de la Prusse orientale conquise, et où Jilinski adressait un télégramme à Rennenkampf, lui demandant de se donner comme but principal l'encerclement de la forteresse de Königsberg (où s'étaient réfugiés les petits vieux de la Territoriale) et d'acculer les Allemands (là où il n'y en avait point) à la mer, afin de ne pas les laisser approcher de la Vistule (où ils ne se dirigeaient point).

Et malgré tout, le commandement prussien trouva que la journée n'avait pas été marquée par le succès. Ne serait-ce que du fait qu'on n'avait, en vingt-quatre heures, intercepté aucun nouveau message radio russe en clair et que les dispositions des Russes,

naguère si limpides, avaient commencé à devenir troubles et confuses à la suite de nombreux mouvements dont on ne savait rien.
Bien qu'ils eussent détruit la division de Komarov, les corps d'armée de Mackensen et de Below avançaient près du lac Daddai avec la prudence qu'ils avaient acquise à Gumbinnen, et cette prudence se trouva justifiée : à la gare de Rotfliess, le soir du 13, les Russes, apparemment en nombre, avaient fait preuve d'une résistance opiniâtre. (Il fallut attendre le matin du 14 pour que les aviateurs allemands découvrissent le corps d'armée de Blagoviechtchenski qui battait en retraite dans un désordre que, la veille, on n'aurait pas imaginé.) Et la résistance acharnée de deux régiments russes au sud de Mühlen avait empêché Hindenburg de voir que, dans ce secteur, s'ouvrait déjà la brèche qu'il cherchait, et dans son rapport, il avait indiqué que les Russes disposaient là de forces dépassant un corps d'armée. Ne voyant pas cette brèche toute prête, les Allemands essayaient d'en ouvrir une à Usdau.
Les extrémités des tenailles n'en pouvaient plus d'attendre le moment où, enfin, elles se refermeraient.
Et puis, il y avait l'ombre de la Providence (*Vorsehung*) qui s'étendait sur cette ligne fortifiée de Mühlen, sur ces rochers surplombant le lac et ces sapins vieux de cinq cents ans qui avaient poussé sur cette terre natale protectrice et protégée, où, déchaînée, avançait à découvert la IIe Armée russe : c'était là qu'en 1410 étaient arrivées les forces coalisées des Slaves et que, près du village de Tannenberg, entre Hohenstein et Usdau, elles avaient écrasé l'ordre des chevaliers Teutoniques.
Cinq cents ans après, le destin avait voulu que l'Allemagne fût en mesure d'accomplir le jugement de la Providence (*das Strafgericht*).

24

Il n'est point de don qui n'apporte que des joies et jamais de peines. Mais, pour un officier, un talent exceptionnel est un supplice. L'armée se met avec enthousiasme au service d'un talent éclatant, mais jamais avant qu'il ait décroché le bâton de maréchal. Et aussi longtemps qu'il se tend vers ce bâton, on ne cesse de lui taper sur les doigts. La discipline, fondement des armées, est toujours hostile au talent qui monte. Tout ce qui foisonne, éclate en lui, doit être entravé, coordonné, subordonné. Tous ceux qu'il a pour quelque temps encore au-dessus de lui supportent mal un subalterne aussi rétif. Et c'est pourquoi il fait son chemin non pas plus vite, mais plus lentement que les médiocres.

En 1903, le général von François était venu en Prusse orientale comme chef d'état-major d'un corps d'armée. Dix ans plus tard, alors qu'il approchait de la cinquantaine, il y avait de nouveau été affecté, mais comme commandant d'un corps d'armée seulement.

En 1903, le comte von Schlieffen avait dirigé ici des manœuvres d'état-major et François y avait reçu le commandement d'une armée « russe ». Et c'était à ses dépens que Schlieffen avait fait la démonstration de son enveloppement double. Dans son rapport, on lisait : « L'armée russe, menacée d'encerclement par l'aile et par les arrières, a déposé les armes. » François avait rétorqué, chicanier : « *Exzellenz!* aussi longtemps que je commande cette armée, elle ne déposera pas les armes!! » Schlieffen avait eu un sourire et avait ajouté dans son rapport : « Ayant compris que son armée était dans une situation désespérée, *son commandant a cherché la mort en première ligne, et l'y a trouvée.* »

Ce qui, en fait, n'arrive jamais dans une vraie guerre.

Ce que le général Hermann von François aurait pourtant fait plutôt que d'être déshonoré. Pour la lignée huguenote de François, le pays qui lui avait donné asile n'était pas un lieu de refuge occasionnel. Les von François avaient pris l'habitude de ne reconnaître qu'une seule patrie et de ne servir qu'elle. L'aïeul de François avait reçu un titre de noblesse germanique à l'époque où, en France, on n'avait pas encore mis la guillotine en service pour les nobles. Le père de François, général lui aussi, mortellement blessé par les Français en 1870, s'était écrié : « Je suis heureux de mourir au moment où il semble que l'Allemagne triomphe! »

En 1913, François s'était trouvé devant des troupes qui avaient pour mission d'exécuter, en Prusse orientale, une « retraite défensive » : reculer en combattant devant un adversaire plus puissant. Mais c'était bien mal comprendre le plan de feu Schlieffen! La défense sur le front oriental, tant que les troupes allemandes étaient encore retenues à l'ouest, n'impliquait pas forcément la tactique de la retraite dans tous les secteurs. Une comparaison des caractères russe et allemand avait amené François à certaines constatations. L'offensive et la rapidité étaient dans l'esprit du soldat allemand et correspondaient à sa formation militaire. Ce qui caractérisait les Russes, c'était qu'ils répugnaient à tout travail méthodique, ignoraient le sens du devoir, craignaient les responsabilités et témoignaient d'une incompétence totale lorsqu'il s'agissait d'apprécier à sa juste valeur et d'exploiter le moment favorable. D'où, chez les généraux russes : l'apathie, le penchant à opérer par schémas, la tendance à chercher la quiétude et la facilité. C'est ainsi que, pour défendre la Prusse, François avait choisi l'offensive : attaquer les Russes où qu'ils soient.

Lorsque avait commencé la Grande Guerre (grande pour l'Allemagne et grande, longuement attendue pour François aussi, car c'était maintenant sa seule chance de prouver qu'il était le grand capitaine de son pays, et peut-être même de toute l'Europe), François comptait exploiter la rapidité de la mobilisation allemande. Aussitôt que son corps d'armée serait prêt au combat, il traverserait la frontière et attaquerait la concentration des forces de Rennenkampf en profitant de la lenteur de leur mise en place. Mais là, il s'avéra que même l'armée allemande ne voulait admettre ni reconnaître un talent trop dynamique. Prittwitz rejeta le plan de François : « Il faut se résigner et sacrifier une partie de cette province. » François n'était pas d'accord. De sa propre initiative, il déclencha la bataille de Stallupönen et croyait tenir le succès lorsque, en pleine action, une automobile arriva avec un message de Prittwitz lui intimant l'ordre d'interrompre le combat et de se replier sur Gumbinnen. L'armée pouvait avoir ses plans, mais le commandant du corps d'armée avait les siens et François, à voix haute, en présence des officiers, répondit au courrier : « Dites au général von Prittwitz que le général von François interrompra le combat lorsque les Russes seront défaits ! » Hélas, défaits, ce n'est pas eux qui le furent. Le propre chef d'état-major de François fit un rapport sur lui à l'état-major de l'armée. Le soir même, François devait fournir des éclaircissements, Prittwitz informait directement l'empereur de la désobéissance de François, François informait non moins directement l'empereur qu'il refusait de combattre avec *cet* homme-là pour chef d'état-major. C'était risqué. Le Kaiser avait de quoi se fâcher et pouvait lui enlever son corps d'armée, d'autant plus que, ayant fait l'objet de nombreuses plaintes, François passait déjà, aux yeux de l'empereur, pour un général « d'un naturel trop indépendant », et pourtant, supporter un chef d'état-major hostile, voilà qui n'eût guère été caractéristique d'un grand capitaine.

On a beau étouffer, renier... il devait tout de même avoir gardé quelque chose du Français qui a le diable au corps.

Avec cette indépendance d'esprit vis-à-vis du commandement suprême, on ne pouvait se refuser l'assurance d'un jugement équitable : chaque acte, chaque conflit, il était indispensable de l'expliquer aussitôt à l'Histoire et aux générations à venir, car il était peu probable que quelqu'un d'autre s'en soucierait si on ne le faisait soi-même. Et c'est ainsi qu'avec une agilité et une légèreté étonnantes pour son âge, combattant avec une extrême mobilité, avec art, grimpant au besoin sur un clocher quand il fallait un poste d'observation, surveillant aussi bien un déchargement de munitions sous la mitraille ennemie (peut-être qu'on les aurait déchargées, et pas plus mal, sans lui), réussissant, en automobile, à être toujours sur les lieux mêmes du combat pour s'assurer que la situation correspondait bien aux ordres donnés, se contentant parfois d'une tasse de cacao pour la journée (ceci, c'était pour les mémoires, car il ne se privait pas non plus de beefsteak) et ne dormant que deux ou trois heures par nuit, François n'omettait jamais de vérifier que chacune de ses décisions était enregistrée et expliquée trois fois : l'ordre aux subalternes, le rapport aux supérieurs, l'exposé circonstancié pour les archives militaires (et s'il restait en vie, pour un livre), exposé non seulement des opérations militaires mais aussi des intentions qui n'aboutissaient pas toujours de la façon que le général aurait souhaitée. Ces exposés, avant le combat, il les faisait lui-même. Une fois le combat déclenché, dans l'une de ses deux automobiles, il avait toujours auprès de lui, en qualité d'aide de camp spécial, son fils, un lieutenant qui tenait le journal de bord du général dont il consignait sur-le-champ, instantanément, toutes les réflexions.

Et toute sa ligne de conduite, le général devait aussi la formuler lui-même car cela, personne ne le ferait à sa place et dans un meilleur style : fallait-il simplement suivre les ordres — ce qui était le plus facile — ou bien fallait-il placer le devoir que lui inspirait le sentiment de sa responsabilité au-dessus du devoir d'obéissance, ne pas se laisser envahir par la peur d'un échec, et, faisant fi de la dissuasion des esprits craintifs, s'en remettre au pressentiment instinctif du succès?

Dans le combat de Gumbinnen, il s'était de nouveau trouvé en désaccord avec Prittwitz. Dès les premières heures, lui, François, tenait ce combat pour une grande victoire (c'est ce qu'il disait dans son rapport à Prittwitz qui, lui, informait l'état-major général), il avait attaqué en force, contournant le flanc de Rennenkampf (les critiques soutiennent qu'il l'avait attaqué de front, se représentant mal le regroupement des forces russes), il avait fait beaucoup de prisonniers, le soir il avait donné l'ordre de reprendre l'attaque le lendemain, et c'est là qu'il avait reçu de Prittwitz l'ordre de retirer sans bruit, durant la nuit, tous ses corps d'armée, et de se replier au-delà de la Vistule.

Situation insupportable : d'un seul coup perdre tout ce que, grâce à son talent, on avait gagné dans la journée pour cette simple raison que le voisin, Mackensen, avait combattu sans succès, renoncer également au succès du lendemain qu'il flairait d'une narine sûre, et tout en étant plus que jamais certain de la justesse de ses vues, annuler ses propres instructions, qui étaient bonnes, pour obéir à un ordre erroné!

Mais c'était cela, l'armée. Et, encore plongé dans une tonalité musicale toute martiale, lui faisant quitter le terrain de *sa* victoire, il fit roquer son corps d'armée à travers Königsberg.

C'était cela l'armée, mais l'armée allemande c'était aussi autre chose : le lendemain, la direction des lignes téléphoniques, raccordant les maillons, à la recherche de François, reliait le point infime de son poste avec Coblence, et Sa Majesté l'Empereur demandait au général ce qu'il pensait de la situation et s'il considérait que le déplacement de son corps d'armée était une bonne chose.

C'était là un grand honneur pour un commandant de corps d'armée (et c'était manifestement la disgrâce du commandant en chef). Mais l'esprit mobile de François sut passer légèrement sur cet honneur et sur le fait qu'on avait, la veille, ignoré la justesse de ses vues. Ce qui, hier, était juste, ne l'était plus aujourd'hui. Comme l'avait dit Napoléon, un grand capitaine ne se représente pas les choses en tableaux. La retraite amorcée, il fallait la poursuivre jusqu'au bout. Ayant abandonné le terrain à l'armée du Niemen, c'était désormais devant l'armée du Narev qu'il fallait faire la preuve de son génie.

Et c'était là que, d'une manière insaisissable, entre l'entretien téléphonique, le train express, l'entrevue au nouvel état-major avec les nouveaux commandants (tous de vieilles connaissances : c'était, aussi bien, dans le corps d'armée de Hindenburg que François avait été, à un moment donné, chef d'état-major, et auparavant il avait également travaillé avec Ludendorff), c'était donc là qu'avait mûri l'idée d'un « enveloppement double de l'armée du Narev », et chacun des trois s'en croyait l'auteur (il s'agirait ensuite de prouver à l'Histoire que c'était bien lui qui en avait été l'artisan).

Le soir du 11 août (au moment où Vorotyntsev était apparu à l'état-major somnolent d'Ostrolenka), le général von François était déjà sur place à proximité de l'endroit où arrivaient les premiers trains qui amenaient ses troupes et en face de l'aile gauche de Samsonov. A l'hôtel *Kronprinz*, il rédigeait un ordre à son corps d'armée :

« ... Les glorieuses victoires qu'a remportées notre corps d'armée à Stallupönen et à Gumbinnen ont incité le commandement suprême à vous amener par train ici, vous, soldats du 1er corps d'armée, afin que, par votre bravoure invincible, vous triomphiez également de ce nouvel ennemi venu de la Pologne russe. Quand nous aurons écrasé cet adversaire, nous retournerons aux lieux que nous occupions et réglerons nos comptes avec les hordes russes qui, sans égard aux conventions internationales, mettent le feu aux villes de notre pays. »

Prévoyant avec exactitude ce retour inexorable, il écrivait ceci alors qu'il se trouvait dans le coin inférieur gauche de la Prusse et que l'on n'avait pas encore fini d'embarquer ses troupes qui se trouvaient dans le coin supérieur droit, près de Königsberg. A travers toute la Prusse, partis de ses confins est, roulant vers ses confins ouest, les trains grondaient sans relâche. Après un jour et demi de flottement, c'était, une fois de plus, le miracle allemand : chaque demi-heure, jour et nuit, un train militaire passait. Et même les règlements ferroviaires allemands avaient perdu leur force contraignante de lois naturelles : les trains militaires, sur les tronçons découverts, se suivaient les uns les autres de très près, empruntaient les voies sans tenir compte des feux rouges, déchargeaient en vingt minutes au lieu de deux heures. A la demande de François, les trains allaient jusqu'à l'emplacement même de la bataille prévue — il ne restait plus aux bataillons qu'à se dégourdir les jambes sur quelque cinq kilomètres.

Pourtant, même un tel miracle, ces veaux qu'étaient Hindenburg et Ludendorff ne surent pas l'estimer à sa juste valeur. Ils arrivèrent au P.C. de François alors que toute son artillerie ou presque était encore en route et les voilà qui exigeaient qu'on commençât cette offensive si avidement attendue!

Les yeux de François (malgré lui et sans qu'il le sut) avaient, constamment, une expression ironique!

— S'il y a un ordre, je commencerai. Mais les soldats seront obligés de se battre... c'est gênant à dire... à la baïonnette...

Pour un Russe, passe encore qu'il aille répétant : la baïonnette il n'y a que ça de vrai, la balle c'est de la foutaise, pour ne rien dire de l'obus! Mais des disciples de Schlieffen auraient dû comprendre qu'on était entré dans l'ère de l'*artillerie* et que, de ce fait, le succès serait du côté de celui qui aurait la suprématie dans le tir d'artillerie. On peut toujours, dans les ordres destinés aux soldats, parler de bravoure invincible — ce qu'on doit faire avant tout, c'est le compte des batteries et des obus.

Ah, pourquoi faut-il que la subordination soit toujours en raison inverse du talent?! François n'en pouvait plus devant le spectacle, à un mètre de lui, de ces deux personnages, ses supérieurs, dont les visages *autoritaires*, avachis, étaient posés, au moyen de cous épais, raides, sur des bustes longs, massifs. Ludendorff était plus jeune, sa mâchoire n'avait pas encore durci autant et son regard n'était pas encore aussi mort, mais déjà il rappelait fortement son commandant. Hindenburg avait, lui, le visage parfaitement carré, les traits lourds et grossiers, des poches volumineuses sous les yeux, un nez sans hauteur, des oreilles ne faisant qu'un avec le méplat des joues. Ces deux percherons pouvaient-ils comprendre des impulsions telles que l'intuition, le goût du risque, dont ils ignoraient probablement jusqu'à l'existence?

(Négligeant de se mettre à leur place, François oubliait de se regarder lui-même tel qu'il leur apparaissait : une si petite taille pour un général? une telle vivacité du regard à son âge? et, surtout, cette exécrable habitude de se mettre en avant, de dépasser les autres, de sauter par-dessus tout?)

A présent par exemple : *où* attaquer? François ne voulait rien savoir de ce qu'on lui ordonnait, il avait son idée : encercler le 1er corps d'armée russe avec l'ensemble de l'armée Samsonov. Et, avec cela, il discutait — on venait de passer une heure à discuter. C'était non. Il avait ordre de repousser le 1er corps d'armée russe et de n'encercler que le gros de l'armée. Et *quand* devait-il attaquer? François, à grand-peine, obtint une demi-journée de sursis — la matinée du 13 août.

N'opérant ni là où il aurait voulu, ni quand il aurait voulu, il commença la bataille mollement, avant tout pour être en règle. Il bouscula légèrement les pointes d'avant-gardes russes. Et les régiments russes occupèrent alors des positions bien visibles sur les hauteurs, selon un tracé qui partait de la colline où se dressait le moulin, passait par Usdau et longeait ensuite le remblai de la voie ferrée. C'est précisément à travers Usdau qu'il allait falloir, le 14 août, ouvrir une voie sur Neidenburg.

Au coucher du soleil, le combat préparatoire cessa. Toute l'artillerie devait arriver dans la nuit et prendre position — des calibres et une quantité d'obus comme les Russes n'en avaient encore jamais vu. Le lendemain, à quatre heures du matin, lui, François, allait déclencher la grande bataille générale.

— Et si les Russes commencent les premiers au cours de la nuit, mon général? demanda son fils qui continuait à prendre des notes à la lumière d'une lampe de poche.

On était dans la grange, le général répugnait à dormir dans une maison où les Russes avaient séjourné. Ayant glissé son réveil-matin remonté sous son chevet et s'étant déchaussé, il étendit au maximum ses courtes jambes, fit craquer ses os, et, avec un sourire mêlé d'un bâillement, il répondit :

— Rappelle-toi ceci, mon petit : jamais les Russes ne s'ébranleront d'eux-mêmes avant le déjeuner.

*

(*CON MOTO*)

soliste : *Les Boches ont perdu la boule*
Ils viennent nous chercher des crosses

chœur : *Lanlanlaire — Lanlanlaire*
Ils viennent nous chercher des crosses

soliste : *Et c'est Vaska le matou*
Qui les mène contre nous

chœur : *Lanlanlaire — Lanlanlaire*
Qui les mène contre nous

(*Chanson de soldat russe en 1914*, carte postale avec musique, marche de nos héros avec accompagnement de tambour et le pitoyable matou Guillaume.)

25

Tout venait s'accumuler de façon malheureuse et mal à propos : cette guerre qui marquait un temps d'arrêt dans la carrière du général Artamonov; la position dangereuse de son corps d'armée, à l'ouest, du côté de l'Allemagne; la nécessité de sortir de Soldau pour, malgré tout, avancer un peu; les renseignements qui faisaient état des forces puissantes de l'adversaire et maintenant, sa première offensive, juste le jour où arrivait ce colonel, un espion de la Stavka; les entretiens téléphoniques qui ne pouvaient que resserrer le nœud coulant autour du cou d'Artamonov.

Jusqu'à présent, la carrière militaire d'Artamonov s'était déroulée de sommet en sommet, d'un grade de général à l'autre et de haute décoration en haute décoration. Il faut reconnaître qu'il y mettait du sien, travaillait à ses grades avec assiduité : tous se contentaient de terminer une école militaire, lui, il en avait terminé deux; tous se contentaient d'une académie, lui, il avait usé ses fonds de culotte dans deux académies (il avait même tenté de s'en taper trois, mais s'était fait coller une fois sur les trois). Le service c'est le service! Et pourtant, tenir en place sur un banc lui était plus pénible qu'à d'autres parce qu'il avait de bonnes jambes solides, et ne pas se dépenser, c'était une catastrophe pour ses veines.

Il avait pourtant connu une dizaine d'années heureuses : il y avait eu les « missions spéciales » ; il avait été aide de camp principal à l'état-major d'une région militaire et aussi « chargé de mission auprès de l'état-major général » — quand il n'était pas dans les régions de l'Amour, c'est qu'il était chez les Boers ou en Abyssinie, ou encore, à dos de chameau, dans quelque province d'Extrême-Orient. Il y mettait vraiment du sien. Il servait loyalement, comme il pouvait, tant qu'il pouvait! Son élément naturel, c'était de partir au loin, voyager, revenir, repartir, mais pas faire la guerre, parce que la guerre, ce n'était pas seulement le mouvement, c'était aussi l'avancement qui risquait d'être compromis si les circonstances se montraient défavorables. Bien sûr, la guerre contre les insurgés chinois avait été pour lui une affaire agréable et bénéfique. De même, lors de la guerre contre le Japon, il s'était dégagé avec succès de la poche de Moukden, abandonnant sans regret aux Jaunes une cinquantaine de hameaux en terre battue. Oui mais *celle-ci* s'annonçait mauvaise. Les aviateurs qui, dans leurs rapports, avaient fait état de deux divisions en face d'Artamonov parlaient maintenant de deux corps d'armée! Les Allemands méditaient quelque noir dessein. Mais comment pénétrer cette énigme? Comment parer le coup? De sa vie, Artamonov n'avait jamais quitté l'uniforme, mais c'est aujourd'hui seulement qu'il se trouvait devant ce mystère redoutable de la guerre qui fait qu'on est dans l'impossibilité de prévoir ce que l'adversaire vous réserve pour le lendemain, et de savoir ce qu'on pourra bien faire soi-même en retour. Et il ne tenait pas en place, allant et venant, pas seulement à travers les pièces de l'état-major — que non! à travers tout le terrain occupé par son corps d'armée. Deux fois dans la journée, dans son automobile, soulevant un nuage de poussière, il avait parcouru toute la place sous prétexte d'inspecter et d'encourager les diverses unités; en fait, s'il le faisait, c'était poussé par un désarroi intérieur qui le décomposait. Y avait-il autre chose à faire qu'encourager? Très honnêtement, il n'en savait rien. En plein jour, les Allemands avaient commencé à avancer et, de désespoir, Artamonov avait décidé de faire ce que l'état-major de l'armée n'aurait jamais pu lui faire faire, il décida une petite offensive. C'est ainsi que deux régiments de son aile gauche avaient avancé de cinq verstes, s'enfonçant encore un peu plus à l'ouest, et avaient pris un gros village. Mais était-ce bien? avait-il agi comme il le fallait? Le commandant d'un corps d'armée ne peut décemment pas demander conseil à n'importe qui, et, moins qu'à tout autre, au colonel envoyé par la Stavka. C'était bien plutôt le moment de se creuser pour trouver le moyen de comprendre, d'apprendre si ce colonel était en faveur, jouissait de la confiance du commandant suprême, et qui était à l'origine des intrigues qui l'avaient fait envoyer ici. Ce ne fut donc ni de ses craintes, ni de ses soucis qu'Artamonov s'entretint avec lui, non, plus brave que jamais, il parla de choses et d'autres d'intérêt *général :* on dit, n'est-ce pas, que ce qui fait la force de l'Allemagne c'est sa discipline, son système, mais enfin c'est ce qui fait aussi sa faiblesse! Attendez voir qu'on se mette, nous, à combattre *sans système*, sans règles, c'est là qu'ils seront pris de court!

Ce colonel, il ne voulait pas le lâcher et lorsque, à la nuit tombante, après que le combat eut cessé, le commandant du corps d'armée décida d'inspecter encore une fois toutes les positions, d'encourager ses troupes encore une fois, le colonel tint absolument à l'accompagner — mauvais signe. Et en effet : les questions qu'il posait, ce qu'il disait chemin faisant, tout partait d'intentions mauvaises, tout n'était que perfidie! Sortant de Soldau, on roulait tous phares allumés (on dépassait des troupes) et le voilà qui faisait l'étonné : il n'y avait pas de ligne fortifiée? pas de ceinture de tranchées autour de la ville? depuis quatre jours que le corps d'armée était là, rien n'avait été fait? peut-être ne les avait-il pas remarquées? On parla du combat de la journée — il se mit à secouer la tête : on avait tout de même enlevé deux régiments sur l'aile droite, n'est-ce pas, et il y avait là une brèche, à présent... Pour le coup, Artamonov lui cloua le bec : la brigade de cavalerie de Stempel était allée y prendre position. On arrivait au village. La brigade de Stempel y passait la nuit et ne devait se mettre en branle que le lendemain matin. Artamonov tança vertement Stempel. Mais qui est sans défauts? A inspecter comme ça les dispositifs, à y regarder de près... Et, pour finir, c'est avec un irrespect non dissimulé que le colonel de la Stavka entreprenait maintenant de le questionner sur le *plan* que le commandant avait pour le lendemain.

Un *plan!* drôle de mot, pas très orthodoxe. Quel « plan » pouvait-il avoir, et allait-il le clamer sur les toits! Pour qui le prenait-on? Son plan, c'était de tirer de là sans encombre tout son corps d'armée, et de façon à ne pas flétrir son nom mais à en être, au contraire, récompensé. Un plan aussi simple ne pouvait être exposé. Et le colonel qui avait, c'était certain, beaucoup de relations, en était presque à lui donner des instructions, sans la moindre gêne : le général avait beaucoup de troupes, l'équivalent de deux corps d'armée, son aile gauche était libre, avec ses divisions de cavalerie sur place et grâce à cette aile mobile et allongée, il était possible, demain, de tourner celle des Allemands. Il était encore temps de diffuser les ordres et de regrouper les unités. Et c'était paraît-il dans son propre intérêt à lui, Artamonov.

Pour ce qui était de son intérêt, ça, on n'avait pas besoin de le lui expliquer! Mais le fait est que pour son malheur, Artamonov s'était retrouvé aujourd'hui avec sur les bras des effectifs qui avaient doublé, ce qui faisait aussi le double de tracas. Il avait eu l'imprudence de sonner l'alarme, de se plaindre à l'état-major de l'armée à qui il avait annoncé que l'ennemi se concentrait contre lui, et Samsonov, par télégraphe, avait mis à sa disposition les deux divisions de cavalerie et toutes les troupes en retard qui devaient compléter le 23e corps d'armée, c'est-à-dire la division de la Garde de Varsovie et puis encore une brigade de tirailleurs. A présent, « le commandant en chef était convaincu que l'adversaire, en dépit de sa supériorité numérique, ne serait pas en état de briser la ténacité des magnifiques troupes du 1er corps d'armée ». Et c'est avec la même fierté qu'Artamonov avait remercié « son valeureux commandant en chef pour la confiance qu'il lui témoignait ». Alors qu'il était glacé d'effroi devant une telle *confiance* — que devenir avec cette croix?

Ces assauts de flatterie, Vorotyntsev ne pouvait les sentir. Que le langage militaire, sobrement réduit à l'essentiel, fût remplacé par des courbettes de Cour à la vaillance respective de chacun c'était là un signe fatal de faiblesse, impensable chez les Allemands. Il s'était formé une telle concentration de forces sur l'aile gauche de l'armée Samsonov, il n'y avait pas une demi-heure à perdre, il fallait passer à l'action, et eux, ils se typo-télégraphiaient des compliments. Le régiment de la Garde de Kexholm avait été déchargé plus tôt et, à pied, il s'était engagé sur la droite, pour gagner Neidenburg et rejoindre son 23ᵉ corps d'armée. Mais aujourd'hui, à Mlawa, on avait déchargé le régiment de la Garde de Lituanie, et c'est lui qui, maintenant, passait sous les ordres d'Artamonov. (Deux autres régiments de la Garde « jaune » de Varsovie, eux, n'étaient même pas à Varsovie, et Dieu sait où pouvait bien se trouver leur commandant, le général Sirelius.) La première brigade de tirailleurs était, elle, parmi les plus récentes et les mieux préparées des unités de combat de toute l'armée russe; c'était justement les bataillons de cette brigade dirigés sur les postes d'avant-garde que leur automobile était en train de dépasser.

Si l'aile gauche de l'armée avait été en position de *corne* avancée par rapport à la ligne qu'occupait l'armée, il n'y aurait pas eu à s'inquiéter du repli qui avait eu lieu dans la journée. On aurait même pu envisager de reculer encore un peu. Mais l'aile gauche figurait déjà une épaule enfoncée.

Pourtant, quand on parlait avec Artamonov, c'était

toujours dans le vide, toujours décousu. Les allusions, les conseils, les idées de Vorotyntsev rebondissaient sur ce front de pierre polie, tout rond. Il n'était pas plus intéressant de discuter avec lui pour essayer de comprendre comment et pourquoi le 1er corps d'armée allemand avait si vite fait d'arriver jusqu'ici, de Gumbinnen.

Toute la journée, Vorotyntsev était resté à l'état-major du corps d'armée et il avait contemplé à loisir ce général affairé, perpétuellement en mouvement. Des cheveux gris sur le haut du crâne et des moustaches grisonnantes de morse, des épaulettes et des aiguillettes, confèrent de la grandeur même à un imbécile et empêchent de voir l'homme tel qu'il a toujours été et tel qu'il est, l'Adam primitif. Mais il n'y avait qu'un petit effort à faire pour s'apercevoir que c'était là, déguisé en général, un brave troufion qui, placé sous les ordres d'un sous-officier sévère, eût fait un excellent soldat : fougueux, jambu, incapable de rester une minute sans rien faire, toujours pris à droite et à gauche, voire impassible devant les balles. Ou encore même, il aurait fait un diacre remarquable : grand, imposant, doté d'une belle voix — rien à redire là-dessus — jamais fatigué pour aller balancer son encensoir dans les moindres recoins, et avec cela ayant des dons de comédien, et peut-être même du dévouement au service du Seigneur.

Mais pourquoi était-il général d'infanterie? Pourquoi soixante mille combattants russes se trouvaient soudain en son pouvoir?

Le voilà qui filait dans la nuit pour inspecter toutes ses unités, et qu'avait-il laissé à l'état-major? Qui s'occupait des missions de reconnaissance? Comment l'artillerie était-elle reliée à l'infanterie? Combien avait-on approvisionné d'obus par canon et disposait-on de suffisamment de voitures et de caissons pour les pousser en avant ou pour les replier suivant les péripéties de la bataille? Tout cela, à coup sûr, il n'en savait rien — il ne savait même pas qu'il eût fallu le savoir. Pourquoi, aujourd'hui, dans un engagement d'une violence modérée, son corps d'armée avait-il été fortement repoussé par endroits? Artamonov ne se préoccupait nullement de remonter aux causes, et il n'eût pas aimé les entendre de la bouche de Vorotyntsev. Pour ne prendre que ce qu'il faisait à présent : parcourir un champ de bataille en automobile, pour un général intelligent, c'est un bon moyen de faire rapidement le tour de ses troupes étalées, d'être partout à point nommé et de tout rectifier soi-même, mais quand, à des jambes lestes, possédées d'un zèle aveugle, viennent s'ajouter des roues d'automobile, alors c'est la fin de tout!

Pour être résolu, ça, Artamonov l'était! Il s'attaquait vaillamment à ses missions, n'acceptait pas de conseils et il fallait une oreille fine pour percevoir, dans sa voix, l'état d'hébétude qui était le sien.

Ils roulaient sur la route nocturne. Les phares allumés figeaient et marquaient d'étrangeté, dans une lumière blanche, artificielle, les arbres qui longeaient le bord de la route, les buissons, les maisons, les granges, les passages à niveau, les rampes des petits ponts, les colonnes qu'ils dépassaient, les charrettes, et aveuglaient ceux qu'ils croisaient. Çà et là, des soldats jaillissaient de l'obscurité, se tournaient vers la route avec curiosité, et ceux que l'on surprenait en solitaires s'éclipsaient au plus vite ou cravachaient leurs chevaux en toute hâte.

Si la visite de Vorotyntsev à l'aile gauche de l'armée avait un sens, eh bien, ça n'allait pas plus loin. Ses pouvoirs n'allaient pas au-delà d'une « reconnaissance d'état-major » : il devait prendre connaissance personnellement de la situation et, par là, permettre une rectification des données fournies par les services de renseignements. C'était plus que fait, et ses données à lui risquaient fort d'arriver un peu tard à la Stavka. Donc, son devoir très précis, dans cette mission, était de filer à l'état-major de l'armée puis droit à la Stavka. Rester là, sur le dos des officiers d'état-major et des commandants d'unités, il n'y était pas habilité. Oui, il aurait pu agir très utilement sur la marche des opérations, s'il ne décollait plus d'Artamonov, assistant à chacune de ses décisions et le mettant en garde contre des erreurs possibles. Mais une telle tutelle, Artamonov la rejetait avec méfiance. D'ailleurs, se contraindre à demeurer plus longtemps aux côtés d'Artamonov, c'était trop en demander. Celui qui est patient remporte tous les prix. Mais la patience n'était pas au nombre des vertus de Vorotyntsev. Il ne se sentait même plus en état d'aller jusqu'au bout de cette inspection nocturne avec le général. On l'avait commencée à Usdau d'où, par la route, jusqu'à l'état-major de l'armée, il y avait vingt verstes, et c'est là qu'il décida de quitter Artamonov.

Le village d'Usdau était situé sur une large colline. On le sentait aussi bien à l'allure de l'automobile. Il y avait des maisons où brillaient des lampes à pétrole, d'autres étaient sombres, mais d'après les chevaux, d'après les soldats, on sentait que les maisons, les granges, les cours, tout était bondé. Derrière un grand mur, dissimulées à l'ennemi, quelques roulantes respiraient à petit feu.

On s'arrêta derrière une église gothique de briques rouges, on éteignit les phares. Leur arrivée avait déjà été annoncée et le général-major Savitski se hâtait vers eux avec son rapport. Pour couvrir l'incurie générale, il s'appelait chef du secteur de combat — plus simplement, c'était le commandant de la brigade, placé au-dessus du commandant du 85e régiment de Vyborg, le seul de la brigade qui fût ici, l'autre régiment étant resté en rade à Varsovie (et l'incurie ne s'arrêtait pas là : sur sa gauche, le régiment de Vyborg avait pour voisin une autre division, privée elle aussi d'un régiment, resté lui aussi en rade à Varsovie, et plus loin, sur la gauche de cette division, il y avait les deux régiments qui s'étaient battus aujourd'hui et qui, eux, appartenaient à *cette* division-*ci*, avec là-bas son chef, le général Douchkievitch. Tout était entrelardé et embrouillé comme si l'on avait voulu le faire exprès).

Artamonov manifesta le désir d'inspecter les positions. Savitski les conduisit, prenant par l'arrière des maisons, à la lueur clairsemée des fenêtres. Il avait déjà les cheveux gris mais son maintien était celui d'un solide gaillard; dans l'obscurité étoilée, on le percevait à travers la voix, le sérieux de ses explications.

Ayant un peu reculé dans la journée, le régiment de Vyborg occupait maintenant cette importante position clé. Devant le village, à cent mètres, là où la pente commençait à descendre en direction de l'adversaire, on avait établi une ligne ininterrompue de tranchées et les soldats continuaient à les creuser.

Le régiment était frais. Il avait été amené par train, n'avait pas connu de retards dans le ravitaillement, n'avait pratiquement pas subi de pertes au cours du combat de la journée, travaillait de bon cœur. On entendait des coups de pelle et de pioche, sourds, énergiques, et aussi des blagues.

Savitski voyait clairement tous les points faibles et tous les dangers : juste à côté, sur notre droite, il y avait un trou, — une brèche dans notre dispositif; pour une aile aussi importante, on avait reçu trop peu d'artillerie — un groupe d'artillerie légère de campagne et, comme pour rire, deux obusiers moyens, tandis que les dix autres obusiers du corps d'armée et tout le groupe d'artillerie lourde de l'armée se trouvaient sur l'aile gauche. Artamonov, cependant, n'y tenait plus — s'il fallait entrer ainsi dans les détails, comment pouvait-il espérer faire le tour des positions en une nuit? Et, coupant court à l'entretien qui se déroulait entre Savitski et Vorotyntsev, il donna l'ordre de lui présenter, ici même, un peloton, en prenant les soldats de la tranchée la plus proche, tels quels, en tenue de travail. Non mais voyons, il avait été chef des travaux de fortification, rien moins qu'à Cronstadt! Les soldats du peloton lâchèrent leurs outils, sortirent, se mirent en rangs, sans armes. Artamonov avança le long de la rangée :

— Et alors, les gars? On les aura?

En un chœur mal accordé, on lui répondit confusément que oui, qu'on les aurait.

— Alors, tout va bien?

On lui répondit que ça allait.

— Votre régiment a pris Berlin! Ça vous a même valu des trompettes d'argent! Tiens, toi, demanda-t-il à un soldat aux larges épaules, comment t'appelles-tu?

— Agathon, Vot' Haut' Noblesse, répondit celui-ci avec empressement.

— Agathon. Lequel? Quel est ton saint patron?

— Des Aires, Vot' Haut' Blesse! répondit le soldat sans perdre contenance.

— Tu es un imbécile! Des Aires! Et pourquoi des Aires?

— Ben, celui d'automne quoi! Vot' Haut' Blesse! En automne on travaille sur l'aire.

— Tu es un nigaud; il faut connaître son *saint!* Et lui adresser ses prières avant le combat. Tu as lu la Vie des saints?

— Oui... ou... lu ça, Vot' Haut' Blesse...

— Ton saint, voyons, c'est comme ton ange, il te protège et te garde. Et toi, tu ne le connais même pas! Et dans votre village, la fête de la paroisse, c'est quand? Tu ne le sais pas non plus?

— Comment donc, Vot' Haut' Blesse! Au même moment, vers la petite Immaculée.

— Qu'est-ce encore que cette petite Immaculée? Agathon fut dans l'embarras. Mais, derrière lui, une voix qui sentait l'instruction se fit entendre :

— La naissance de la Très Sainte Vierge, Votre Haute Noblesse!

— Eh bien voilà, prie la Sainte Mère de Dieu tant que tu es encore en vie! fit Artamonov en guise de conclusion et, passant trois soldats, il interrogea le quatrième.

Mais là encore ce fut un certain Méthode de la Caille et lui non plus ne connaissait pas la vie de son saint.

— Des croix, au moins, vous en avez tous? fit le général courroucé.

— Bien sûr!... d'une douzaine de voix, un peu vexées même, lui répondit la Russie.

— Eh bien alors, priez! Au matin les Allemands vont déclencher la bataille, et vous, priez!

Vorotyntsev aurait pu penser que tout cela se faisait pour parader devant lui — eh bien non, Artamonov agissait toujours ainsi. Était-ce enraciné dans son âme de général ou bien était-ce du fait qu'il avait longtemps été en service dans la région militaire de Saint-Pétersbourg et savait combien le grand-duc aimait à voir des veilleuses d'icônes allumées sous chaque tente de soldat? On aurait aimé voir son visage mais cela n'aurait rien ajouté — une paroi lisse où le nez faisait une poignée sourde qui n'ouvrait rien. Et les yeux aussi étaient comme un mur.

Et voilà qu'il se signait, se détachant sur fond de ciel. Tout comme il s'était lancé de l'aile droite à l'aile gauche de ses troupes, il lançait à présent sa main d'un geste large et rapide à son front, à sa poitrine, et on aurait dit qu'il chassait des taons de l'épaule qui venait en dernier. Il marqua également Savitski du signe de la Croix et l'étreignit!

— Que Dieu vous garde! Que Dieu garde votre régiment de Vyborg!

Il l'aurait peut-être nommé plus complètement, mais c'eût été mal venu : le régiment de Sa Majesté Impériale et Royale, l'empereur d'Allemagne, roi de Prusse, Guillaume II. On avait cessé d'employer cette appellation et on n'en avait point encore trouvé d'autre.

Et le commandant du corps d'armée partit. Savitski, lui, se dirigea vers la droite, vers l'endroit où le front s'interrompait, pour y disposer une demi-compagnie de mitrailleurs. Vorotyntsev l'accompagna. Le cœur ne sait vivre sans alarme. Maintenant que l'inquiétude était passée de voir l'armée contournée par la gauche, c'était autre chose qui le tourmentait : sur la droite du corps d'armée, ça soufflait, il y avait un courant d'air.

Savitski parlait net et bref. Oh, il comprenait tout! Mais pourquoi faut-il que *comprendre* se situe toujours sur une couche au-dessous de *pouvoir?...*

Avançant ainsi entre le village et la ligne principale des tranchées, ils débouchèrent sur le moulin. Isolé, dominant le village, en un lieu éventé, exposé de tous côtés, se dressait le corps noir, gigantesque, du moulin, et, se détachant sur le ciel étoilé, on voyait ses ailes immobiles, semblables à des bras croisés pour une imploration : « N'avancez pas! » ou une interdiction : « Vous ne passerez pas! »

Y avait-il un observateur dans le moulin? Il y en avait eu un. On n'avait pas pu l'y laisser. L'endroit était trop en vue et on avait déjà été pris pour cible dans la soirée.

Plus loin, après le village, la route et la voie ferrée formant côte à côte deux remblais tournaient brusquement vers le nord, traversaient le front, et c'est de l'autre côté de la voie que Savitski se rendait pour disposer les mitrailleurs. Il offrit à Vorotyntsev de partager son propre gîte pour la nuit. Mais il fallait en finir, il ne pouvait tout de même pas continuer à rester ainsi sur leur dos. Vorotyntsev, longeant la voie ferrée obscure et déserte, partit dans l'autre direction. Et là où la route de Neidenburg émergeait de dessous le chemin de fer, il s'assit sur un petit talus dans une herbe maigre et sèche.

Dans tout l'espace obscur que son regard dirigé vers l'est balayait du nord au sud, il n'y avait plus à présent un seul clin de lumière, rien qu'Andromède et Pégase largement étalés, Capella qui brillait d'un vif éclat, les Pléiades entassées en un léger brouillard. On n'entendait ni artillerie, ni fusillade, ni bruit de sabots ou de roues; c'était la terre telle qu'elle avait été créée mais d'où, déjà, les bêtes avaient disparu, et les hommes aussi. A deux pas de là mûrissait le combat d'un corps d'armée contre un autre corps d'armée, un combat dont dépendait le sort des armées, peut-être même le sort de toute la campagne et, à deux pas, c'était le vide absolu, la brigade de Stempel ne s'y dirigerait qu'à l'aube. Et les Allemands? Ils avaient deviné, oui ou non? Ils s'infiltraient, oui ou non?

Le mieux, c'eût été que Vorotyntsev dévalât cette pente, gagnât la route, filât à Neidenburg, y trouvât le commandant en chef, lui expliquât que, tout à côté de l'état-major, il y avait une fistule, que la chair de l'armée, déjà, se fendait en deux et que l'état-major lui-même était menacé. Recevoir l'ordre de faire avancer l'aile gauche! Revenir dare-dare, ordre en main!

Oui, mais pas d'ici demain matin! Même s'il avait trouvé une voiturette, même à fond de train sur ces vingt verstes, on ne pouvait plus arranger les choses avant le lever du jour. Il pouvait aussi tomber comme rien sous les balles d'une quelconque patrouille. Réveiller en pleine nuit le commandant en chef trop lent, le secouer, l'inciter à prendre des mesures d'urgence? C'était perdu d'avance.

Alors, rester comme ça à Usdau? C'est ici, à Usdau, que tout se jouerait. Seulement un colonel de la Stavka, ça ne sert à rien. Quelle était la raison de sa présence ici? Des milliers et des milliers d'officiers et de soldats derrière lui étaient pris chacun dans le cercle de leurs responsabilités, lui seul n'avait aucune *obligation* directe, rien d'autre que ce quelque chose qu'exigeait confusément sa conscience. A partir du moment où il était descendu de l'automobile d'Artamonov, le but de sa visite au 1ᵉʳ corps d'armée n'existait plus et n'avait été remplacé par aucun autre. Et que faisait-il? Il n'envoyait pas de rapports et ne pouvait intervenir dans le cours des événements. Il en était à se dire qu'il eût mieux valu rester à la Stavka, il aurait pu en faire davantage.

Lui qui s'acharnait toujours à se chercher le meilleur usage — il avait trouvé le pire.

Une aspiration profonde travaillait Vorotyntsev depuis sa jeunesse : exercer une action bénéfique sur l'histoire de sa patrie. La tirer ou la pousser, cette mal peignée, là où elle serait le mieux. Mais une puissance, une influence de cet ordre, en Russie, ne pouvait échoir qu'à un homme marqué par la proximité de la couronne. Et quelle que fût la fonction dont il se chargeât, et quels que fussent les efforts qu'il déployât, c'était toujours peine perdue.

Le sommeil l'envahissait par vagues, il en frissonna. Les deux dernières nuits, il les avait bel et bien passées en selle. Il avait déjeuné chez Krymov — aujourd'hui? était-ce possible? On aurait dit qu'il y avait de cela une semaine.

C'était tout simple, c'était tout près — se laisser glisser, le dos contre le talus, et dormir un peu... La terre, pourtant, était déjà bien froide.

Vorotyntsev descendit sur la route, reprit le chemin du village. Ses jambes, ses pensées — tout s'emmêlait. Plus rien : ni agir, ni décider, ni penser. Méprisant son échec, méprisant son désarroi, au bout de sa marche trébuchante, il atteignit la maison qu'on lui avait désignée pour y passer la nuit.

La pièce, bien que ce fût une maison paysanne, comportait une alcôve. Et sur le lit à deux places, il y avait un duvet léger dans une taie de soie rose. Depuis la guerre avec le Japon, les nuits passées au front, dans son souvenir, c'était une bicoque en terre battue, une tente...

Sur le dessus de marbre de la cheminée, une horloge de bronze, toute pointue du haut, faisait tic-tac. On ne la remontait peut-être qu'une fois par semaine, peut-être étaient-ce encore ses propriétaires qui l'avaient remontée. Elle marquait presque la même heure que la montre de Vorotyntsev : minuit moins le quart.

Dans la pièce, il faisait un peu lourd et la lampe à pétrole y était pour quelque chose aussi, mais en même temps, c'était agréable qu'il fît chaud. A bout de forces, Vorotyntsev enleva son ceinturon, ses bottes, glissa son revolver sous l'oreiller en duvet lui aussi, prépara des allumettes, souffla la lampe et, sans défaire le lit, s'enfonça dans la tendre masse moelleuse, gardant encore très nettement une sensation amère d'échec et de désarroi. Et la couche le reçut comme si elle l'avait attendu. Alarmes et désarroi perdirent de leur dureté. Les battements de son cœur qui résonnaient à travers l'oreiller se firent plus rares puis cessèrent.

... Et comme par enchantement, il se retrouva dans une pièce, pas celle-ci, une autre; les coins n'en étaient pas éclairés, une lumière avare venait on ne sait d'où et n'éclairait que l'endroit qu'il fallait voir. N'éclairait d'elle que le visage et la poitrine.

C'était *elle*, c'était bien *elle!* il la reconnut tout de suite, ne l'ayant de sa vie jamais vue! Il n'en revenait pas de l'avoir trouvée si vite. Cela semblait presque impossible à accomplir. Jamais ils ne s'étaient vus, et pourtant, s'étant reconnus tout de suite, ils s'étaient précipités l'un vers l'autre, s'étaient pris par les coudes.

Il y avait de la lumière, il avait des yeux pour regarder, mais tout cela était insuffisant pour voir complètement son visage, son expression, et malgré tout, transpercé par l'évidence, il l'avait aussitôt reconnue : c'était *elle*, très exactement elle! la plus indispensable, la plus indiciblement intime, celle qui remplaçait toutes les jolies femmes, tout le monde des femmes.

Ils s'étaient élancés l'un vers l'autre et parlaient, sans parler, sans prononcer un seul mot distinctement à voix haute, et pourtant ils comprenaient tout, vite et bien. Les yeux ne disposaient que d'un quart de lumière, la perception, elle, était totale. Ses mains, maintenant, glissaient des coudes sur son dos étroit, cambré, et il la serrait contre lui. Et ils sentaient tellement qu'ils étaient bien, qu'ils étaient proches, qu'ils s'étaient trouvés.

Il n'y avait nul devoir qui l'appelât, nul souci qui lui pesât. Il y avait la sensation de légèreté et le bonheur de l'enlacer. Et aussi, on eût dit que ce n'était pas la première fois qu'ils se voyaient, tant il y avait déjà, entre eux, de passé, d'admis, de convenu, et, avec assurance, il la menait vers le lit, qui était là, et la lumière se déplaçait vers le lit.

Soudain, elle eut comme un mouvement de recul et s'arrêta. Ce n'était pas de l'embarras, leurs sentiments étaient déjà entièrement ouverts, non, elle s'était arrêtée parce qu'elle *ne pouvait pas*, il avait bien compris que, pour une raison ou pour une autre, elle ne pouvait pas préparer ce lit.

Alors, perplexe et pressé, il se pencha pour le préparer, lui. Et aussitôt qu'il tira le couvre-lit, la couverture, il vit, sur le drap, à moitié cachée par l'oreiller, bien pliée, la chemise de nuit d'Aline, rose avec des dentelles. Il n'y avait eu aucune autre sensation de couleur, pas même la couleur de la robe qu'*elle* portait, pas même la couleur de *ses* yeux, mais la chemise de nuit rose, il la reconnut tout de suite.

Et c'est là seulement que, soudain, il lui revint, que, soudain, il se souvint : il y avait Aline! Il y avait Aline, et c'était un obstacle, mais l'obstacle il ne le sentait pas : sans la moindre tendresse pour cette chemisette rose d'un tissu très fin, sans pitié ni hésitation, il la prit et voilà qu'il n'y avait plus rien dans ses mains, — elle avait fondu. Et le lit fut aussitôt prêt. Et plus rien ne faisait obstacle à présent.

En un clin d'œil, sans qu'il sût comment, le lit était fait et eux, déshabillés. Ils étaient allongés, très étroitement joints, et il y avait, les submergeant, la joie infinie de s'être trouvés, de n'avoir plus jamais rien ni personne à chercher.

... Mais voilà que ça tonnait, sifflait, faisait voler les vitres en éclats! Georges se réveilla, n'ayant pas encore la force de remuer la tête. Les vitres n'avaient pas volé en éclats mais les premiers obus allemands tombaient tout près. Dans la pièce se répandait le gris de l'aube. Il ferma les yeux de nouveau.

C'était dommage de les ouvrir. Plongé quelques instants plus tôt dans une intimité absolue et encore tout pénétré d'une langueur insurmontable, il restait couché, quand bien même ce serait la fin du monde. Il *la* sentait encore tellement qu'il mit un moment à se dire : mais, au fait, qui était-*elle?* Il ne l'avait pourtant pas cherchée? Il n'avait jamais, semblait-il, pensé à elle. Il ne pensait jamais *ainsi*.

L'étonnant, ce n'était pas qu'une femme qui n'existait pas fût créée par un rêve — ce sont des choses qui arrivent —, l'étonnant, c'était l'acuité de cette sensation vécue que Georges croyait ne plus connaître, avait oubliée, considérait comme morte.

Il *la* sentait encore tellement que c'était dommage de desserrer les genoux, de perdre sa chaleur. Et il restait là, couché, alangui, sans défense, quand bien même un obus ferait sauter le mur.

Tout revenait : il était venu pour rien, le combat était pour aujourd'hui, il n'avait rien à y faire, il fallait se hâter pour aller où? voir Samsonov? voir Artamonov?... Dans l'air du matin, il entendait nettement les coups de canon, le sifflement encore distinct de chaque obus, puis là, près du village ou dans le village peut-être, les explosions. Trois pouces. Six. Tiens, celui-là, on aurait dit plus encore...

Impuissance maligne de la chair! Quand bien même on mourrait, quand bien même tout sauterait — la force de se lever ne revenait toujours pas. On compare ça à la mort, ce sont effectivement des sensations voisines.

Et dans une tranchée? Chez Agathon des Aires — ça ressemblait à quoi?...

Déjà on distinguait l'horloge sur la cheminée : quatre heures sept minutes. Les explosions se rapprochaient. Dans la maison des portes claquaient. On frappait aussi à la sienne : un cuistot à face ronde, dégourdi, lui apportait une gamelle de gruau, et encore chaud, même, alors qu'on l'avait, pour sûr, distribué aux soldats une heure plus tôt — merci à toi, soldat anonyme. Des visages comme ça, en Russie, il y en a des centaines de mille que j'ai vus, oubliés, vus, oubliés — que Dieu me donne de vous garder éternellement en mémoire!

Vorotyntsev sauta du lit, se sentit encore un peu étourdi aux premiers pas qu'il fit, puis plus rien — tout était déjà oublié. Il avala rapidement le gruau, se servant d'une cuiller en bois, large, qui écartait la bouche, et déjà il remontait sa montre, fixait son ceinturon, ses jumelles, enfilait sa capote, réfléchissait : où devait-il tout de même aller, à présent?

Les vitres vibraient, les secousses se répercutaient aussi à travers toute la maison, mais de l'intérieur, comme toujours, on comprenait mal l'orientation du tir et des explosions.

Il ne laissa rien dans la gamelle. Le cuistot, lui,

attendait dans l'entrée — la gamelle, pour sûr que c'était la sienne. Une tape sur l'épaule : « Merci mon vieux! » et il bondit dehors en direction des tranchées, alerte, presque gai.

Le matin était frisquet. Au fond du vallon largement étalé, à l'ouest, s'étendait la brume. Tout près, toute noire, éclata une fougasse, des éclats sifflèrent. Les ayant laissés passer, à l'abri derrière le mur de brique du hangar, Vorotyntsev, d'un bon pas de course, fila vers une tranchée toute proche et tomba juste sur la section qui, hier, avait scandalisé le général. Il plongea dans la tranchée entre deux soldats. Ils l'avaient bien creusée leur tranchée! à hauteur d'homme, avec des niches, et ils y avaient même apporté des bancs, des chaises rembourrées, ces coquins!

Et un peu plus à gauche, dans le parapet de terre, au creux d'un petit caniveau transversal spécialement aménagé pour lui et protégé par des rebords de terre, le museau pointé vers l'ennemi et tournant la queue aux soldats, il y avait, grand comme un chat, un lion en peluche au poil lisse, couleur sable, très beau.

— Vot' Noblesse, cet animal, il s'appelle comment?

— Mais enfin, on t'a bien dit...

Il n'empêche qu'on attendait confirmation.

— Un lion. Vous l'avez pris où?

— Ben, c'est quand on traversait la ville...

— Il est mou ou dur?

— Dur.

Les obus volaient, volaient, pour le moment encore ni très fournis ni très précis, promettant avec une joie mauvaise que la journée serait chaude. Seul, c'est pour le coup que, la tête contre la paroi de terre, on se serait tapi, on se serait tu, mais devant les autres, on plastronnait. Et puis ce lion aussi! C'était du goût de Vorotyntsev. Le désarroi et l'indécision du matin s'étaient transmués en un bon début de journée.

D'ici on avait une vue très ample, mais la moitié du coup d'œil était noyée dans la brume et, au-dessus de la brume, le rougeoiement du tir des batteries allemandes situées plus haut se détachait bien. Cela faisait un travail qui pourrait servir, en attendant : vite une feuille de papier, la sacoche porte-cartes, s'orienter d'après la boussole par rapport au moulin qui, justement, de cet endroit de la tranchée largement coudée, était entièrement visible de part en part, et marquer la disposition des batteries en estimant les distances au jugé, ou encore par la graduation des jumelles. Vorotyntsev aimait les travaux d'artillerie, il avait, tout un été, pour son propre agrément, suivi les cours de l'école d'artillerie des officiers, à Louga, et y avait appris pas mal de choses.

— Les gars, et pourquoi qu'on répond pas? se demandait-on les uns aux autres tout en jetant des regards en coin à Vorotyntsev.

— Pour ne pas se trahir! répondit gravement un soldat de haute taille — le voisin de Vorotyntsev dans la tranchée —, mais c'était une gravité de façade, des lèvres volontairement pincées. Et lui aussi avait eu son petit regard en coin vers le colonel.

Bien que l'essentiel de la canonnade allemande fût apparemment orienté sur leur gauche vers d'autres régiments, ici aussi le tir se faisait plus dense. Le visage des soldats était tendu, nettoyé à sec de toute blague. Il y en avait un qui murmurait, son livre de prières à la main. Stridents les fléaux d'acier sifflaient au vol, les éclats au sol. Le soldat placé à la droite de Vorotyntsev se protégeait au moindre son, même lorsqu'il n'y avait pas de danger. Et à sa gauche il avait ce moqueur avec son nez large, sa bouche ouverte, sa lèvre inférieure pendante, et il suivait le moindre grattement de crayon du colonel. Il avait un visage très bienveillant. La bouche ouverte, oui, mais des yeux pleins de vivacité, qui regardaient la sacoche porte-cartes, et pas par pure curiosité, non — on aurait dit qu'il observait pour pouvoir, sans tarder, lui aussi, se mettre à faire la même chose.

— Tu as compris? demanda Vorotyntsev, tout en quittant ses jumelles pour sa feuille de papier. Tant qu'on ne nous en fait pas trop voir...

— Il faut en profiter pour faire des marques, fit avec assurance, en hochant la tête, le soldat à la grande bouche. Et d'après son expression, on voyait bien qu'il s'y retrouvait : les directions, les distances. Et là, c'était quoi?...

— Tu t'appelles comment?

— Arsène.

— Et ton nom?

— Blagodariov.

Un nom malin [1], bien trouvé, et bien trouvée aussi la manière qu'il avait de l'annoncer — on se sentait le cœur effleuré d'une brosse douce. Blagodariov — en voilà un qui, manifestement, avait la gratitude facile, n'était-il pas déjà sur le point d'en manifester à Vorotyntsev?

1. Nom formé sur le verbe signifiant « remercier ». *(N.d.T.)*

Derrière eux, au-delà du village, l'aube s'allumait et la brume, en bas, s'épaississait. Dans l'heure à venir, la colline sur laquelle ils se trouvaient serait noire, masquée par le soleil aux batteries allemandes qui tiraient de l'ouest. Celles du nord viseraient mieux. Tiens! déjà! « Bou-ou-m! » « Bou-ou-m ». Tout près. C'étaient surtout des obusiers, des obusiers lourds qui tiraient; et il y avait aussi moins de shrapnels que de fougasses; et le tir était précis. Aucune chance de terminer, ça suffirait comme ça.

Se faufilant derrière les dos, le capitaine passait dans la tranchée.

— Le lion n'est pas encore blessé?

En guise de réponse, il y eut un petit rire.

— Eh, vous qui vous entassez là!

Vorotyntsev lui demanda de transmettre la feuille de papier au commandant du bataillon qui la passerait aux artilleurs.

Dans toute la compagnie, il n'y avait, pour le moment, que trois blessés légers. Dans le 1er bataillon, plus bas au-dessous du moulin, on disait qu'ils avaient été touchés en plein dans la tranchée, et là, il était tombé une bonne dizaine d'hommes.

Le matin s'allumait, la brume se condensait. Le vaste champ de bataille apparut, tout déployé sur la gauche, — partout les petits nuages des shrapnels, les jets de terre des fougasses, et tout cela plutôt de notre côté : sur dix verstes de front, les deux *premiers* corps d'armée étaient dressés face à face. On avait déjà la date : 14 août 14. Seule la bataille n'avait pas encore de nom : Usdau? Soldau? On savait encore moins si elle serait auréolée de gloire pour les siècles, qui elle allait auréoler de gloire ou si, demain, elle serait tombée dans l'oubli.

Une nuit courte, un réveil au bruit du canon, un matin vif et frisquet, avec tout cela Vorotyntsev n'était pas parvenu à déterminer raisonnablement en quoi consistait aujourd'hui son devoir. Ce ne pouvait être de s'éterniser absurdement dans cette tranchée! Il n'empêche qu'il se sentait plus alerte que jamais. C'était comme si là, pris dans l'action, il cesserait enfin d'aller et venir, de tourner vainement en rond. A présent il ne regrettait plus du tout d'avoir fait le voyage, encore moins d'avoir quitté la Stavka où, à neuf heures, on commencerait seulement à se réveiller. Aujourd'hui, 14 août 14, commençait pour le colonel Vorotyntsev la deuxième guerre de sa vie, d'une durée imprévisible, d'une issue imprévisible pour l'armée russe et pour lui-même. Mais s'il avait fait des études et s'il était militaire, c'était pour la faire, cette guerre, pas pour la regarder.

— Ça se tasse! fut le premier à constater Blagodariov, ce qui signifiait qu'entre les explosions, il entendait les départs et que, parmi tous les coups tirés à travers le champ de bataille, il distinguait ceux qui étaient dirigés contre eux. Il avait devancé tous les autres de quelques secondes, tel un expert, un habitué du conservatoire, qui perçoit l'harmonique de l'accord final. Et d'un seul coup, les obus qui pleuvaient sur leur régiment se firent plus rares.

— Tu as une bonne oreille, fit Vorotyntsev, le félicitant. Dommage que tu ne sois pas dans l'artillerie, tu pourrais pointer à l'oreille.

Blagodariov sourit, mais très modérément — fallait

pas croire qu'il était tout réjoui d'avoir fait quelque chose qui plaisait au colonel.

On se redressait, on soufflait un peu. Il s'en trouva même pour s'installer sur les chaises, rouler une cigarette. On vérifia l'état du lion — intact, pas une éraflure! Et de rigoler : on a l'air fin à se planquer comme ça!

— Et la bouffe, c'est pour quand? demanda le soldat qui avait posé des questions sur l'artillerie.

Et tous se firent une joie de s'attaquer à lui :

— T'as vu ça!... Il a faim!

— Avant c'soir, tu peux toujours courir!

— Fais gaffe qu'on t'perce pas la bedaine avant, t'aurais plus où la mettre, ta bouffe!

Ils étaient les seuls sur qui on avait cessé de tirer pour faire feu sur les régiments voisins, à gauche. La direction centralisée dans l'artillerie! voilà ce que prisa Vorotyntsev. Qu'on arrivât à modifier le tir avec un tel ensemble et d'un seul coup — chez nous c'était impossible : on manquerait toujours de quelque chose, de téléphone, de câbles, d'entraînement. Mais quel était le but de l'opération? Une attaque d'infanterie sur Usdau, peut-être? Bien qu'ils fussent postés face au nord-ouest, Vorotyntsev, à la jumelle, explorait le nord, car il n'eût pas fallu les voir arriver par là, il n'y avait rien de plus redoutable.

Le soleil pourpre, derrière eux, lançait déjà des rayons au-dessus des maisons, entre les arbres, se montrait déjà, çà et là, sur leur colline. Il faisait plus chaud. On roulait les capotes. Sur toutes les pattes d'épaule se voyait encore bien la trace des monogrammes de Guillaume qu'on avait enlevés.

On fit circuler de bouche à oreille l'ordre d'être tous prêts à tirer.

Les Allemands, cependant, n'attaquaient pas. Les Allemands ne se montraient nulle part. Et, cette fois-ci encore, Blagodariov fut le premier à voir :

— Regarde-moi ça! mais r'garde-moi ça! — C'était à croire qu'il disait « tu » au colonel, ou peut-être ne s'adressait-il pas à lui. Il avait tendu son long bras par-dessus le rebord, l'air très intéressé. — Les voilà! Les voilà!

Et à travers ses jumelles Vorotyntsev vit très distinctement déboucher du bosquet deux automobiles au toit ouvert, avec, dans chacune d'elles, quatre hommes. Ils étaient à moins de trois verstes; Vorotyntsev, dans ses jumelles puissantes, distinguait même les visages et les insignes de grade sur les épaulettes. Dans la première automobile, il y avait un petit général frétillant qui faisait briller ses verres de jumelles à tout bout de champ et qui, à contre-jour, ne devait voir que du noir. Leur route allait de gauche à droite de l'autre côté du vallon, au-dessus de la brume qui était descendue. Il n'y avait personne pour les prévenir, les retenir, ils approchaient à vive allure.

— Un général! Voilà un général qui vient nous voir! fit Vorotyntsev, faisant part de sa découverte à... Blagodariov, bien sûr!... Ce n'est surtout pas le moment de le faire fuir! on aurait des choses à se dire!

Ce n'était pas très réussi de s'être fourré là, dans la tranchée. S'il était resté aux côtés de Savitski, on aurait pu suspendre aussitôt tous les tirs. Là-bas, le voyaient-ils? Mais il était déjà trop tard pour courir jusqu'au téléphone.

— Un gé-né-ral! hurla Blagodariov, du fond de sa poitrine, avec une excitation de chasseur. Attrapez-le! Attrapez-le!

Et voici déjà que la route s'abaissait pour plonger dans la brume et ensuite remonter par ici, vers Usdau. Mais les abris des avant-postes qui n'avaient pas été réduits au silence, tout au bord du vallon, n'y tinrent pas et, à quelque quatre cents mètres, plusieurs fusils firent feu sur les automobiles.

Et l'infanterie allemande s'empressa de répliquer. Il fallait s'y attendre qu'on les ferait fuir, les automobiles! Elles s'arrêtèrent pour faire demi-tour et restèrent bloquées par la manœuvre.

C'eût été le moment de leur envoyer un bon petit shrapnel! Mais le guetteur allait d'abord baragouiner au téléphone du bataillon, et d'ici que la batterie...

A travers les jumelles, on voyait le général qui, très sportivement, d'un bond, était hors de son automobile, et sa suite aussi qui bondissait dehors, sans même prendre le temps d'ouvrir toutes les portières, et tous de courir le dos courbé.

— Ah si seulement on avait pu les avoir! s'égosillait en vain Vorotyntsev.

De toute façon, il n'y avait rien à faire. Il plaça les jumelles devant les yeux de Blagodariov. Les jumelles, tout de même, ça allait l'impressionner — eh bien non, en un instant, l'autre sut y voir et de rire, de se taper sur les côtes, de crier d'une voix à se faire entendre de tout le bataillon car, de la voix, il en avait à revendre :

— Il a perdu son chemin, le diable aux pieds fourchus! Attrapez-le! oh! la! la!...

Les automobiles s'étaient redressées, l'avant tourné dans la direction d'où elles étaient venues, et elles attendaient leurs passagers. Mais ceux-ci, déjà, fuyaient sur le côté, derrière les buissons, descendaient dans un fossé ou un petit ravin, et le général fit signe aux automobiles de partir — eux ils s'en iraient comme ça.

Et c'est alors seulement que notre trois-pouces fit feu, par-delà le village, au-dessus des têtes, et qu'un projectile explosa près de cet endroit. On avait quand même réglé le tir.

Qui pouvait bien être ce général? Et comment se faisait-il qu'il ne sût point que nous étions ici en nombre?

L'épisode avait beaucoup égayé les soldats et les avait rassemblés autour de Vorotyntsev. Blagodariov expliquait à présent, se faisant entendre sans effort à une vingtaine de mètres sur sa droite et sur sa gauche, qu'il y avait été, *là-bas*, et avait vu, de ses propres yeux vu, le général sautiller comme un bouc, et une allure avec ça! Les soldats n'en revenaient pas : ça existait, des généraux comme ça?

De toute évidence, Blagodariov était du genre rigolard, prêt à s'esclaffer pour un oui, pour un non. Mais sûrement aussi du genre trimard. Il y avait en lui juste un rien de balourdise, de cette balourdise faite d'un excès de force qui engourdit les bras, cloue les jambes. Ça lui faisait, avait-il dit, vingt-cinq ans, mais il était resté dans son visage quelque chose du gosse aux grosses joues et confiant avec cela, comme on ne l'est guère qu'à la campagne.

— Maintenant, les gars, courage! Et qu'on prenne bien soin du lion! *Il* va nous en faire voir, ça va chauffer, il n'est pas venu pour rien! promettait joyeusement Vorotyntsev.

Il n'y avait là rien de bien gai : c'était, pour beaucoup, la mort, des blessures, Mais, comme toujours entre hommes, il ne se serait trouvé personne pour l'avouer, même si l'un ou l'autre aurait bien aimé filer d'ici avant qu'il ne fût trop tard, et tous, les uns devant les autres, crânaient, blaguaient, rigolaient.

— Et rappelez-vous, les gars : un homme hardi ne meurt qu'une fois, un peureux, à chaque instant!

Vorotyntsev sentait que cette compagnie déjà le connaissait et l'avait pris en affection. Il était rempli de bien-être et de fierté à se trouver là, à sa place, et ressentait aussi la transfusion, en lui, d'une force oubliée durant les années passées à Moscou et Saint-Pétersbourg, de cette sève qui montait du sein de la Russie inépuisable et qu'il retrouvait sous chaque capote de soldat, pas le moins du monde effrayée devant des Allemands.

— Et notre Agathon des Aires, où est-il? demanda Vorotyntsev. J'aimerais bien le voir en plein jour, cet Agathon des Aires.

— Agathon des Aires! Hé-ho!... Tout de suite, Vot' Noblesse! C'est pas qu'il se serait absenté pour ses besoins!... On vous le passe tout d' suite.

— Ou alors, la Caille.

Vif bien que malingre, la Caille était à quelques hommes de Blagodariov et, tout en reniflant, il se frayait déjà un passage vers le colonel — oui, mais le moment était mal choisi pour l'examiner.

Outre ce qui grondait à gauche, soudain ils furent secoués, eux, par une douzaine de coups. Une douzaine de longs fléaux cinglèrent l'air là où ils étaient.

— Eh bien! Personne n'a oublié son saint patron? eut tout juste le temps de crier Vorotyntsev. Priez!

Et trouvant encore un dernier petit rire, se rappelant le général de la veille, on lui fit écho à droite et à gauche :

— Prie Dieu mais mène ta barque!

— Nicolas le bienheureux à lui seul nous protégera tous!

Et Arsène, lui aussi, glapit :

— Adieu la vie, adieu mon village! mais tous s'accroupissaient déjà au fond de la tranchée, tous se cachaient la tête et aussi se signaient malgré tout.

Et toute l'étendue des tranchées du régiment de Vyborg essuya le martèlement des fougasses allemandes! C'était toujours ce même commandement bien unifié et une liaison sûre, sans défaillance, qui, maintenant, d'un seul coup, avaient transporté sur leur colline, sur ces deux verstes de tranchées, le feu de dizaines de canons et d'obusiers, légers et lourds, et même plus lourds encore, car ça tapait là, tout près, plus fort que des six-pouces — des explosions inouïes!

Là, tout près, juste à côté, ça défonçait la terre! Le corps de la terre était secoué jusqu'à la nausée. Chaque obus volait droit sur chacun d'eux, tout droit, fût-il colonel ou soldat, ou... nom de Dieu! Seigneur, prends pitié! Cependant que nul obus ne les atteignait directement, et ça ne faisait que secouer, assourdir, projeter parfois de la terre et peut-être aussi des éclats, mais on ne les entendait pas, et il se répandait cette odeur puante et écœurante de brûlé qui, même pour un novice, s'associe très vite à la mort.

On ne distinguait plus les explosions les unes des autres. Tout s'était fondu. Tout n'était plus que tremblement et affres de la mort.

Vorotyntsev lui-même n'avait jamais encore vécu *chose semblable* ! Une densité *semblable*, lors de la guerre avec le Japon, cela ne s'était pas vu. Ce n'était plus seulement la terre, juste à côté, c'était tout le corps de l'homme qu'on torturait et il fallait faire un effort pour se rappeler que du moment que l'on *entend* et que l'on comprend, c'est tout de même la terre qui encaisse et pas son propre corps. Toutes ces années, il n'avait fait que s'occuper de la guerre, et pourtant, il en avait drôlement perdu l'habitude ! Toutes les sensations semblaient nouvelles. Même lui, sorti de l'Académie militaire, il devait faire effort pour se dire et se redire que, théoriquement, dans une tranchée à hauteur d'homme, toute une heure d'une telle besogne ne peut enlever plus du quart de la défense et que, par conséquent, on avait soixante-quinze chances sur cent de s'en tirer.

Mais les nerfs, la lucidité, combien de minutes ça peut tenir quand on ne voit pas l'adversaire, quand on ne se bat pas et qu'on est là simplement à servir de cible? Il faudrait chronométrer, jeter un coup d'œil à sa montre. Tiens, tiens ! On avait les yeux bien fermés ! Ils s'étaient fermés tout seuls, sans même qu'on s'en aperçoive.

Il les rouvrit. Et il vit, à un mètre de lui, comme lui à mi-hauteur dans la tranchée, plaquée contre la même paroi frontale, sous sa casquette fripée, la tête de Blagodariov.

Lui aussi avait ouvert les yeux — n'était-ce pas à l'instant, lui aussi?

Dans ce fracas muet, isolés du monde entier, ils étaient tous deux les seuls vivants sur toute la Terre et ils se regardaient d'un regard humain, d'un dernier regard peut-être.

Et Vorotyntsev lui adressa un clin d'œil, pour le moral. Et l'autre voulut plus encore : il essaya d'écarter les lèvres en un sourire malhabile, mais c'était raté.

C'est qu'il ne savait rien, lui, des soixante-quinze pour cent. On ne lui avait rien expliqué d'avance, à lui!

A présent les minutes se mirent à défiler, aiguës, comptées. Vorotyntsev serrait dans sa main sa montre-gousset, toute tiède, mais il n'avait pas la force de la fixer continuellement : la trotteuse se déplaçait vraiment avec trop de lenteur, se refermant, en une seule rotation, sur des avalanches de métal, des milliers d'éclats et de grêlons de terre.

Et il n'y avait plus de soleil, plus de matin. C'était la nuit, enfumée et malodorante.

Et des pensées, à l'étroit dans chaque seconde, il s'en casait tant et tant, autant que de soldats dans une tranchée : comment pouvions-nous faire la guerre, n'ayant pas une artillerie égale à la leur? — nous ne pouvons tirer qu'à sept verstes, les Allemands tirent à dix. Pendant la guerre avec le Japon, chose semblable — au moment de la guerre avec le Japon, il n'était pas encore marié — Aline pleurerait puis se remarierait — dommage, il ne resterait pas d'enfant de lui et c'était tant mieux s'il n'en restait pas — dommage qu'il n'eût pas rencontré cette *autre*, celle d'aujourd'hui, de cette nuit — ainsi avait passé la vie, qu'avait-il fait? Le quatorze août 14 — ça ne peut-pas être dommage de mourir pour celui dont la guerre est le métier — lui, c'était son métier, mais ces paysans? — la récompense du soldat, c'est quoi? de rester en vie, rien d'autre. Où trouvait-il *son* soutien?

Blagodariov, comme tantôt la sacoche porte-cartes, regardait avec grand intérêt la montre du colonel. Puis il se mit à glisser vers lui — blessé peut-être?? Non, c'était pour lui crier à l'oreille :

— Lirais-l'heure!!

Vorotyntsev ne comprit pas : quoi? lirais l'heure? Il voulait prendre un peu la montre? Il se vantait de savoir aussi se servir d'une montre?

— On dirait-l'aire!! cria encore une fois Blagodariov, jouant de la vigueur de ses poumons.

Et Vorotyntsev, là encore, ne saisit pas aussitôt : *on dirait l'aire!* Tels les épis aplatis sur l'aire, les soldats dissimulés dans les tranchées attendaient qu'on leur écrasât le corps, ce corps unique pour chacun d'entre eux. Des fléaux gigantesques passaient à travers leurs rangs et s'abattaient sur eux, séparant les graines de leurs âmes pour un usage qu'ils ignoraient — et les victimes n'avaient rien d'autre à faire qu'à attendre leur tour. Et celui qui n'y passait pas, celui qui était blessé, il n'avait qu'à attendre son tour une seconde fois.

Sérieusement, qu'est-ce qui *leur* donnait la force de supporter ce battage? Ils étaient là, sans pousser de clameurs, sans perdre la raison.

Et les minutes, cependant, tournaient.

Il en était sûrement passé cinq.

Maintenant il en était passé dix.

Le visage sorti d'un bain de sang, retenant sa peau de tous ses doigts, comme fou, un soldat se faufilait derrière les dos.

Non loin de là un soldat en pansait un autre.

Dans l'ensemble, le maillon de leur tranchée était entier.

Et on finissait par s'y faire. C'était une forme de vie que de vivre sur une aire de battage. On s'y faisait.

Vorotyntsev regardait Blagodariov. C'était très clair : il n'avait pas peur, lui. C'est-à-dire que, bien sûr, il ne voulait pas mourir et il comprenait qu'il fallait avoir peur, que tous devaient avoir peur, étant donné la situation, et pourtant Blagodariov n'avait plus peur : la secousse morale ne marquait pas son visage, les yeux ne lui sortaient pas de la tête, sa raison ne s'était pas troublée, son cœur avait tenu bon.

Et il se dit que c'était justement ce soldat dont il avait pressenti qu'il le rencontrerait lorsque, à la Stavka, il avait refusé de prendre, pour l'accompagner, un paillasse des arrières. Eh bien, ce soldat-ci, il le prendrait maintenant avec plaisir et ne le lâcherait plus jusqu'à la fin de la bataille.

Blagodariov était là, assis dans sa tranchée, comme on attend la fin d'une averse sous un piètre abri. Il regardait autour de lui et se faisait à la façon dont on pouvait vivre ici. Le voilà qui collectionnait les éclats maintenant : celui qui ne s'était pas trop enfoncé dans la paroi, il le dégageait ; il venait d'en ramasser un tout chaud, s'était brûlé, le faisait passer d'une main à l'autre et il le donna à toucher, à regarder au colonel. C'était un éclat très dentelé, tiède, ne faisant qu'un avec le corps, comme une croix tiède qu'on porte sur la poitrine.

La façon d'être toute simple de ce soldat sortait des temps où n'existaient ni fonctions, ni grades, ni rangs, ni nations. C'était la simplicité naturelle de l'ignorance.

Soudain Blagodariov fut stupéfait. Regardant vers le haut, par-delà Vorotyntsev, il fut stupéfait, comme si, dans ses gros sabots, il s'était approché et qu'au lieu d'un hangar il avait trouvé un palais. Vorotyntsev tourna lui aussi la tête de ce côté-là.

écran

Le moulin à vent est en flammes!
Le moulin a pris feu!
On le voit bien par-dessus le rebord des tranchées — comme par un chemin qui mènerait tout droit là-bas mais que voilent la fumée des explosions, la poussière du sol, les jets de terre.

Et sur nos crânes, ça gronde! du grondement dernier, tout gronde et vibre! —
Et c'est pourquoi, sans bruit,

le moulin flambe! non pas détruit par un obus, mais saisi tout entier par les flammes :
l'armature pyramidale, des langues pourpres

traversent le revêtement, et dans l'espace
elles blondoient, elles rougeoient.

Et les ailes sont immobiles. Le feu court sur les
pales du bas et, du croisement, rayonne le
long des pales du haut.

= Le moulin tout entier : En flammes!!! Tout
entier!

Voilà comment le feu s'y prend : en premier
lieu il ronge les lattes du revêtement, et la
carcasse tient toujours,

une carcasse toujours plus claire, plus dorée
— qui tient! — les chevilles sont encore là!

Toutes les arêtes sont de feu — celles des ailes,
de l'armature!

= Et voilà que les ailes — est-ce un souffle de
l'air chaud? — avant de s'écrouler, commencent
lentement,

lentement,

lentement à tourner! Sans vent! Quel miracle!

En une étrange rotation se meuvent des rayons

pourpres — dorés qui ne sont que des arêtes —

COMME ROULE DANS LES AIRS UNE ROUE
DE FEU.

Et puis s'écroule,

s'écroule en morceaux,

en débris de feu.

l'écran s'éteint

Ce qui paraissait ne pouvoir être supporté plus de trois minutes, le régiment de Vyborg le supporta plus d'une heure. Les tués, quand on en avait le temps, on les allongeait le long de la paroi. Les blessés se faisaient sur place des pansements les uns aux autres. Évacuer les blessés était malaisé : les tranchées étaient profondes, les voies d'accès au village mal protégées et réduites au nombre de deux par bataillon. Ainsi donc les blessés restaient là — visages terreux, couverts de taches de sang partout, même là où il n'y avait pas de blessure, lèvres et mains agitées de frissons. Il y avait plus d'une heure que ceux du Vyborg se faisaient battre comme les blés sur l'aire et pourtant ils ne manifestaient pas le moindre désir de fuir et il ne leur était sûrement pas même venu à l'esprit qu'ils eussent tout aussi bien pu ne pas être là à se recroqueviller sous les obus. Non, semblables aux pierres charriées par un glacier, qui survivent ensuite à sa fonte, survivent aux siècles et aux civilisations, aux orages et aux chaleurs et demeurent là sans fin, les soldats restaient là sans fin, chacun à sa place. De père en fils, c'était depuis toujours l'habituel, l'inexorable : rien à faire, il faut supporter.

Vorotyntsev, lui aussi tout comme eux se recroquevillait. Dans ce battage qu'il n'était pas obligé de subir, dans cette camaraderie avec un régiment qu'il ne commandait pas, c'était comme s'il avait trouvé son ultime place.

Il n'y avait aucun espoir d'en voir la fin. Et pourtant,

soudain, le tir se fit moins dense. D'une manière concertée il se déplaça, ou bien peut-être avait-il cessé — impossible de savoir — et la noire nuit puante commença de se dissiper, et on s'aperçut que le matin était beau, et le soleil déjà haut qui tapait dur, maintenant, dans la tranchée.

On se redressait, on se dégourdissait, on tendait le cou, on regardait. Les voix, étranges, enrouées, revenues de la mort, elles aussi se dégourdissaient, retrouvaient leur sonorité pour faire entendre qu'aujourd'hui, ç'avait été beau-o-o-coup plus fort, qu'il n'y avait pas eu ça hier, que, sur la gauche, pour fumer ça fumait! bien plus que chez nous!

Savoir que c'est pire pour d'autres, ça soulage. A gauche, là-bas, le long de la voie ferrée et sur l'autre village — qu'est-ce qu'il en tombait! Et tout cela explosait, fumait, éclatait en jet noir. Et se représenter ça d'ici, ce que ça devait être pour eux, là-bas, se demander ce qu'il pourrait en rester, c'était plus terrible que d'y être passé soi-même à l'instant.

C'est difficile, très difficile de quitter l'état de pierre pour revenir à la vie, et pourtant il y avait autre chose à faire que de se dégourdir et de bayer aux corneilles, il s'agissait de vérifier au plus vite son fusil : était-il bien en place, n'avait-il pas pris de la boue, les cartouches étaient-elles là, la baïonnette était-elle bien fixée à fond? Ce n'était pas par pitié que les Allemands avaient cessé de tirer, ils étaient sûrement déjà en train d'approcher.

Mais quelque chose chez eux clochait, quelque chose n'avait pas marché : ils avaient cessé le tir mais l'infanterie ne montait pas à l'assaut. Ils perdaient des minutes précieuses et rendaient au régiment de Vyborg sa force et sa hargne.

Dans le vallon devant eux, la chaleur avait dissipé ce qui restait de brume — et il n'y en avait plus. Il était très clair que les Allemands n'avançaient pas. Ah! voilà! à droite! les fusils ouvrirent un feu nourri et les mitrailleuses se mirent à crépiter.

Et Vorotyntsev, sans trop se rendre compte, l'esprit un peu égaré, pris par la lourde griserie de la fumée, saisit le fusil libre d'un soldat tué, une cartouchière, et, repoussant son sabre de côté, se heurtant dans sa marche vacillante aux parois de la tranchée, se frayant passage entre les morts, les blessés et les vivants, il se dirigea vers le bataillon de l'aile droite, celui dont la tranchée, là-bas, contournait le moulin brûlé. Il avait la tête lourde, mais loin de réfléchir avec lourdeur, il réfléchissait avec légèreté, avec trop de légèreté, à la légère même. Après être passé par *là*, on avait comme une autre façon de penser. Aucune théorie ne poussait un colonel de la Stavka à se frayer passage vers l'aile droite pour aider, fusil au poing, le bataillon qui s'y trouvait. Mais ça faisait tellement envie! C'était si absolument indispensable!

Oui, les casques à pointe cornus montaient à l'assaut, mais :

— Bande de crétins! criait Vorotyntsev, communiquant son excitation à ceux qui pouvaient l'entendre à ses côtés, là où il avait trouvé une petite place, au tournant de la tranchée. Bande de crétins! C'est ça l'Europe? Est-ce ainsi qu'on se bat?!

Les Allemands avaient du retard ici aussi — ils ne s'étaient pas approchés au moment précis où la préparation d'artillerie avait cessé, ils n'avaient pas chargé à cet instant précis d'hébétude, et surtout ils arrivaient par une pente raide, non pas par petits groupes, en rangs dispersés, en cherchant à s'abriter, mais en lignes, comme ça se présentait — de la cible en veux-tu en voilà! — et avec cela, tirant au jeté, donc en s'arrêtant. Alors ça, non et non! l'infanterie ne peut qu'avancer ou tirer, de deux choses l'une! Nous, par exemple, eh bien, nous on tire! Oui, on tire! Les Japonais nous ont fait passer l'habitude d'avancer de cette façon-là! Pour ce qui est de tirer, là, au contraire, ils nous en ont inculqué, des habitudes.

En avoir tellement encaissé, dans les pires tourments, sans voir l'ennemi. Rester si longtemps sans le voir — et voilà qu'il était là, maintenant! Il était là, l'ennemi maudit, l'ennemi éternel. Ils étaient là, ceux qui avaient toujours été cause de nos tourments — alors, allons-y, à cœur joie, réglons nos comptes! Nous étions là à nous recroqueviller sous vos obus — à vous de vous aplatir un peu! Autant nous en abattrons, autant de moins vous serez!

Le premier bataillon s'était redressé, comme si de rien n'était, et il tirait! D'un tir généreux, vif, précis, il prenait plaisir à faire payer ses heures de tranchée. Et Vorotyntsev prenait plaisir à être dans ce rang et il tirait : puisait dans la cartouchière, chargeait, visait, faisait feu et remettait ça. Et quand il lui semblait qu'un Allemand tombait, touché par *lui*, il en gloussait.

Allongés, effrayants, les casques à pointe approchaient. Tir à genoux. Tir debout. (Les casques? qu'est-ce que ça peut nous faire! — nous, la casquette nous suffit, les fronts russes sont à l'épreuve des balles — oh, bien sûr, il y en avait qui portaient soudain la main à leur tête, tournoyaient.) Mais ceux du Vyborg tenaient bon et tiraient sans trembler, sans nulle envie de battre en retraite. Les casques à pointe étaient déjà à cinquante mètres qu'ils n'en avaient toujours pas peur, et l'on n'avait besoin de personne qui leur donnât des ordres, agitât les bras — les soldats du Vyborg tenaient bon, et, consciencieusement, tiraient.

Et voilà que les Allemands tombaient avec des cris de douleur à la renverse, certains le faisant exprès, ou alors se laissaient rouler de côté le long de la pente pour en réchapper. Les autres tournèrent les talons et prirent la fuite sans même se courber. Et nous de leur tirer dans le dos! Dans le dos!

Et il s'en trouva pour bondir hors de la tranchée, sabre au poing, prêts à les pourchasser! Mais le lieutenant eut vite fait d'en attraper un au collet! On retint aussi les autres. C'était bien.

Vorotyntsev ne tirait plus. Vorotyntsev était heureux de voir nos soldats à l'œuvre. Ceux-là tiendraient bon, il le sentait avec certitude, tiendraient ainsi, dussent-ils attendre ici leur patron, l'empereur Guillaume en personne! A travers la fumée grisante, Vorotyntsev aimait le régiment de Vyborg! Et la journée du 14 août, et ce combat d'Usdau, déjà, il l'aimait! Et aussi Savitski, voilà celui qu'il aimait tout particulièrement! Et, avançant tant bien que mal dans la tranchée, il se dirigea vers lui.

Le capitaine lui cria à l'oreille et lui indiqua : là-bas, sous la voie ferrée, il y avait un tunnel, eh bien le général était là, sous le tunnel, ou alors de l'autre côté.

C'était bien là qu'il devait se trouver. A mesure qu'ici

ça se calmait, on entendait les mitrailleuses crépiter là-bas. Et avec ses mitrailleuses, il ne les laisserait pas passer. Inutile d'aller voir Savitski. Quant à se rendre maintenant à Neidenburg, à moins d'avoir des ailes, il n'en voyait guère le moyen. La brigade de Stempel devait déjà se trouver quelque part par là. Inutile d'aller sur la droite. Il n'avait non plus aucune raison de rester dans le régiment de Vyborg. Que faisait-il donc ici?

Sur la gauche, cependant, ça tonnait, le noir des fougasses était couvert par la couche jaune des shrapnels, il y avait encore là-bas cinq régiments qui, à tour de rôle, tenaient la ligne, là-bas, le combat pouvait pencher d'un côté ou de l'autre, c'était là-bas qu'il fallait aller, oui, là-bas. La résistance et la fermeté du régiment de Vyborg ne devaient pas être perdues pour rien, devaient dans l'heure même se répercuter à travers tout le corps d'armée.

On était à l'étroit pour avancer dans la tranchée, il fallait enjamber des corps, se heurter aux blessés. Mais il y avait déjà des soldats en haut, à l'air libre. Et Vorotyntsev, sans lâcher son fusil, le prenant en bandoulière, sauta hors de la tranchée vers l'arrière et prit par le haut, le long de la tranchée. Il semblait bien que des balles sifflaient, tout près, mais c'était tellement bon d'avancer à l'aise, librement. Il faut dire aussi qu'on entendait mal, les oreilles n'en pouvaient plus. Il faut dire aussi qu'on y voyait mal, comme si l'on n'arrivait pas à tout voir : plus n'en pouvaient les yeux, plus n'en pouvait l'âme. Il y avait là, jetés par terre, des pansements ensanglantés, des tampons de gaze. Les balles de shrapnels jonchaient le sol. Le bloc-culasse d'un fusil brisé. Des cartouches vides brillant dans le soleil.

Des boîtes de fer-blanc. La boucle de cuivre d'un ceinturon abandonné... Qui rampait. Qui se tenait, le front entouré de pansements, avec le haut de la tête non protégé. Qui, assis par terre, avait enlevé sa botte et en vidait le sang comme d'un broc. Celui-là, encore dans sa tranchée, posait sur toute chose un regard sans vie, tandis que ceux-ci, déjà, avaient recommencé de rire. C'était comme si l'on ne voyait plus rien — les yeux et l'âme n'en pouvaient plus. Comme sous l'effet de l'ivresse, on ressentait l'agréable insouciance des mouvements, leur trop-plein d'énergie : tantôt la main partait de côté, tantôt le pied se posait avec trop d'énergie, se tordait — un état dans lequel on pouvait se piquer, se couper sans rien sentir. Et dans la tête alourdie par l'ivresse, la pensée gardait une étrange légèreté.

Lorsqu'il était allé se joindre au bataillon de droite, Vorotyntsev avait complètement oublié son voisin, Blagodariov. Maintenant, tandis qu'il s'en retournait, il se le rappela comme étant l'homme important, nécessaire entre tous. Était-il en vie? Était-il possible qu'il ne le fût point?

Le 2e bataillon avait repoussé l'attaque avec autant de succès que le 1er. On emportait les blessés, par le boyau de communication et aussi par le haut. Dans la tranchée, on rangeait. On dégageait ceux qui étaient sous les éboulis, abattant la tâche d'une bonne douzaine de fossoyeurs. Vorotyntsev reconnut sa place. Ce qu'il vit en premier ce fut, émergeant d'un amas de terre, la queue jaune du lion, et, plus à droite, il y avait Blagodariov. Brave trogne intelligente! Renfrogné, il faisait de l'ordre : le voilà qui jetait par-dessus bord une chaise cassée, les caisses de zinc vides des cartouches.

Vorotyntsev demanda au capitaine de lui affecter un soldat. Et, joyeusement, il fit signe à Blagodariov :

— Blagodariov! Tu viens avec moi?

— Ma foi..., fit Blagodariov sans s'étonner le moins du monde, comme s'ils étaient convenus d'une promenade. — Il tourna sa langue dans sa bouche, faisant bomber sa joue, jeta en passant un regard au trou d'un mètre où, durant l'heure écoulée, toute sa vie avait failli prendre fin, passa sa capote roulée par-dessus sa tête et, d'un mouvement puissant, lança ses jambes hors de la tranchée. D'un bond il fut debout. — Et on va où?...

A voir sa manière d'être, on aurait dit qu'il avait toujours été à la guerre, qu'il avait grandi là, côte à côte avec Vorotyntsev.

— Vous me donnez le fusil. Et puis la capote aussi, vous serez mieux.

Il cala la capote par-dessus la sienne, prit les deux fusils ensemble, passant les deux courroies sur la même épaule, et la gamelle, tout en marchant, il la passa sous son ceinturon. Et ils partirent.

Sept heures et demie : à la Stavka on ne s'était pas encore réveillé, on n'avait pas encore pris le thé du matin, tandis qu'ici, depuis le lever du jour, il était déjà passé au battage quelque chose comme un millier d'hommes, et ils avaient encore toute une journée de combat devant eux.

De nouveau la journée d'été s'annonçait tout aussi torride, étouffante.

Ils prirent par l'arrière des positions, derrière le chemin de fer, pour avancer plus vite et plus facilement. Ce qui dans la tranchée était couvert par le bruit, ici on le voyait : nos canons à nous pétaradaient eux aussi, les servants s'affairaient, étaient en nage, avaient ôté leur chemise; ils apportaient les obus, tiraient le cordon — mais les Allemands étaient les plus forts. Leurs shrapnels arrivaient jusqu'ici, tellement près qu'à deux ou trois reprises, Arsène et le colonel durent se jeter à plat ventre. Pourtant, après l'autre canonnade, c'était de la rigolade.

Cependant le gros du tir allemand tombait sur la première ligne, sur les régiments dont ils longeaient maintenant les arrières.

— Le régiment de l'Ienisseï tient bon! disait Vorontsev en se frottant les mains. Encore une petite heure et tout peut changer.

La photographie de ce régiment de l'Ienisseï avait, tout récemment, fait le tour de la Russie : à Peterghof, il avait défilé devant Poincaré, et sur son flanc droit, la main à la visière, la tête tournée vers l'invité d'honneur, en un maintien plus parfait, plus raide que jamais, avançait le grand-duc. A peine un mois plus tard, tous ces héros étaient jetés ici, dans le pétrin.

— Celui d'Irkoutsk aussi! dit maintenant le colonel, heureux. La bataille d'aujourd'hui, Arsène, nous pouvons la gagner à condition de réfléchir.

Gagner, lui, Arsène, il aimerait bien ça — la guerre serait plus vite finie.

— Et qu'est-ce qu'il faut faire, Votre Haute Noblesse?

— Pour le moment, rien, il s'agit d'atteindre l'aile gauche le plus vite possible. Si on ne fait que se défendre, alors, bien sûr, on ne gagnera pas.

Arsène, lui, il faisait déjà de ces enjambées,

d'échassier — mais le colonel aussi était bon marcheur; oui, bien sûr, il ne portait rien. Mais il faut dire qu'il n'arrêtait pas de courir à droite et à gauche pour savoir quelle unité se trouvait là, combien il y avait d'obus, quels étaient les ordres.

Tiens, on remettait ça derrière eux! — on remettait ça! De nouveau le régiment de Vyborg écopait, et comment! Çà et là, on voyait brûler, fumer, et les fougasses qui volaient, qui volaient. C'était bien qu'ils soient partis, Arsène était content. La tranchée, c'est la tombe ouverte et on y va de soi-même et on tremble comme un mouton à attendre le moment où le couperet s'abattra. Tandis qu'avancer ainsi à travers champs — on a ses jambes, on a ses bras, on est plus à l'aise pour mourir. Et il n'était pas dit qu'on mourrait! C'était bien volontiers qu'Arsène avait suivi ce colonel dégourdi. Il ne se serait pas fait ordonnance, non — mais comme ça, côte à côte, on était bien à marcher. Et puis le colonel, il ne passait pas la journée tout simplement à essayer de rester en vie, il avait son idée.

Vorotyntsev cherchait les réserves, les unités fraîchement arrivées. Mais, sur les premières verstes, il ne trouva personne. Et pour l'artillerie, c'était maigre. Une seule chose l'émerveilla : le détachement sanitaire motorisé de la grande-duchesse Victoria Feodorovna — probablement le seul de ce genre dans toute l'armée russe. Ils assistèrent au chargement dans les automobiles de grands blessés venus des postes sanitaires et qu'on emmenait aussitôt à Soldau.

Près d'un nouveau tournant de la voie ferrée, là où elle obliquait brusquement vers l'arrière, en direction de Soldau, ils découvrirent le groupe des mortiers du corps d'armée, auquel il manquait les deux obusiers légers qui avaient été affectés à Savitski. Ici, sur les versants arrière, on avait empilé une grande quantité d'obus et on en amenait encore, mais on tirait peu, le groupe d'artillerie n'étant subordonné qu'au chef de l'artillerie du corps d'armée, Massalski, qui ne se trouvait pas dans les parages, et n'ayant pas de mission clairement définie, ne savait qui soutenir ni comment. Le lieutenant-colonel Smyslovski, commandant du groupe d'artillerie, se préparait à la défensive, au cas où les choses se gâteraient. Vorotyntsev s'entendit vite avec lui : à partir de leur position, il préparerait un transport de tir de quarante-cinq degrés sur la gauche en direction du nord-ouest et disposerait à l'ouest des postes d'observation latéraux — c'est sur la gauche que ça pouvait se gâter, et d'un moment à l'autre même. Ils se mirent d'accord sur les points et les moyens de liaison. Vorotyntsev cherchait la brigade de tirailleurs. Smyslovski pensait qu'elle était peut-être en train d'approcher et qu'elle pouvait se trouver là-bas, un peu plus loin, de l'autre côté de la voie ferrée. Vers l'arrière, dans un petit bois, il y avait le régiment de la Garde de Lituanie tout frais, mais qui restait inactif, sans se mettre en ordre de bataille, sans s'occuper de creuser une seconde ligne de défense.

Et Arsène vit son colonel dans l'embarras : fallait-il aller voir le régiment de Lituanie? Il y avait à traverser un champ, tout lépreux de cendre noire : le seigle avait été brûlé en meules — pas la moindre meule épargnée. Le colonel avait déjà pris sa décision : Arsène ne bougerait pas de là — lui, il serait de retour tout de suite. Puis, un coup d'œil à sa montre — non, changement de programme : on filait sur l'aile gauche, voir les tirailleurs.

En deux pas, ils furent de l'autre côté du chemin de fer; le colonel s'orienta et indiqua :

— Par là!

Et le voilà reparti à fond de train.

— Et pourquoi c'est des *obusiers légers*, Votre Haute Noblesse?

— Ne dis pas « votre haute Noblesse » à chaque fois, ça prend trop de temps.

— Et quoi alors?

— Quand on est tout seuls — rien. Tu as vu, leurs canons? Ils sont courts, mais larges, ils font quarante-huit lignes.

— Comment, quarante-huit lignes?

Le colonel soupira.

— Bref, ils donnent un tir courbe. Ils sont bons pour atteindre les positions abritées.

Arsène soupira à son tour.

— C'est bête que j'sois pas dans l'artillerie.

— T'aimerais? Si on s'en tire, je te caserai dans l'artillerie.

Arsène fit signe que oui, sans y croire, bien sûr. Il fallait bien qu'il dise quelque chose, le colonel. Si seulement ç'avait été plus tôt, quand Arsène faisait son service militaire. Maintenant, en pleine guerre, avant la fin de l'été, ils seraient déjà chacun de leur côté.

Devant eux s'étendait à présent tout un champ de pommes de terre — de ces patates! Il faut dire que chez les Allemands, il n'y avait pas le moindre petit ravin de perdu, tous les versants étaient cultivés et protégés du bétail. Et au-delà du champ, deux maisons toutes seules, tranquillement installées derrière leur clôture. C'est là qu'ils se dirigèrent, les fanes fouettant les tiges de leurs bottes. C'était la belle vie : on avait là, sous la main, toute sa terre refermée autour de soi.

Ce colonel, ce qu'il fonçait ! Si Arsène avait eu les jambes un peu plus courtes, il n'aurait pas pu suivre. Il fonçait et grâce à ses tuyaux à travers lesquels il regardait, il savait tout à l'avance. Avant d'arriver au village, il y avait un hangar assez haut, en brique ; là, le colonel distingua beaucoup d'infanterie : voilà, c'étaient les tirailleurs.

— Et c'est quoi, les *tirailleurs*, Votre Nobl... ? s'informait Arsène tout en trottant.

— Eh bien, ce sont aussi des fantassins, mais triés. Ils ont plus de mitrailleuses, l'instruction est plus dure. Ce sont des gars solides, dans ton genre. Alors, pour un régiment, ils n'ont pas quatre bataillons mais deux seulement. Et ça marche.

— Ah ! la la ! fit Arsène avec regret, si seulement on pouvait retourner là-bas, dire à nos gars qu'il y a toute cette force fourrée là ! Ils se sentiraient mieux.

Ils tournaient parallèlement au front. Devant eux, il n'y avait que la propriété de Rutkovitz, au-delà, un bois, et derrière le bois, d'après ce que comprenait Vorotyntsev, il y avait les régiments Pierre et de Neuschlott qui, hier, avaient pris position dans ce secteur. Ici, le tir allemand était beaucoup plus faible. Oui, il avait bien compris leur dessein ! — les Allemands n'osaient pas encercler l'aile, d'autant plus qu'il y avait là notre cavalerie, les Allemands voulaient percer à travers Usdau. Et tout pouvait être sauvé, tout pouvait encore changer, précisément ici! Mais qui rassemblerait nos forces? Mais comment rassembler nos forces? Cette cavalerie qui constituait une division et demie, elle hésitait : qui les entraînerait?

Le hangar était un hangar à bétail. Eh bien! une construction pareille pour du bétail! Et les tirailleurs, c'était vrai qu'ils étaient grands, solides, frais et dispos. Ils étaient assis et cassaient la croûte. Arsène sentit lui aussi un petit tiraillement : il avait deux biscuits dans son sac, il faudrait les manger tant qu'on n'avait pas été tué, blessé. C'était à se demander pourquoi on avait pareil creux? — il n'avait pas labouré, pas moissonné, et pourtant les entrailles le tenaillaient. Les tirailleurs discutaient des nombreuses ouvertures aménagées dans le mur, en forme de petites croix : c'était peut-être plus facile à maçonner? c'était peut-être pour faire joli? ou bien pour protéger le bétail contre la force maligne? Et ils vantaient les mérites des toits pentus, car on n'avait pas besoin de déblayer la neige qui glissait toute seule.

Vorotyntsev ne put voir le commandant du régiment, parti chercher des ordres coûte que coûte, dût-il aller jusqu'au commandant du corps d'armée. Mais il y avait là les deux commandants de bataillon et l'aide de camp du régiment. Ils s'assirent tous les quatre. Leur brigade de tirailleurs était arrivée à Soldau sans chef, sans état-major et sans artillerie, ne formant que quatre régiments distincts dont chacun se déplaçait et se cherchait une mission. Ils avaient bien un ordre, pourtant? Il y avait un ordre général qui émanait du corps d'armée, celui de marcher en direction du nord-ouest, rien de plus précis. Ils ignoraient tout des lignes à occuper, des zones de démarcation, de leurs voisins sur leur droite et sur leur gauche.

— Bien, messieurs! fit Vorotyntsev, les interpellant avec fougue. L'état-major du corps d'armée est à dix verstes, et, comme vous le voyez, il n'y a personne qui le représente. Le règlement prévoit la forme de commandement suivante : le conseil des chefs du grade le plus élevé. Qu'est-ce qui nous empêche d'en constituer un, ne serait-ce qu'avec vos quatre régiments. Je m'explique : nous choisissons un lieu de réunion, disons la propriété de Rutkovitz. Un régiment s'y trouve déjà? Parfait. Vos bataillons peuvent eux aussi marcher dans cette direction et continuer un peu plus loin vers le bois. Comment faire pour rassembler vos quatre régiments? Le mieux serait que chacun d'entre vous envoie un officier supérieur à Rutkovitz et que les régiments fassent mouvement, eux aussi, dans cette direction. Vous pourriez me donner deux ou trois officiers subalternes pour la transmission? On pourrait en envoyer un au régiment de Lituanie avec un message. Peut-être arriverons-nous à les convaincre de se déplacer un peu sur la gauche? On en enverrait un autre au colonel Krymov. Si nous arrivions à le joindre, il nous enverrait aussitôt ses divisions de cavalerie. Peut-être l'a-t-il déjà fait, d'ailleurs. Et encore un à... mais où est donc le groupe d'artillerie lourde?

Le groupe d'artillerie lourde se trouvait à deux verstes derrière eux. Du fait des bizarreries de la subordination, il n'obéissait même pas à l'inspecteur de l'artillerie du corps d'armée et faisait ce que bon lui semblait.

— A cette distance, ils ne peuvent rien faire. Il faut qu'ils se rapprochent. Je vais y aller moi-même... Non, je vais à Rutkovitz. Et des câbles, il n'y en aurait pas par ici, vous n'en avez pas vu? C'est tout de même impossible qu'ils n'aient pas de poste d'observation à Rutkovitz. Quand nous aurons pris position, il va falloir aussi envoyer...

Sa belle conviction ardente se transmit aux officiers supérieurs des tirailleurs qui n'étaient pas des hommes encroûtés et qui souffraient de leur inaction, de leur impuissance, alors qu'alentour tout tonnait, tout se jouait. Sur la sacoche porte-cartes, les messages s'étalaient, hâtivement griffonnés, mais leur sens était fortement condensé. Et, retenant leurs sabres absurdes, inutiles, déjà les tout jeunes officiers de liaison partaient à toute allure. Les deux bataillons, dans un cliquetis d'armes, levaient le camp, formaient les rangs et prenaient la direction de la propriété de Rutkovitz.

Et il ne resta plus, près du vaste hangar, qu'Arsène et son colonel : le colonel était là, assis près du mur, encore en train de réfléchir à quelque chose ou peut-être d'attendre quelque chose.

Et Arsène, pendant ce temps-là, dans l'étang où les canards barbotaient sans rien savoir de la guerre, avait puisé de l'eau dans sa gamelle et en avait apporté. La faim lui arrachait les tripes et si encore il y avait eu de quoi! Pour ce qui était des biscuits, pas de doute là-dessus, ils avaient dû passer cinq ans dans les magasins. Sans eau, il n'y avait pas moyen de mordre là-dedans. C'était tout de même étonnant que personne n'ait eu l'idée de mettre les canards en joue, on les voyait bien de la route. Ç'aurait été bon de pouvoir se déchausser et se tremper les pieds dans l'étang. Oui, mais — il jeta un regard au colonel — il n'en était pas question.

— Vous voulez un biscuit, Votre Non...?

Il avait sursauté, il l'avait pris comme d'une main étrangère, mais la gamelle, il l'avait quand même vue, et il y trempait son biscuit.

— Il n'est que neuf heures, fit-il. On aurait dû garder le biscuit pour le déjeuner.

Ils grignotaient l'un et l'autre.

Le colonel, il regardait sa carte, il regardait la route où, derrière le rideau d'arbres, les caissons de munitions roulaient, et les chariots de l'intendance. Il grignotait.

— Tu es marié, Arsène? avait-il dit, d'une voix elle aussi comme étrangère.

On ne savait même pas s'il posait une question.

— Si ça peut s'appeler marié. On n'a même pas eu une année ensemble. Juste avant le carême.

— Et elle est bien, ta femme?

— Oh, la première année, elles sont toutes bien, fit Arsène, comme négligemment, tout en venant à bout de son biscuit.

Il l'avait dit comme ça, pour la frime. Il ne le pensait pas.

— Et elle s'appelle comment?

— Ca-the-ri-ne, fit Arsène, s'arrêtant un instant de mâcher.

... On ne l'appelait même pas Catin. On l'avait surnommée « mitaine » et pas seulement à cause de sa petite taille, voilà ce qui était vexant. Elle ne se suffisait pas à elle-même, semblait-on dire, elle avait toujours besoin de se coller à quelqu'un et on pouvait la plaquer comme rien. Et quand Arsène avait commencé à la fréquenter, tout le monde avait trouvé ça très drôle, aussi bien les filles que les garçons : il n'avait donc pas été fichu de se trouver une fille solide, une bonne travailleuse? Qu'allait-il faire de ce petit bout de femme? Et puis on s'était moqué d'elle aussi : il allait lui écraser toutes les côtes. Malgré les rires, il s'en était remis à son flair : elle l'attirait, à n'y plus tenir. Ce qu'il avait pu trouver de chaleur et de douceur avec la Catherine une fois qu'elle était devenue sa femme! On pouvait toujours courir pour en trouver une autre comme elle, et pas seulement au pays, à Kamenka, mais encore dans toute la province de Tambovsk. Faut voir comme on se prend d'affection, parfois, pour un cheval avec qui, pas besoin de fouet, pas besoin de bride, ce n'est pas au mot, c'est à la pensée qu'il obéit. Presque avant qu'on ne le sache soi-même, lui il sait où tourner, il sait à quelle allure il doit avancer. Et si c'est une bonne femme qui est comme ça, hein? Dort-elle, mange-t-elle, ça, on n'en sait jamais rien, mais aussitôt qu'on se réveille, elle est déjà là qui s'affaire. Elle ferait n'importe quoi pourvu que son petit Arsène ne manque de rien, se sente bien, ait ses aises.

Mais ce n'était même pas ça le fond de l'histoire : c'était qu'avec elle on se sentait comblé. C'était comme si on était en train de sucer un os plein de moelle et que voilà, voilà, ça venait, on allait atteindre le meilleur. Et tout ce qu'elle pouvait inventer! Elle en inventait des choses! Et c'était de tout cœur qu'il lui avait fait lever le ventre. Et la joie que c'était de le regarder s'arrondir, de le tâter. On ne l'avait pas laissé goûter un peu de bonheur.

Arsène s'essuya, tant il voulait chasser ses petites pensées mal venues. Alentour, il y avait les soldats qui allaient, venaient, se cachaient, et chacun avait quitté une petite Catherine mais ce n'était pas le moment de bayer aux corneilles en pensant à elle. Savait-il seulement si, à la fin de cette journée, il serait encore en vie?

— Tu sais monter à cheval?

— Il n'y a rien à savoir! Chez nous, on est tous des champions pour ça. Les haras et les chevaux, ça ne manque pas dans le canton...

Le colonel bondit comme sur une poêle à frire. « Je parie que ce sont les tirailleurs! » et de filer vers la route par un petit chemin de traverse. Arsène ne traîna pas non plus : d'une main, puis de l'autre, il ramassa ce qui restait et marche! Mais voilà qu'un enseigne arrivait en courant à leur rencontre : le groupe d'artillerie lourde avait déjà pris l'initiative de lever le camp, il arrivait! La nouvelle réjouit le colonel : « Bon, nous aussi on file! » Ils rejoignirent les tirailleurs et se dirigèrent avec eux vers la propriété en question. Arsène voyait son colonel discuter avec le commandant du régiment qui, perché sur son cheval, se penchait vers lui. Les tirailleurs, eux, des gars triés sur le volet, encore tout lisses, marchaient bien en rang. Et d'interroger Arsène : « C'est des ordres que vous nous amenez? Où on va, tu ne sais pas? » « Cette question! leur répondit gravement

Arsène. Là où ils nous enfoncent, tiens : vous allez rater la distribution! » Il leur raconta un peu le battage de ce matin.

Ils n'avaient pas atteint la propriété que déjà retentissait un nouveau vacarme, au début on se demandait ce que ça pouvait bien être. Les soldats épaulaient leurs fusils et tiraient en l'air. Arsène renversa la tête en arrière : ah, le salaud qui vole là-haut, avec ses croix noires sur les ailes! Mais il n'essaya pas de lui tirer une balle, ça ne valait même pas la peine. Pourtant ça le laissait rêveur : comment il faisait pour voler, ce mécréant, sans rien pour le soutenir? Et comment il devait se sentir, quand on le descendait et qu'il se mettait à dégringoler?

L'avion était passé.

Elle était grande, la propriété. Un verger de plusieurs centaines d'arbres, mais dont les branches avaient déjà été bien secouées, dépouillées, cassées. A côté du verger, des tilleuls centenaires, des chênes, toute une petite forêt privée, nettoyée, régulière, avec des allées où se promenait le bétail, des bêtes de race, visiblement. Les écuries grandes ouvertes et d'une propreté! — des abreuvoirs, mais pas un seul cheval. Quelques soldats avaient sorti de la maison des divans et des fauteuils couverts de peluche rouge et s'y prélassaient en fumant. A la vue du colonel, ils se levèrent précipitamment et déguerpirent. Arsène s'assit un peu lui aussi, c'était marrant. Deux lieutenants de tirailleurs se mirent en tête de grimper sur le toit, pour voir. Arsène s'offrit à leur ouvrir le grenier. A l'intérieur de la maison, il y avait plein de choses étonnantes. Une glace couvrait tout un mur — on l'avait mise en miettes, apparemment pour se partager les morceaux et se regarder dedans. De ces meubles! De ces meubles! — mais renversés, cassés. Et un drôle de billard, sans drap, sans rebords, tout noir, tout lisse, en forme de fer de hache. Comment elles faisaient, les boules, pour tenir là-dessus? « Cul-terreux, va! — et le lieutenant lui enfonça sa casquette sur les oreilles — ce n'est pas un billard, c'est un piano à queue. — Et ce truc-là qu'on a fendu sur le mur? — Ça c'est du marbre, un arbre généalogique, pour voir qui descend de qui. » A l'étage au-dessus, c'était le même tohu-bohu : rideaux de dentelle arrachés, armoires vidées, débris de vaisselle de cristal teinté jonchant le sol, vêtements, livres, paniers. Le lieutenant en ramassa : « Des brevets de courses. Il élevait de bons chevaux! »

Arsène ouvrit toutes les portes du grenier et la lucarne, son colonel se pencha et, avant même de braquer ses jumelles, lui dit : « Écoute, il y a là un escadron cosaque stationné de l'autre côté du parc, va me chercher l'officier! » Et Arsène dévala les marches trois par trois — il y en avait des choses à tâter et à regarder, si seulement on lui en avait laissé le temps!

Il trouva un lieutenant — c'était un escadron du 6e régiment des Cosaques du Don, on les avait pris pour remplacer la cavalerie de la division et ramenés ici lorsque le tir s'était intensifié. De sa propre initiative, Arsène leur demanda une jument, l'attela à une carriole à deux roues où il chargea une brassée de paille, et déjà il s'en revenait, secouant les rênes pour réveiller sa jument, le long d'une allée de sable bien tassé, à l'abri sous des branches que la pluie ne traversait pas.

Le colonel expliqua au lieutenant où il devait se rendre au galop et crayonna des messages qu'il lui remit. Et pendant tout ce temps un bruit montait, il se faisait tout un remue-ménage : notre artillerie légère de campagne s'était mise en batterie entre la propriété et la forêt voisine — et en avant la musique! Ça c'était du travail! Comme lorsque tous les chiens du village s'en prennent à un unique passant, on dirait qu'ils vont éclater tous en même temps! Quelque chose avait tourné dans la bataille.

Et c'est là qu'eux aussi commencèrent à s'exciter. Les lieutenants, retenant leurs sabres, coururent à leurs régiments. Le colonel sauta dans la carriole, comme s'il l'avait commandée :

— Les régiments Pierre et de Neuschlott sont montés à l'attaque! — Il criait à l'oreille d'Arsène. — Tout seuls ils y sont allés! Sans le reste du corps d'armée! C'est comme ça qu'il faut faire! Et les tirailleurs vont les soutenir! Et les obusiers aussi vont s'y mettre tout de suite!

Il aurait bien bondi lui-même en avant pour aller plus vite que la jument.

Les dépassant, l'escadron cosaque de tout à l'heure passa au galop, se dirigeant lui aussi vers la forêt.

Un vrai plaisir! Arsène, s'il avait pu, y aurait couru lui aussi, contre les Allemands, au besoin avec pour toute arme un timon de charrette! Régler ses comptes avec eux en moins de deux, et rentrer chacun chez soi. C'est autre chose, ça, que quand deux villages se bagarrent entre eux! Un vrai plaisir de voir les nôtres y mettre le paquet. Bravo, les gars! Ils y sont allés tout seuls! — pardi, est-ce qu'ils auraient dû rester plantés là à attendre qu'on les ait tous écrasés à coups de marteau? Une belle petite journée qui s'annonçait chaude, et le vaste pays étranger tout autour — on pouvait le piétiner tant qu'on voulait. Ça serait moins drôle, évidemment, si ça se passait chez eux, à Kamenka. Dans le canton de Kamenka, Dieu merci, on n'avait jamais fait la guerre comme ça.

Tout de suite derrière la propriété, les canons étaient en batterie. On tirait sans arrêt, on s'activait joyeusement, la guerre aime qu'on ait l'esprit joyeux. Même à la lumière éclatante du jour, on voyait une langue de feu jaillir de la gueule du canon au moment où le coup partait. Après chaque coup de feu, un pointeur brandissait le poing du côté de la forêt, l'air de dire : Voilà pour toi, maudit! Le capitaine, lui, crie de tout près au colonel : « La hausse augmente! » Le colonel explique à Arsène : « Ça veut dire que les nôtres avancent! »

En avant la vague! On finira bien par les avoir, tout de même!

Les Allemands tâtent, eux aussi — pas la propriété, mais les batteries. Il y a là, devant, un pré bas où un vent léger parcourt l'herbe touffue : quand un obus soudain éclate, il soulève une colonne toute noire plus haute qu'un grand arbre, plus large que la tête d'un chêne, et il laisse après lui un entonnoir comme dans du sable, mais bien creusé, et noir, noir comme l'enfer.

Et voilà qu'ils avaient touché l'une de nos batteries! En plein entre nos canons — pan! pan! — et voilà que le caisson d'obus vole en éclats! et à son tour explose!

explose! — et les chevaux de courir en tous sens, et les hommes, barbouillés de terre, de s'éloigner en rampant, ceux qui sont restés en vie. La jument d'Arsène, affolée, partit en travers de la route. Arsène eut du mal à la reprendre en main — et droit vers la forêt!

En sens inverse, venant de la forêt et se dirigeant vers les batteries, passèrent des avant-trains : on allait accrocher les canons et se diriger aussi vers l'avant. — Pourquoi ça, est-ce qu'ils auraient par hasard le tir trop court? — Pour occuper un emplacement de combat à découvert! — et le colonel leur fait signe d'avancer : — Pointage à vue! Fouette, Arsène, on va voir plus loin!!

La forêt n'est pas bien épaïsse, maintenant ils l'ont déjà traversée, dépassant un régiment de tirailleurs (les deux autres se sont déjà déployés quelque part). Un vaste champ, un gros village, occupé hier, avec çà et là des fermes isolées, et de nouveau la forêt, épaisse comme un mur cette fois-ci — et c'est dans cette forêt-là, a dit le colonel, que doivent se trouver ceux du régiment Pierre. Et de ce côté-ci de la forêt, le ciel est tout le temps plein de petites fumées de mitraille, dès qu'elles se dissipent il en apparaît de nouvelles à la place, c'est ce qu'on appelle un tir *de barrage*, pour tenir les nôtres à distance, pour les empêcher de trop pousser.

— Et à droite, tu n'entends pas? Les obusiers! Ils tapent par ici, en avant du régiment Pierre!

— Ça serait ceux qui étaient près du chemin de fer?

— Oui, c'est eux!

— On a donc fait un crochet pareil, nous autres?

Et il fallait voir cette flamme jaillir devant eux sur la route! Ce chêne noir se dresser devant eux! Ils eurent juste le temps de faire un bond de côté — un souffle à leur crever le tympan —, de sauter à bas de la voiture, de se coller au sol (en gardant les rênes à la main!) et déjà les éclats, beaucoup d'éclats sifflaient autour d'eux! Comment se pouvait-il que la jument n'ait rien eu? Et eux alors! La carriole avait eu le fond percé. Rien à faire, il fallait quitter la route et foncer à travers champs, sans ressorts et tout de même au trot — il fallait voir ces cahots! Mais voilà un chemin qui serpente dans les champs... — Votre Nobl... on est bien dans la bonne direction? Parce que les tirailleurs, on dirait qu'on les a laissés sur la gauche. — Oui, mais nous, on va vers la droite : on va contourner le shrapnel, et en avant vers le régiment Pierre.

Il n'y a pas longtemps que les Allemands étaient encore là, c'était ce matin, la place est encore chaude : ils ont laissé des morts, nous aussi, et aussi des blessés, et on n'a pas le temps de les relever. Et ça, c'était une batterie allemande dont les charges ont pris feu; ils ont eu deux canons démolis, les chevaux attelés ont été tués, les autres emmenés.

Et la mitraille, dans le ciel, est toujours là : il faut prendre un peu à droite.

Et voilà qu'explosent deux petits obus, pas devant eux, mais derrière! Ils ne les ont pas entendus passer au-dessus de leurs têtes. Ce sont les nôtres, écoute, les nôtres qui nous canardent avec leur tir trop court, les canailles!

Et... de foncer à travers les obstacles! Le colonel se tâte l'épaule : tiens, une éraflure, Arsène! Il déboutonne sa vareuse : eh oui, à l'épaule. Ça vient peut-être de nos obus, ou plutôt de la fougasse qu'ils ont reçue en chemin, mais jusqu'à présent ça ne faisait pas mal. Je vous fais un bandage, Votre Noblesse? Au diable le bandage! On se dépêche!

Les Allemands étaient là il y a une demi-heure : des cartouchières, des douilles, des sacoches dispersées un peu partout, des rubans de mitrailleuses, des casques, un mort sans tête, un autre avec sa tête (les poches retournées : on avait déjà eu le temps de les fouiller), des fusils, entiers ou brisés, et, enveloppé dans un papier de couleur — ça ne serait pas quelque chose à manger? Mais on est pressé, on n'a même pas le temps de s'arrêter, ni même seulement de se pencher. Les voilà en bordure de la forêt et ils entendent crépiter les mitrailleuses : les nôtres? Ou celles des Allemands? Pas moyen d'aller plus loin. Attache-la à un arbre, on va continuer à pied.

Dans la forêt, il y a des blessés qui arrivent en sens inverse; les pauvres, ils ne sont pas près d'arriver... L'un d'eux fait de grands gestes, fanfaronne : on en a descendu beaucoup, on fonce en avant! Il y en a un autre qui a toute la poitrine entourée de bandages, et sa capote sur les épaules, et qui râle : on se fait démolir, démolir, je vous dis... Un enseigne se traîne, blessé au cou : il ne peut pas tourner la tête, il pleure en parlant au colonel, mais ce n'est pas de douleur qu'il pleure : on n'a plus de munitions, on est en train de tirer nos dernières cartouches, pourquoi n'en amène-t-on pas, il y en a qui réfléchissent avec leur derrière! A quoi le colonel : et toutes celles qu'on a gaspillées en chemin? L'enseigne fait un geste de découragement, il crache du sang : c'est vrai, les soldats gaspillent les cartouches, ils ne savent pas les économiser.

Une grande clairière oblique à travers la forêt. Il y a là, tout au bord, un fossé plein d'eau, et les hommes du régiment Pierre sont couchés à plat ventre devant, ils restent planqués et ne tirent pas. Une route traverse la clairière et sur cette route, à moins de cinq cents mètres, s'avance une espèce de monstre : ça a l'air de rouler, mais on ne voit pas les roues; ça ressemble à un être vivant, mais ça n'a ni queue ni tête : juste une sorte de cloche mobile, et on entend cracher une mitrailleuse, et puis on voit une petite fumée qui sort en faisant : j-j-i-ou!

Qu'est-ce que c'est? — panique, personne n'a encore jamais vu ça. Il peut venir par ici, vers la forêt, ou bien est-il forcé de prendre la route? — Une automobile blindée, pardi! crie le colonel d'Arsène. — Elle ne traversera pas le fossé, elle s'embourberait! — Et qu'est-ce qu'il y a dessus? — Elle est couverte de plaques de fer, c'est ce qui la rend trop lourde pour s'aventurer par ici. — Mais il y a quelque chose dessus qui tire, ce n'est pas un canon tout de même? — Un obusier de faible calibre, ça fait plus de peur que de mal. — Peut-être bien qu'on pourrait le prendre, mon colonel! On devrait lui défoncer la route des deux côtés, ou la faire sauter? — Avec quoi on la ferait sauter, quand on n'a même pas de quoi tirer, notre provision de cartouches est épuisée? On est en train de nous en apporter, à ce qu'il paraît. On va avoir des cartouches tout de suite, restez couchés!

Mais, devançant les cartouches, un sous-officier accourt : à droite, du régiment de Neuschlott, on faisait dire que l'ordre avait été donné de battre en retraite! Le colonel d'Arsène de lui sauter dessus : « Battre en retraite! Tu veux que je t'arrache la tête! Tu veux que je te descende sur place? — Mais, mon colonel, ce n'est pas moi qui l'ai inventé, je peux vous conduire chez le lieutenant-colonel, dans la propriété; il a reçu le message par écrit, et là-bas, on l'avait reçu par téléphone!... — Commandant, je vous prie de rester en position, de ne pas écouter ces sornettes! Et quand on vous aura apporté des cartouches, tâchez d'avancer le plus possible. Vous entendez? Vous entendez? Tiens, c'est notre groupe d'artillerie lourde qui a avancé, à présent il est en train de régler son tir, vous allez tout de suite avoir un soutien comme vous n'auriez pas osé en rêver! Moi, je vais vérifier la chose avec ce sous-officier, et je lui mettrai une balle dans la peau quand nous serons dans cette fameuse propriété! Retire immédiatement ce que tu as dit, enfant de salaud, là, devant tout le monde! — Mais, mon colonel, tuez-moi si vous voulez, je vous jure qu'on l'a fait dire par téléphone... — Blagodariov, amène la voiture en passant par l'arrière! »

Déjà, à Usdau, sous le martèlement du fléau, quelque chose dans sa tête avait volé en éclats, s'était dispersé aux quatre vents — et plus question au cours des heures suivantes de le rassembler de nouveau. Alors, sous le bombardement, une cadence avait été prise qui eût été inimaginable dans la vie courante, et Vorotyntsev avait l'impression de réfléchir pour trois à ce rythme infernal, et en même temps il lui semblait que la fumée des détonations et des incendies passait à travers son crâne et noyait tout ce qu'il voyait, tout ce qui lui arrivait, à lui et aux autres, tout cela était noyé dans ce mouvement gris-bleu.

Il avait l'impression d'avoir une carte sous les yeux et il comprenait fort bien le déroulement des opérations : la pression de l'ennemi ayant faibli sur la gauche, la force qui s'était accumulée là, n'en pouvant plus, avait *spontanément* crevé vers l'avant — car cela ne venait pas des divisions, c'était dans les compagnies que cela avait commencé! (C'est qu'il y a dans ce peuple des forces insoupçonnées! C'est qu'il est habitué à vaincre, tout de même!) Sans y être contraints, d'eux-mêmes, ceux du régiment Pierre et du régiment de Neuschlott étaient montés à l'attaque, et (là, Vorotyntsev y était pour quelque chose) trois régiments de tirailleurs étaient venus à leur rescousse, élargissant l'attaque vers la gauche, ainsi que deux groupes d'artillerie. (Ce dont il était particulièrement fier, c'était d'avoir *deviné*, d'avoir, une heure avant l'attaque, deviné qu'elle pourrait avoir lieu!) Et à partir du premier succès, en se regardant les uns les autres, tous perdaient le sentiment du danger, et ils attaquaient avec plus de vigueur encore et plus d'abnégation. Le commandant criait à sa batterie : « Merci pour ce très beau travail! » et les canonniers, les brigadiers et les sous-officiers criaient « hourra-a-a! » et jetaient leurs casquettes en l'air. Toute cette attaque spontanément déclenchée et réussie n'avait duré qu'une heure, jusqu'à deux heures et demie, mais en l'espace de cette heure interminable, Vorotyntsev avait connu un état de bonheur d'une plénitude totale, qu'il devait moins à cette avance de deux ou trois verstes et à la fuite de l'ennemi que précisément à cette spontanéité, à cet autodéclenchement de l'attaque, qui aurait dû être la marque certaine d'une armée victorieuse. Et, pour s'en montrer digne, pendant toute cette heure, Vorotyntsev s'était efforcé de garder toute sa clarté d'esprit à laquelle rien n'échappait : comment aider l'attaque à se développer? Comment l'infléchir vers la droite, de façon qu'elle déborde les Allemands par le flanc? Où trouver le général Douchkievitch? Comment rassembler le régiment de la Garde de Lituanie?... Tout le reste, en revanche, tout ce qui n'était pas important, se tendait d'un voile : comment étaient-ils arrivés à s'asseoir pour grignoter des biscuits auprès d'un étang où nageaient les canards? Tout à l'heure, ils étaient à pied, comment se faisait-il donc qu'ils se trouvaient maintenant dans une carriole? Et quand donc avait-il attrapé cette éraflure à l'épaule? Et à travers la fumée du bonheur, la fumée de la bataille, la fumée du décousu de l'existence, il ne cessait de voir aussi le visage de Blagodariov : jamais complaisant, mais toujours d'un bon vouloir empreint de dignité, bienveillant même jusqu'à la condescendance, jamais insolent, mais animé d'une volonté propre et réfléchie. Et il trouvait le temps de se dire que c'était bien d'avoir trouvé ce soldat.

Et tout cela, comme un rocher qui s'effondre, comme une route que l'on coupe, avait été brisé par ce sous-officier avec son ordre de retraite. Vorotyntsev n'avait pas pu se retenir de crier, il l'aurait fusillé sur place pour de bon, ce sous-officier, et non parce qu'il l'avait pris pour un menteur, mais de désespoir, car il sentait que c'était *cela* qu'il avait redouté toute la matinée, ignorant seulement comment *cela* se manifesterait. Aussitôt entendu, le bruit qu'on lui rapportait l'avait transpercé comme une aiguille tant il sonnait vrai : c'était le genre de *chose* qui pouvait arriver. Tout ce qu'on voudra mais *ça*, ça nous ressemblait!

Le régiment Pierre n'avait pas reçu d'ordre en ce sens, mais par son intermédiaire, comme un courant, cette pensée débilitante s'était transmise aussitôt aux tirailleurs. Et dans le régiment de Neuschlott qui, quoi qu'eût pu dire Vorotyntsev pour en dissuader les officiers, avait déjà commencé son mouvement de retraite, l'ordre avait été reçu par le téléphoniste, un sous-officier petit-russien calme et instruit, qui l'avait répété mot pour mot, et du reste, l'avait également noté par écrit : « Au commandant de la division. Le commandant du corps d'armée a donné l'ordre de se replier immédiatement sur Soldau », et celui qui avait transmis l'ordre était le lieutenant Struser, officier de transmission de la division, le sous-officier connaissait bien sa voix, c'était son supérieur direct.

Sur la hauteur que formait la lisière sud de la plantureuse forêt de pins d'où ils s'en allaient maintenant, enroulant leurs fils téléphoniques désormais inutiles, se balançait, presque au sommet d'un pin, une plate-forme d'observation allemande fraîchement construite qu'ils avaient arrachée à l'ennemi une heure plus tôt. Et Vorotyntsev grimpa, au risque de dégringoler tellement l'échelle était branlante, inachevée — et c'est là que son épaule blessée se rappela à son souvenir. Tout chancelait et il songea même à redescendre avant d'avoir atteint la plate-forme. Que comptait-il voir? Il fallait pourtant avoir tout de suite une vue d'ensemble. La plate-forme, à une vingtaine de mètres de hauteur, n'avait encore ni balustrade, ni rampe, et il fallait s'attacher à une grosse branche, ou alors se retenir d'une main. Il se cramponna donc de celle qui n'était pas blessée tandis que de l'autre il tenait ses jumelles tout en réglant la molette. Et ce qu'il regarda d'abord, ce fut, sur sa gauche à présent, la colline d'Usdau qu'il connaissait si bien, avec le socle de pierre du moulin incendié et leurs tranchées de ce matin, éclaboussées, grêlées de noir par les marmites. Et sur tout cela, s'avançant en ligne, dressés de toute leur taille, ne se heurtant ni aux baïonnettes, ni aux balles, marchant sans rencontrer le moindre obstacle — les fantassins allemands!

C'était tout. Et le sort de la bataille était réglé. Et le sort de la journée était réglé.

Le régiment de Vyborg n'y était donc plus. Et c'était pour rien que tous ces corps et toutes ces têtes étaient passés sous le fléau.

D'en bas, on lui cria que le général Douchkievitch était là et demandait ce qu'on voyait. Mais *cela*, Vorotyntsev ne pouvait pas le crier devant tout le monde. Il promit qu'il allait descendre et, en même temps, dirigea ses jumelles vers la droite. Et il vit que les Allemands avaient déjà traversé la voie ferrée. Il ne restait plus qu'un seul endroit où, dans une grande courbe, un bataillon retranché derrière le remblai continuait encore à faire le coup de feu. Et, le soutenant de loin, on entendait tirer les dix obusiers de Smyslovski qui n'avaient pas bougé. Et beaucoup plus à droite encore, caché par le relief, on devinait à ses coups de feu le groupe d'artillerie lourde, surtout les canons, d'après leur grande rapidité de tir. Ils tiraient précisément dans cette direction, par-dessus la grande forêt, là où il aurait fallu diriger toute l'attaque, où elle avait déjà commencé à s'infléchir... Pour rien... A travers le vaste champ de bataille étalé sur plusieurs verstes grouillaient et se déplaçaient en tous sens des hommes et des unités que, visiblement, ne dirigeait aucune volonté unique.

La courroie des jumelles s'accrochait aux branches, l'épaule le faisait souffrir, la jambe perdait son point d'appui, il eut beaucoup de mal à redescendre et faillit tomber.

Avec cela, il avait l'impression d'être devenu sourd : il n'entendait pas sa propre voix tandis qu'il décrivait la situation à Douchkievitch, ni ce que celui-ci lui disait. Il n'entendait pas ses paroles et voyait son visage comme dans un rêve, mais il comprit : à la suite de l'ordre téléphonique reçu de Soldau, la division avait commencé à battre en retraite et son commandant n'était au courant de rien! Et il avait des hommes là-bas, devant, en flèche, à moitié encerclés — il allait les retrouver. Mais la retraite, qui allait la couvrir? L'ordre ne le disait pas. Ils devaient tous foncer comme ça, sans couverture? Heureusement que les deux groupes d'artillerie avaient établi une liaison, on ne s'en tirerait que grâce à eux. Et les blessés dispersés sur tout le champ de bataille, qu'est-ce qu'on allait en faire à présent?

Douchkievitch avait disparu, mais Blagodariov était là avec sa carriole et ils filèrent droit devant eux, par des chemins ou à travers champs. La batterie légère de huit pièces levait le camp; son commandant était assis sur une pierre et se secouait comme s'il avait été blessé à la tête. Sur la grand-route, on voyait galoper des convois tirés par des chevaux en nage, alors qu'on les voit toujours se traîner lorsqu'il faut avancer. Et des fantassins provenant de diverses unités marchaient pêle-mêle, au milieu du brouhaha et des jurons. On sentait l'exaspération que les soldats ressentent lorsque ce n'est pas eux, mais *là-haut* qu'on a tout *gâché*.

Ils passèrent tout près du hangar où ils s'étaient entendus avec les tirailleurs, et c'est là qu'ils rencontrèrent un bataillon du régiment de Lituanie : sans en avoir reçu l'ordre, à la demande du colonel Krymov, son commandant allait prendre position. Croisant la troupe désordonnée qui refluait, les soldats de la garde marchaient en ordre strict, sans tourner la tête, marchaient comme indifférents, fermés sur leurs pensées, sur les minutes comptées qui leur restaient à vivre.

Mais le commandant du corps d'armée, lui, n'était pas là! Nulle part on ne voyait danser sous les yeux son omniprésente automobile. Et c'est lui que Vorotyntsev cherchait désespérément à joindre, maintenant qu'il ne pouvait plus arrêter personne nulle part, qu'il n'était plus possible de sauver cette bataille. Ce dont il avait eu envie d'abord, c'était de coller une gifle sur ce visage bouffi de sottise hautaine, de lui cracher dessus, de le jeter à terre, de lui dire ses quatre vérités comme il ne les avait jamais entendues et comme il ne les entendrait jamais — mais la route était longue jusqu'à Soldau, et encombrée d'abord, ce n'est que plus loin qu'elle se dégagea un peu et que Blagodariov put fouetter sa jument et la faire aller bon train. Dans le va-et-vient de ses jambes rapides, Vorotyntsev voyait mousser ce qu'il allait pouvoir dire au commandant du corps d'armée, mais la longue route le ramena à la raison. Non, la seule chose qu'il souhaitait, c'était d'entendre ce front d'airain lui expliquer *comment* il avait pu saboter l'attaque qui s'était spontanément déclenchée dans les compagnies? *Comment* il avait pu laisser passer une si belle occasion de redresser cette aile gauche de l'armée qui s'était fait submerger, enfoncer? Il n'était pas question d'en attendre une réponse raisonnable, mais seulement d'entendre quelle sottise il pourrait bien inventer.

Maintenant, l'automobile du commandant somnolait paisiblement devant l'état-major.

Vorotyntsev sauta hors de sa carriole, sauta, courut, poussa brusquement la lourde porte : Artamonov était là, qui sortait justement de la pièce où se trouvaient les appareils, avec sa moustache tombante, son nez crochu, ses yeux vides comme un mur, et avec tout cela le front hardi, la poitrine bombée, les épaules redressées, toujours prêt à marcher au combat et à affronter la mort au nom du Seigneur et de l'Empereur. On l'aurait volontiers fendu d'un coup de sabre, ce front de bélier! Cessant de voir et de sentir les distances hiérarchiques, n'entendant plus sa propre voix, mais se mettant pourtant au garde-à-vous, Vorotyntsev cria au commandant du corps d'armée :

— Excellence! *comment* avez-vous pu donner l'ordre de battre en retraite alors que la bataille était gagnée? *Comment* avez-vous pu sacrifier pour rien des régiments pareils?!

Et après — était-ce à lui d'expliquer que notre propre peau n'est pas tout, qu'il y a aussi quelque chose qui s'appelle la *patrie?*

Le sombre tremblement d'une rétractation peureuse parcourut le visage d'Artamonov :

— Je... je n'ai pas donné d'ordre semblable...

Ah le menteur, ah l'apostat, avec sa moustache de poisson! Il fallait s'y attendre, à ce que tu te rétractes!... Alors c'est le lieutenant Struser qui l'a inventé, cet ordre?

Dans la pièce aux appareils, Artamonov venait d'avoir un entretien avec Samsonov et voilà ce qu'il lui avait rapporté : « Toutes les attaques ont été repoussées. Je suis ferme comme un *roc!* Je remplirai ma mission jusqu'au bout! » Et que pouvait-il dire d'autre sans faire de tort à sa réputation? C'était une réponse de soldat, fière, forte. Après, avec le temps, toutes ces contradictions finiraient bien par se résoudre d'elles-mêmes. Artamonov en avait l'habitude. Tiens, la liaison avec Neidenburg s'était trouvée rompue aussitôt après, c'était très bien. Ensuite, il serait toujours possible de rendre compte comme ceci, par exemple : j'ai battu en retraite sous la poussée de deux corps d'armée ennemis. Deux corps d'armée et demi. Trois cents pièces d'artillerie. Quatre cents. Et des automobiles blindées. Armées de canons. Tout ceci finirait bien par s'accorder, et puis on verra se manifester des protecteurs influents.

Mais, tout de même, il éprouvait comme un malaise. Voyons, est-ce qu'il tenait à sa vie, Artamonov? Il tenait à son service, il tenait à sa réputation, et pas à sa vie! Mourir dignement, pour la gloire de son nom, il était prêt à le faire sur-le-champ.

Et il sauta dans son automobile, pressa son chauffeur — en avant, n'importe où, là où il y a encore nos hommes! Et il n'avait pas assez d'air derrière le pare-brise! Il se levait, il roulait debout, avalant le vent qui venait le frapper au visage. Et les pans de sa capote à doublure rouge s'écartaient, se relevaient, pareils à deux drapeaux rouges.

Il allait à la rencontre de nos troupes qui se repliaient, leur faisant honte de ce qu'un général, intrépide, se rendît là d'où ils avaient fui. Il ne désignait pas de lignes de défense, ne montrait pas quelle batterie devait quitter la route pour prendre position ni de quel côté elle devait tirer — cela, on le ferait bien sans lui. Non, il allait pour encourager, pour se montrer, pour avaler de l'air.

Les pans de sa capote rouge tremblaient dans le vent, mais lui, il se tenait ferme *comme un roc.*

DOCUMENT 1

14 AOUT

NICOLAS II AU MINISTRE SAZONOV

« J'ai donné l'ordre au grand-duc Nicolas Nikolaïevitch d'ouvrir le plus vite possible et à n'importe quel prix la route de Berlin... L'objectif prioritaire à atteindre est la destruction de l'armée allemande. »

26

Le bataillon de tête du 1er régiment de la Néva de Sa Majesté le roi des Hellènes fut le premier, le 14 août dans l'après-midi, à pénétrer dans la ville d'Allenstein, sans tirer un seul coup de feu, sans même mettre l'arme au bras.

Tant de choses incroyables arrivaient d'un seul coup, et toutes en même temps, que cette ville flottait comme une vision devant les soldats du régiment de la Néva : existait-elle vraiment? étaient-ce bien eux qui en foulaient les pavés ou bien n'était-ce qu'un songe? Tant de jours il leur avait fallu errer à travers un pays vide, déserté, sans voir un seul habitant et ne rencontrant que des propriétés dévastées et quelques villages, rares dans cette région boisée, faire de grands crochets pour éviter les villes et choisir comme à plaisir un itinéraire qui les menait à travers les isthmes boisés les plus sauvages — tout cela pour pénétrer soudain, en plein jour, par un temps radieux, dans l'une des plus belles villes de Prusse, pour pénétrer, affamés, poussiéreux, harassés, dans une petite ville reluisante de propreté, dans tout le miroitement de sa paisible vie quotidienne, qui avait pourtant un air de fête, non seulement remplie de ses habitants habituels mais encore pleine de gens venus d'ailleurs — et tout cela d'un seul coup, à l'instant même où ils débouchaient de la forêt déserte. Durant deux semaines ils avaient marché, marché sans combattre, sans presque avoir de preuves qu'on était réellement en guerre, et voilà que maintenant, ayant pénétré dans cette ville, ils voyaient avec certitude que non : sur les trottoirs, les habitants vaquaient à leurs affaires, se sentant en sécurité dans leur existence du fait même qu'elle était opulente et sans défense. Ils entraient dans les magasins, qui n'étaient pas fermés, emportaient leurs achats, poussaient des landaus. Il s'en trouvait pour jeter un regard aux troupes qui arrivaient, d'autres ne prenaient même pas cette peine, et on aurait pu croire que le bataillon rentrait de manœuvres dans son Roslavl de toujours où chacun ne le connaissait que trop, à cette différence près, pourtant, que les constructions d'ici se distinguaient vraiment beaucoup de ce qu'on trouvait dans cette petite ville très simple qu'était Roslavl, et que les habitants étaient drôlement habillés. Perdant leur alignement et oubliant de marcher au pas, les soldats écarquillaient les yeux sur les passants.

Et dans cet univers étranger, insolite et vacillant (et qui n'existait peut-être pas, si on avait voulu le palper), la seule chose qui était bien à eux et dont ils étaient sûrs, c'était l'allure du colonel Pervouchine, adoré de son régiment. Il avançait là, à leurs côtés, avec sa légèreté habituelle dans la démarche, balançant son bras avec légèreté, regardant autour de lui de cet air crâne et malin qui semblait lui boursoufler un peu le visage — l'air d'un homme résolu, plein de santé et de hardiesse, dont on aurait dit que, sans le vouloir, il donnait l'assurance d'avoir tout compris, d'en tenir compte et de faire en sorte que tout aille au mieux pour les soldats. Et, ayant fait stationner le bataillon dans un lieu ombragé et donné des ordres pour la mise en place des sentinelles, en particulier devant les débits de boissons ouverts, Pervouchine annonça :

— Messieurs les officiers, s'il y en a qui veulent se faire raser et couper les cheveux ou aller dans une pâtisserie, je vous en prie, mais à tour de rôle.

Après un calvaire de deux semaines, on aurait pu croire que le colonel, avec ses yeux impertinents à fleur de tête et sa moustache broussailleuse non soignée, qui cachait entièrement le mouvement des lèvres, était en train de plaisanter. Or, ce n'était nullement une plaisanterie et les officiers se mirent à demander la permission de s'absenter, et ils allèrent, tout comme s'ils s'étaient trouvés à Smolensk ou en Pologne, déposant sur les comptoirs des pièces frappées à l'effigie de l'aigle à deux têtes — et les commis et les patrons, poliment, exécutaient leur commande. A peine avait-on cessé de donner la chasse aux informateurs civils, aux cylistes enrôlés dans l'armée — et voilà que le rasoir allemand allait et venait avec douceur sur le cou des officiers russes. Et le dédoublement prenait fin, comme sous l'effet d'un tour de molette imprimé aux jumelles, qui rend aux choses leur volume et leur aspect réels : ce sont les uniformes qui se font la guerre et ce serait dépasser les frontières de l'humain que de combattre tous contre tous. Sur une grande maison, un drap avait été accroché qui portait l'inscription en russe : « *Asile d'aliénés.* Prière de ne pas entrer et de ne pas déranger les malades. » Et personne n'entrait, personne ne les dérangeait. Remarquant un officier qui savait l'allemand, les femmes l'arrêtaient et discutaient :

« Qu'espérez-vous? vous vous croyez capables de vaincre une nation civilisée? »

La petite ville, devenue trop étroite pour tout ce monde, offrait encore une autre nouveauté : on pouvait tout sauf *l'occuper* à proprement parler, car où aurait-on pu faire stationner tout un corps d'armée, un régiment même? Et Pervouchine partit à la recherche du commandant de la division et des commandants des autres régiments qui se trouvaient déjà dans les rues et aux portes de la ville, pour leur proposer de faire bivouaquer les régiments hors de la ville, près du lac, près de la rivière, en bordure de la forêt qu'ils venaient de quitter.

Il rencontra son ami, le taciturne Kabanov, commandant du régiment de Dorogobouje, qui fut aussitôt d'accord. Il rencontra aussi Kakhovski, commandant du régiment de Kachira, avec sa tête nerveusement rejetée en arrière, et là aussi ils tombèrent aussitôt d'accord, et seuls, sans passer par leurs supérieurs, ils déterminèrent approximativement les secteurs où chacun d'eux s'installerait. Dans le corps d'armée, du temps de leur ex-commandant, le général Alexeïev, les initiatives et la participation des commandants de régiment étaient fortement encouragées. Et loin de s'envier, de se faire des crasses — ce qui peut arriver — il s'était établi entre la plupart d'entre eux une bonne camaraderie de travail.

Après quoi Pervouchine eut moins de chance : il passait devant un petit square où une dizaine de cavaliers s'étaient arrêtés; les uns tenaient les chevaux, d'autres étaient assis sur un banc près du jet d'eau... et il ne pouvait plus faire semblant de n'avoir pas remarqué le commandant du corps d'armée, et ne pas se présenter à lui.

Officier peu gâté dans l'ensemble, fils d'un enseigne, sans fortune personnelle, marié à une fille de commerçant, décoré il est vrai de la croix de Saint-Vladimir et de Saint-Georges après avoir été blessé à Moukden, et détenteur aussi d'un assortiment modéré d'autres décorations, Pervouchine avait presque le même âge que les commandants de corps d'armée et que le commandant en chef de l'armée, mais végétait depuis huit ans déjà dans le grade de colonel. On ne pouvait rien savoir là-dessus car on n'en parlait jamais et il n'en était question que dans le courrier strictement confidentiel, mais il était bien évident que, par un ordre secret, à la suite de quelque impertinence à l'égard d'un personnage haut placé, son avancement avait été bloqué. Cependant, lorsqu'il faisait un rapport à ses supérieurs hiérarchiques, Pervouchine n'arborait pas une mine capricieuse, ne rappelait pas l'offense qui lui était faite; d'ailleurs, en temps de guerre, ce n'était tout de même pas le moment.

Ainsi donc, il n'avait pu éviter le commandant du corps d'armée. Et le colonel Pervouchine, avec, malgré ses cinquante ans passés, beaucoup de légèreté dans l'allure, les gestes, la voix, fit à son confrère haut placé, le général Kliouïev, son rapport sur la mise en place des sentinelles et sur les mesures qui avaient été prises et qui, peut-être, n'avaient nul besoin d'être portées à la connaissance du général.

Kliouïev possédait les attributs d'un visage de militaire, et tout particulièrement la moustache sans laquelle un officier serait inconvenant, mais il suffisait d'y regarder d'un tout petit peu plus près pour voir que ce n'était pas là un visage de militaire et même que ce n'était pas un visage du tout, qu'il ne présentait aucun véritable signe particulier. Était-ce sensible à tous ou non, toujours est-il que chacun avait l'habitude de voir à cette place-là le visage un peu grossier, un peu renfrogné, aimé de tous, du général Alexeïev qui, dès le début de la guerre, venait d'être fraîchement promu à l'état-major du front sud-ouest, et chacun ne pouvait pas ne pas se dire, en faisant son rapport : « Tu peux toujours te décarcasser, tu ne seras jamais Alexeïev. »

Et Kliouïev ne pouvait manquer de le lire sur le visage de l'officier qui lui faisait son rapport, et c'est pourquoi il ne les aimait pas, ses officiers, et, en particulier, il avait immédiatement pris en grippe ce Pervouchine, avec sa bravoure déclarée, infatigable, et ses yeux qui saillaient d'une manière provocante. Cette animosité s'était encore renforcée quatre jours plus tôt, lorsque, ayant entendu les roulements de la canonnade sur sa gauche, Pervouchine avait eu l'impudence de se présenter de sa propre initiative au commandant du corps d'armée — passant par-dessus le commandant de sa brigade! par-dessus le commandant de sa division! — et, « au nom des officiers de son régiment », avait demandé l'autorisation d'aller prêter main-forte, à gauche, au 15e corps d'armée! Une indiscipline aussi monstrueuse n'était pas seulement choquante de la part d'un subalterne, elle était inconcevable dans une armée! Ça se passait peut-être ainsi du temps d'Alexeïev, mais l'indignation de Kliouïev se tourna précisément contre Pervouchine.

Ce jour-là, il avait refusé. (Mais l'idée, il l'avait exploitée pour son propre avancement : il avait informé ses supérieurs qu'il était prêt à mener tout son corps d'armée en renfort.) Et c'est avec la même animosité qu'il écoutait à présent Pervouchine, cherchant un moyen de le vexer. Pervouchine, lui, une fois de plus, ne sut se retirer sans en rajouter : songeant à la disposition des régiments hors de la ville, il s'informa non pas de cette disposition, qui était plus facile à régler sans Kliouïev, mais pour savoir si le commandant du corps d'armée n'allait pas donner l'ordre de mettre hors d'état, par mesure de précaution supplémentaire, les quatre voies ferrées qui, de divers côtés, arrivaient à Allenstein.

Kliouïev répondit dédaigneusement que ce n'était pas l'affaire d'un commandant de régiment, mais que s'il avait vraiment très envie d'être informé, eh bien, il existait une directive du commandement du front disant qu'il ne fallait pas détériorer, mais préserver les voies ferrées allemandes pour notre offensive. Et il y avait mieux à faire (passez-moi la carte), tenez colonel : avancez un de vos bataillons vers le nord, dans ce qu'on appelle « le bois de la ville », et disposez-le en avant-postes selon un large demi-cercle.

Ce genre de malchance, Pervouchine connaissait ça : il ne faut jamais, même par hasard, tomber sur un supérieur, et moins encore s'efforcer de penser pour lui aux solutions les meilleures.

A présent, il ne lui restait plus qu'à redresser son visage bien moulé, bien en chair, plein d'audace, et à répéter l'ordre, se contentant de prendre sa revanche du regard : « Toi, un Alexeïev? Jamais! » Puis, après les trois pas réglementaires suivis d'autres, plus précipités, aller faire avancer le bataillon qui serait, de toute cette guerre, le seul à avoir aussi profondément pénétré en Allemagne.

Sur le banc, dans l'ombre, les officiers d'état-major, sans avoir recours aux officiers de l'intendance et de la trésorerie, calculaient la quantité de pain frais qu'il fallait commander en ville de sorte qu'il fût prêt pour le soir et qu'il y en eût suffisamment pour tous les régiments, évaluaient la dépense et déterminaient ce qui allait rester pour l'achat de provisions supplémentaires. De nombreuses unités n'avaient plus de biscuits, plus de sel, d'autres n'avaient de ravitaillement que pour un jour, et on ne donnait déjà plus d'avoine aux chevaux.

Là, dans l'ombre, la chaude journée d'été était d'une douceur caressante. Le jet d'eau, orné de figures mythologiques, fusait paisiblement. A quelques pas, des Allemandes en robe d'été allaient et venaient, promenant leurs enfants en poussette ou bien leur donnant la main. En face, il y avait une mercerie qui était ouverte. Un cocher transportait un couple d'Allemands d'un certain âge. Et hormis ceux, paisibles, épars, d'une petite ville sans tramways, sans automobiles, aucun bruit ne parvenait jusqu'ici, on n'entendait pas même, au loin, ce grondement sourd qui ressemble au vacarme que ferait une tôle gigantesque tour à tour incurvée et redressée.

Après deux semaines de guerre irréelle, ayant passé son temps en promenade sans tirer un seul coup de feu, le 13e corps d'armée était arrivé dans un coin de paradis qui tenait du rêve — et toute la guerre aurait pu en rester là!

Le général Kliouïev, après bientôt quarante ans de service dans l'armée, ne s'était *jamais de sa vie* trouvé à la guerre, non, jamais! — ni comme élève officier, ni comme enseigne, ni comme commandant du régiment de la Garde de Volynie, ni, à plus forte raison, lorsqu'il faisait partie de la suite de Sa Majesté. La campagne de Turquie, en tant que « chargé de missions spéciales », il l'avait faite à l'arrière, de même que la guerre russo-japonaise, en qualité cette fois de « général chargé de missions spéciales ». Souvent décoré et protégé, il était déjà chef d'état-major d'une région militaire et espérait bien ne jamais se trouver à la guerre. Et voilà qu'elle lui tombait dessus et il avait dû remplacer Alexeïev à la tête d'un corps d'armée.

Il faut reconnaître que le général Kliouïev avait maintes fois assisté à des manœuvres. Et le mouvement de son corps d'armée, durant les deux semaines passées, avait eu jusqu'à présent la chance de ressembler fort à des manœuvres, avec cependant des complications : un ravitaillement défectueux, une liaison difficile, une canonnade puissante sur sa gauche ce matin (justement, il avait payé son tribut au destin en envoyant à Martos une brigade du régiment de Narva et une de celui de Koporié — ceux qui, une fois déjà, y étaient allés pour rien et en étaient revenus) — mais il n'était pas responsable de ces événements périphériques, et dans sa zone, tout allait assez bien pour le moment, et il ne redoutait qu'une seule chose : ébranler cette situation mouvante par quelque erreur ou quelque ordre imprudent, ou encore que *ça* ne surgisse, soudain, tout seul, de quelque part. Kliouïev souffrait, il ne sentait en lui-même aucune fermeté et ne trouvait pas de soutien parmi les officiers. Dans son corps d'armée, il était un étranger. Et il ne savait rien sur l'adversaire. Actuellement, à Allenstein, il n'avait pas donné l'ordre de chercher un bâtiment pour l'état-major, n'étant même pas tout à fait sûr d'avoir conquis cette ville et de pouvoir y passer la nuit.

Soudain (c'était peut-être *ça*?!) un cabriolet arriva et il en sortit un aviateur qui accourut avec son rapport (afin qu'il pût parler à voix basse, sans se faire entendre dans la rue, on le fit asseoir par terre, sur le sable, aux pieds de Kliouïev). Il venait de rentrer d'une mission de reconnaissance à l'est, avait survolé une trentaine de verstes, était allé presque jusqu'au lac Daddai et avait vu deux colonnes qui se dirigeaient par ici. Il n'était pas descendu assez bas pour voir si c'étaient des Russes, mais...

... mais — et ce fut le brouhaha chez les officiers d'état-major qui s'étaient mis à discuter, à consulter des cartes dépliées sur leurs genoux, qu'ils montraient aussi aux généraux Kliouïev et Pestitch — il ne pouvait pas en être autrement : c'était le corps d'armée de Blagoviechtchenski qui, sur ordre de Samsonov, arrivait à leur rescousse! Tout coïncidait, l'heure, la direction et le nombre! Et demain, ils seraient tous rassemblés ici en un *poing*, deux corps d'armée! Et si Martos opérait sa jonction, ce serait alors un *poing* encore plus considérable.

Il faut reconnaître que le chef d'état-major, Pestitch, suggéra d'envoyer pour vérification, un autre aviateur plus âgé, plus expérimenté, mais Kliouïev se refusa à toute vérification et donna l'ordre d'écrire immédiatement de sa part à Blagoviechtchenski pour lui dire qu'avec les trois quarts d'un corps d'armée, il était arrivé à Allenstein et y passerait la nuit, que l'adversaire ne se montrait pas et qu'à l'aube, il abandonnerait Allenstein à Blagoviechtchenski pour se diriger vers Martos.

Et il donna l'ordre de chercher un bâtiment pour l'état-major du corps d'armée.

Soudain (c'était *ça! ça!*) — tout à côté, hors de la ville, retentit une violente fusillade et l'on distingua même le tir de petits canons.

Kliouïev pâlit, il en avait la gorge sèche. D'où sortaient-ils, ces Allemands? Comment avaient-ils fait pour approcher sans attirer l'attention? — et voilà que, déjà, ils coupaient la route par laquelle le corps d'armée était arrivé!

Un cavalier s'en fut, chargé de tirer les choses au clair.

Le feu nourri se prolongea quelques minutes. Les Allemands, dans la rue, ne cachaient pas leur excitation. On ne tirait pourtant qu'à un seul endroit. Et tiens, voilà que les coups se faisaient plus rares, toujours plus rares.

Puis ils se turent.

Kliouïev signa la lettre. On la scella. On chargea l'aviateur d'atterrir le plus près possible de l'une des colonnes et de transmettre le message au général le plus proche.

Le jeune pilote, fier de sa mission, sauta dans le cabriolet et fila retrouver son aéroplane.

Le cavalier était de retour : il s'agissait d'un train blindé allemand qui, venant de l'ouest, était arrivé inopinément jusqu'au pied des maisons d'Allenstein et avait ouvert le feu sur les bivouacs des régiments de la Néva et de Sainte-Sophie. Nos hommes, sans se troubler, l'avaient fait battre en retraite.

— Il faut faire sauter les voies! ordonna Pestitch.

L'aviateur ne revint ni une heure plus tard, ni deux heures plus tard, ni à la nuit tombante.

Mais personne ne s'en inquiéta — on savait bien que les aéroplanes étaient en panne à tout bout de champ.

Il faut reconnaître qu'on avait aussi envoyé, au sol, une patrouille d'officiers à la rencontre de ces colonnes. Vers le soir, un officier était revenu et avait rapporté que de cette colonne, de *notre* colonne donc, on avait fait feu sur eux.

Mais, là encore, personne ne s'en inquiéta, parce qu'il nous arrive souvent de faire feu sur nos hommes.

27

Le général d'infanterie Nicolas Nikolaïevitch Martos était un homme méticuleux. Il ne supportait pas le laisser-aller russe, les « on verra bien », « la nuit porte conseil », « nous allons dormir là-dessus et à Dieu vat!... ». Au moindre signe alarmant, dès que quelque chose clochait, il devait tout analyser, chercher des solutions, trouver des réponses. Il ne pouvait s'endormir s'il restait quelque part un point obscur et il était alors sur des charbons ardents. C'est pourquoi il n'avait guère le loisir de dormir, et ce qu'il faisait surtout, c'était fumer, cigarette sur cigarette. Il n'avait guère le loisir de dormir et l'état-major du corps d'armée non plus, car il ne pardonnait à personne la moindre négligence et ne comprenait pas comment on pouvait l'avoir commise, et il exigeait qu'on la réparât sur-le-champ. Chaque ordre non exécuté le rendait malade, de même que les problèmes qui n'avaient pas été élucidés à fond, qui étaient restés sans solution. Sans répit il essayait d'obtenir de ses subordonnés que le moindre détail lui fût exposé avec la netteté d'une pièce d'argent bien astiquée. Mais les officiers russes n'étaient guère accoutumés à un tel régime, et ils maudissaient Martos. C'était aussi bien ce qui avait paru insupportable à Krymov, ce pour quoi il pestait contre Martos qu'il accusait d'avoir mis son état-major sur les genoux. Pour un homme lent comme Krymov, il ne pouvait y avoir de général plus irritant que Martos.

Bien qu'ayant passé sa vie à l'armée (depuis l'âge de dix-neuf ans — au moment de la guerre avec la Turquie), Martos ressemblait si peu aux généraux russes à l'allure imposante et lente qu'on aurait dit un civil habilement déguisé — maigre, mobile, vif, d'autant plus qu'il allait et venait armé de sa badine qui lui servait de baguette, et portait sa capote déboutonnée. Sous ses épaulettes, il était professeur plutôt que général, et faisait toujours passer des examens à ses subordonnés.

Il était à la tête du 15e corps d'armée depuis plus de trois ans sans discontinuer et connaissait tout son monde. Et puis son corps d'armée était au complet, exception faite de sa cavalerie. Et c'étaient des hommes du coin, de la région militaire de Varsovie. Et c'était précisément à ce théâtre d'opérations-là que Martos s'était préparé. Aussi était-ce peut-être une bonne chose que les événements eussent pris cette tournure : durant toutes ces journées où le reste de l'armée se déplaçait absurdement dans le vide, ou bien encore piétinait absurdement sur place, seul le 15e corps d'armée s'était trouvé dans un secteur chaud et, ayant commencé à se battre dès le 10 août, n'avait pratiquement pas arrêté un seul jour.

Il est toujours difficile de *commencer* quelque chose de pénible, ainsi la guerre. Mais une fois qu'on a pris le collier, on finit par le porter comme son col habituel et ça ne fait plus aucun effet.

L'ennui, c'était qu'on avait détaché du corps d'armée son régiment permanent de cavalerie et qu'on lui avait collé celui des Cosaques d'Orenbourg qui, au lieu du service actif en campagne, ne connaissait que le service policier à Varsovie. Grâce aux bons soins de ces guerriers apeurés qui, en guise de reconnaissance, se contentaient de rumeurs recueillies auprès de la population locale, Martos s'était retrouvé sans service de renseignements : à Neidenburg, où l'on s'attendait à une bataille, il n'y en avait point eu; à Orlau, on était tombé à l'improviste sur l'adversaire et il avait fallu engager la bataille. Et l'Armée et le front étaient les derniers à savoir quelque chose sur l'adversaire, l'annonçaient en train de battre en retraite quelque part au nord alors qu'il avait pris *position*, donc ne fuyait pas, *sur la gauche*, et non en face, et c'était Martos qui, le premier, accrochant jour après jour l'adversaire de son flanc gauche, avait commencé à comprendre la véritable disposition, en diagonale, du corps d'armée de Scholz, et c'était Martos qui, le premier, sans attendre les ordres, avait commencé à virer sur la gauche. Il disposait de pilotes qui avaient fait des vols de reconnaissance et l'avaient aidé. C'étaient eux qui avaient découvert la ligne fortifiée au-delà du lac de Mühlen.

Mais, le 13 août, la bataille de Mühlen n'avait pas marché : la division de Mingin qui était sur la gauche et aux ordres de Martos avait reflué de Mühlen vers le sud plus vite encore qu'elle n'était montée à l'assaut. Le centre de Martos, ce jour-là, s'était étalé, et son aile droite s'écartait vers le nord. Martos comprit que ses divisions, déjà ébranlées, ne viendraient pas à bout de cette défense et qu'il avait besoin de faire appel à des forces fraîches et plus précisément à Kliouïev qui pourfendait le vide en direction du nord, sans livrer le moindre combat. Et le soir du 13, faisant comme c'est toujours plus simple, c'est-à-dire sans passer par la voie hiérarchique, Martos demandait par message à Kliouïev de lui détacher en renfort les deux régiments les plus rapprochés de son secteur. D'autre part, par une audacieuse rocade nocturne, il avait déplacé le front de nord en ouest, l'installant en face de la ligne fortifiée de Mühlen (et longtemps encore les convois avaient continué à s'embrouiller sur les routes).

C'était Martos qui avait été le premier de tous les commandants de corps d'armée à passer son temps non pas à l'état-major du corps d'armée, mais sur place, au poste de commandement d'où l'on voyait l'adversaire et où tombaient ses obus. Il tenait à cette situation, toute absence était à ses yeux une perte, et au matin du 14, lorsque des deux côtés le tonnerre gronda sur son secteur et que, d'après ses estimations, même à l'état-major de l'armée on devait d'un instant à l'autre avoir fini de dormir, Martos envoya un colonel au village pour téléphoner : il demandait instamment à l'état-major de l'armée que tout le corps d'armée de Kliouïev fût immédiatement dirigé vers lui.

Quelques centaines de shrapnels et de fougasses avaient éclaté, plusieurs dizaines de civières avaient été emportées, çà et là on avait relevé des bataillons, en puisant dans la réserve, çà et là on avait modifié l'orientation du tir, retiré les batteries endommagées, pris pour cible et presque abattu un aéroplane russe, quand le colonel qui était parti téléphoner revint.

Par malchance, il avait parlé à Postovski — mais aurait-il pu exiger de parler au commandant en chef? — et Postovski avait refusé en invoquant le motif suivant : « le commandant en chef ne tenait pas à entraver les initiatives du général Kliouïev. »

Un coup de vrille n'aurait pas fait tournoyer Martos plus violemment que cette réponse ! Il lâcha sa lorgnette, descendit quatre à quatre l'escalier du grenier et, sous les pins, on pouvait le voir courir de tous côtés, tourbillonner sur la butte, parlant tout seul, pestant, lançant des imprécations, ne sachant que faire de ses jambes. Il n'avait pas fait l'erreur de croire que sa demande avait réellement été transmise au commandant en chef et que ce dernier, après avoir tourné et retourné le problème dans sa tête trop grosse, avait décidé d'épargner l'esprit d'initiative de l'irrésolu Kliouïev. Non, on reconnaissait aussitôt sans peine l'âme d'encre et de buvard de Postovski, sa crainte perpétuelle de s'écarter des directives du front et aussi la mine ridiculement importante qu'il se donnait pour parler au nom du commandant en chef auquel il n'avait même pas fait son rapport. Mais aussi, le moyen d'établir une telle subordination quand Martos était un commandant de corps d'armée parmi d'autres, tandis que le père Kliouïev avait été tout récemment chef d'état-major d'une région militaire où Postovski avait servi en qualité de général quartier-maître?!...

Que pouvait-il faire, lui, Martos? Aurait-il dû, dès ce matin, quitter le champ de bataille alors qu'on était déjà en train de passer la rivière fortifiée, alors que déjà on investissait Mühlen tandis que le bataillon allemand, pris de panique, fuyait? — et courir lui-même téléphoner, essayer de savoir si le commandant en chef s'était réveillé? En des minutes aussi rageantes, inévitables dans l'armée, quand les andouilles qu'on a au-dessus de soi s'arrangent pour tout gâcher, il y aurait de quoi se dépouiller de tous ses vêtements militaires, jusqu'au dernier, pour aller se jeter à l'eau tout nu, pour bien marquer qu'on n'a rien à voir avec l'uniforme.

Mais on l'appelait, on l'attendait, on lui faisait des rapports, on lui posait des questions, et là-dessus la réponse de Kliouïev arriva : les régiments de Narva et de Koporié avaient été dirigés sur Hohenstein. Et l'infatigable Martos retrouva son équilibre et se jeta de nouveau dans la bataille.

Et là, à son poste de commandement et d'observation, ayant une bonne liaison avec les régiments et l'artillerie, fumant une bonne trentaine de cigarettes et sans prendre le temps de déjeuner, Martos aurait passé une journée supportable. Le combat s'apaisait. On se resserrait, on se regroupait. Les Allemands eux aussi avaient amené des réserves, des armes. On annonça que les régiments de Kliouïev avaient atteint Hohenstein, et Martos leur donna l'ordre de traverser la ville et de continuer dans sa direction. A quatre heures de l'après-midi, sans laisser aux Allemands le temps de respirer ni à ses hommes celui de souffler, Martos fit monter tous ses régiments à l'assaut, et le mouvement d'encerclement était bien parti — mais on ne laissa pas Martos assister au grand moment : on le demandait au téléphone, on le demandait de toute urgence de la part de l'état-major de l'armée.

Il était tellement indispensable ici au poste de commandement! C'était tellement au-dessus de ses forces de s'arracher de là pour aller discuter, même si c'était pour recevoir le corps d'armée de Kliouïev, mais sa peau de militaire lui interdisait d'en faire à sa guise. Remettant ses pouvoirs à son chef d'état-major, Martos fila sur son cheval, ne pensant qu'à revenir au plus vite.

Dans l'imposant téléphone, lourd à souhait, du réseau permanent allemand, Martos distingua nettement la manière insipide et grinçante de Postovski, mais qu'importait la manière, il s'agissait bien de la manière... il n'en croyait pas ses oreilles, il passait d'un pied sur l'autre comme s'il avait été sur des charbons ardents.

— Général Martos, voici l'ordre, débitait Postovski de sa voix insipide : demain matin, vous devez marcher sur Allenstein pour y opérer une jonction avec le 13e et le 6e corps d'armée. Les trois corps d'armée constitueront ainsi un *poing* considérable.

Martos resta incrédule, il n'avait pas compris, n'est-ce pas? Ce n'était pas Kliouïev qui venait se joindre à lui, mais lui qui allait se joindre à Kliouïev?

Oui, exactement cela.

La poitrine étroite de Martos éclata, comme touchée par un coup direct. Il n'était plus possible ni de vivre ni de respirer! Ce presse-papier ne comprenait rien et ne pouvait rien comprendre! Il ne comprenait pas que la journée d'aujourd'hui était la journée héroïque de la vie de Martos, de toute sa carrière militaire. Il ne comprenait pas que le 15e corps d'armée avait été le seul à mener victorieusement un rude combat contre toutes les forces visibles de l'adversaire en Prusse, contre toutes les forces qui avaient pu se montrer jusqu'à présent. Il ne comprenait pas que chaque heure de combat était une heure en or pour toute l'armée et qu'il fallait amener les troupes par ici et non pas les enlever d'ici. Pour tout dire, il ne parlait pas un langage humain. Tiens, mais le 15e corps d'armée n'avait pas encore *exécuté l'ordre* d'avancer beaucoup plus loin vers le nord.

— Passez-moi le commandant en chef, cria Martos d'une voix féroce, aiguë, autoritaire. Passez-le-moi immédiatement.

Postovski refusa. C'est que, tout de même, n'est-ce pas, faire traverser des pièces et des pièces, et puis il y avait aussi l'escalier, le commandant...

Et puis, pour quoi faire le commandant en chef? L'ordre émanait de...

— Non-on!! s'écria Martos, tant que sa gorge pouvait encore crier, tant qu'on ne l'avait pas encore égorgé. Non!! Je veux le commandant en chef! Que le commandant en chef me dise auquel des généraux je dois remettre mon corps d'armée, et qu'il me *décharge* de mon commandement! Je ne suis *plus en fonction!!* Je prends *ma retraite!!*

Et Postovski ne cria point en retour (il est vrai qu'il ne savait pas crier). Postovski baissa sérieusement le ton. Postovski, tout troublé, dit :

— Bien. Bien, je transmettrai. Dans une heure je vous rappellerai.

Dans une heure, vous pouvez aller vous faire voir! Dans une heure, vous ne me trouverez pas!

Léger, avec sa silhouette de jeune garçon, bondissant comme une balle, Martos sauta en selle et fonça au galop vers son poste de commandement à une allure telle que son aide de camp avait peine à le suivre.

A la nuit tombée, on annonça que tout le corps d'armée de Kliouïev était placé sous les ordres de Martos. Martos se précipita au téléphone pour dire au commandant de sa division de droite d'envoyer au plus vite un nouveau message à Kliouïev lui demandant de venir en renfort de toute urgence.

Nos liaisons! — la chevauchée solitaire des cavaliers à travers un pays étranger, entre des formations ennemies peut-être. Partout des lignes téléphoniques, mais pas de troupes de génie pour les faire fonctionner.

En pleine nuit la réponse arriva, disant qu'il était impossible de mettre sur le pied le corps d'armée, la nuit, que le corps d'armée allait s'ébranler au matin du 15 août, et encore cette opération n'avait-elle de sens qu'à la condition que le général Martos s'engageât à rester sur ses positions pendant vingt-quatre heures encore jusqu'au matin du 16 août...

28

Neidenburg non plus n'avait pas apporté à Samsonov l'apaisement qu'il en attendait et la participation directe à l'action qu'il y cherchait : un plafond étranger au réveil, par la fenêtre, les toits et les clochetons d'une vieille cité de l'Ordre teutonique, une canonnade inexplicablement proche, la fumée que dégageaient des restes d'incendies et le mélange de deux vies dans la ville — celle des Allemands, civile, et celle des Russes, militaire. Chacune d'elles s'écoulait selon ses lois, absurdes pour l'autre, mais c'était entre les mêmes murs de pierre qu'il leur fallait cohabiter, et voilà que dès le matin, devançant les officiers de l'état-major, le commandant russe de la place et le bourgmestre allemand demandaient à être reçus ensemble par le commandant en chef. Il avait fallu puiser de la farine dans les réserves de la ville pour cuire du pain destiné aux troupes — et c'étaient des calculs, des objections, des restrictions. Le service d'ordre disposé par le commandant de la place n'allait-il pas brimer la population? Les Russes avaient pris sous leur contrôle l'hôpital de la ville, très bien aménagé, mais il y avait là des médecins et des blessés allemands. On réquisitionnait un bâtiment et des moyens de transport pour les hôpitaux russes — à quelles conditions? sur quelle base?

Samsonov, très honnêtement, s'efforçait d'entrer dans les détails et de trouver une solution équitable aux différends qui étaient du reste abordés avec bienveillance de part et d'autre. Mais il était distrait. Tout plein de ce qui, hors de sa vue, hors de son atteinte, se déroulait dans les sables, les forêts, cent verstes à la ronde et dont les officiers d'état-major ne se dépêchaient guère de lui rendre compte.

Bien que, selon la hiérarchie de l'armée, la volonté du commandant en chef l'emporte sur celle des officiers d'état-major, et non l'inverse, c'est, par la force des choses, le contraire qui se produit le plus souvent : il dépend des officiers d'état-major que le commandant en chef sache ou ne sache pas, soit ou ne soit pas en mesure de prendre une décision.

La veille au soir, comme d'habitude, la journée s'était terminée par l'expédition à tous les corps d'armée des instructions les plus raisonnables qui soient quant à leur mission de la journée, et c'est avec la conscience d'avoir fait au mieux que l'état-major était allé se coucher. Au matin, chez certains membres de l'état-major, il s'était accumulé un certain nombre d'objections contre ce qui avait été décidé la veille, mais ce qui apparaissait ainsi pouvait sembler en contradiction avec les points de vue qu'ils avaient eux-mêmes soutenus la veille et par conséquent, il n'y avait pas lieu, au moindre rapport, de courir en rendre compte au commandant en chef. Certaines des instructions de la veille auraient dû, semblait-il, être modifiées. Mais elles avaient déjà servi à engager les combats du matin et, de toute façon, il était trop tard. Et tout ce qu'il restait à faire au commandant en chef, c'était de laisser sa matinée s'écouler lentement en espérant qu'avec l'aide de Dieu, tout se déroulerait comme il l'avait voulu et l'avait ordonné, c'est-à-dire au mieux.

Seulement, il n'y avait pas moyen de lui dissimuler ce qui touchait à la canonnade toute proche et qui concernait la division de Mingin. Cette division qui, de Novogueorguievsk à Mlawa, n'avait pas été amenée par train mais avait fait Dieu sait pourquoi cent verstes le long de la voie ferrée, et puis encore une cinquantaine de verstes, cette division, aussitôt arrivée, était montée à l'assaut la veille avec tous ses régiments et son aile droite avait failli prendre Mühlen, tandis que l'aile gauche — les régiments de Reval et d'Estonie — progressait elle aussi avec succès, mais, juste avant d'atteindre le petit village de Tannenberg, avait, semblait-il, été arrêtée par un puissant feu d'artillerie et s'était repliée. Et Mingin, ayant appris que ses régiments de l'aile gauche s'étaient repliés, avait fait reculer également ceux de l'aile droite, s'était décroché de Martos dont il avait peut-être découvert le flanc. Mais, pour le reste, les informations étaient peu précises : de quel ordre étaient les pertes? jusqu'où avait-on reculé? L'imprécision des renseignements permettait pour le moment de les interpréter d'une façon qui n'était pas trop alarmante, d'autant plus qu'aujourd'hui la canonnade s'était éloignée, déplacée en direction de Martos.

Samsonov examina attentivement la carte qui lui était présentée. Il donna l'ordre d'indiquer avec précision le village situé à dix verstes de Neidenburg au-delà duquel il ne fallait se retirer en aucun cas. Il restait un petit espoir de voir d'un instant à l'autre arriver en direction de Mingin les régiments de la Garde de la division de Sirelius. C'était lui, ou encore Kondratovitch, le commandant du corps d'armée, que Samsonov s'attendait fort à voir ce matin, mais ils ne se montraient pas.

Peut-être qu'au lieu d'y envoyer un officier, il devrait lui-même aller chercher des éclaircissements? Mais il suffirait qu'il aille voir Mingin pour que, d'un autre côté, arrive quelque chose de plus important.

C'est ainsi que, sans être renseigné avec certitude sur les événements, sans trop savoir ce qu'il avait à faire, Samsonov passa péniblement toute la demi-journée : et de nouveau il y eut Knox (ils firent un tour à cheval ensemble), puis l'intendance, puis le chef de l'hôpital, puis Postovski, puis les télégrammes du front nord-ouest.

Et l'heure du déjeuner approchait quand la patrouille cosaque apporta le rapport de Blagoviechtchenski envoyé cette nuit à deux heures du matin.

Le rapport était tellement bizarre que Samsonov, en le lisant, clignait des yeux, fronçait les sourcils, soufflait, mais n'y comprenait rien, pas plus que les officiers de l'état-major. De ce qui lui avait été ordonné (aller à la rescousse de Kliouïev), Blagoviechtchenski semblait ne rien savoir : il n'en disait rien, n'expliquait pas pourquoi ce n'était pas fait. Il en savait encore moins sur les Allemands et on lisait cette phrase étrange : « La mission de reconnaissance n'a fourni aucun renseignement sur l'adversaire. » Et tout de suite après, il écrivait que ce matin, lors du combat livré à Gross-Bessau (*quel* combat? *quand* avait-il fait l'objet d'un rapport?), les pertes de la division de Komarov s'étaient montées à plus de quatre mille hommes! Donc le quart de la division? Et avec cela, il n'avait pas de renseignements sur l'adversaire? Et voilà qu'il indiquait le point situé à vingt verstes au sud de Gross-Bessau où le corps d'armée était en train de se retirer, ayant très manifestement abandonné Bichofsburg, mais pas un mot là-dessus! Et quelles troupes allemandes avaient pu surgir là, s'ils avaient déjà battu en retraite au-delà de la Vistule? Était-ce en se repliant qu'ils avaient accroché Blagoviechtchenski de leur aile — mais, des pertes de quatre mille hommes?

S'étant défait comme il avait pu de Knox, Samsonov, avec ce rapport fuyant, non, ce rapport mensonger, allait et venait comme un ours alarmé, à travers la sombre salle du conseil, et, penché au-dessus de la table de chêne sombre, il se prenait la tête entre les mains.

Combien l'aspect de la guerre s'était détérioré, faisant du commandant en chef une marionnette! Ce champ de bataille que l'on pouvait embrasser d'un regard et que l'on pouvait traverser au galop pour atteindre un subordonné peureux ou pour le faire venir jusqu'à soi... où était-il? Déjà, au moment de la guerre avec le Japon, ce champ de bataille se voilait, s'éloignait... et maintenant où était-il? Sur soixante-dix verstes, à travers un pays ennemi, sous la menace des balles, risquant la captivité, pendant toute une journée, des Cosaques confiants avaient transporté le message vil, mensonger d'un traître! Et pour obtenir des explications, corriger, remonter le moral d'un froussard, modifier les ordres, il fallait attendre que les Cosaques aient nourri leurs chevaux, leur aient laissé le temps de se reposer, et il leur fallait encore toute une journée pour revenir. Les postes de télégraphie sans fil n'arrivaient pas à se localiser, les aéroplanes n'arrivaient pas à s'envoler ou bien ne revenaient pas. Et envoyer son unique automobile avec la réponse à Blagoviechtchenski, ce n'était pas non plus la solution; d'ailleurs, là encore, il fallait une escorte de cavaliers. Et c'est ainsi que pour soixante-dix verstes, comme pour les cinq du temps de Koutouzov, il ne restait toujours que ces mêmes sabots de chevaux qui n'avaient pas modifié leur foulée. Et ce n'est que le lendemain, à peu près à la même heure, qu'il serait possible de savoir si le 6e corps d'armée allait s'amender, se raccrocher aux autres, ou bien s'il allait se décrocher tout à fait, se perdre quelque part dans le paysage, tandis que l'armée Samsonov se retrouverait amputée de son bras droit.

C'est avec cette sensation d'un bras droit amputé, d'une aile touchée, que Samsonov s'attabla pour le déjeuner, et il ne put rien manger, il se montrait maintenant ouvertement renfrogné avec Knox, lui répondait toujours à côté.

Mais en plein milieu du déjeuner, il lui arriva aussi une joie inattendue: la liaison qui avait été interrompue depuis le matin avec le 1er corps d'armée était maintenant rétablie, et on lui transmit le rapport d'Artamonov : « Depuis ce matin, je suis attaqué par des forces puissantes de l'adversaire à Usdau. Toutes les attaques ont été repoussées. Je reste sur mes positions. Je suis ferme comme un roc. Je remplirai ma mission jusqu'au bout. »

Et le front haut, évasé du commandant en chef, rajeunit, s'éclaira, et autour de la table aussi tout s'éclaira. Knox, plein de bienveillance, demandait vivement des explications.

Son bras droit lui avait été enlevé, mais le bras gauche se remplissait de sève, ce bras le plus important à présent. Et combien le commandant en chef avait été injuste à l'égard d'Artamonov, tous ces jours derniers, le prenant pour un arriviste, pour un homme bête et vain! Maintenant, c'était lui qui tenait la direction principale, qui tenait toute l'armée, et il n'était pas question de se dire qu'il exagérait, car dans ce cas il n'y aurait pas eu ce : *comme un roc*, puissant, expressif.

Ces minutes agréables virent s'achever le déjeuner. Samsonov avait envie d'apprendre encore quelques détails, d'appeler au téléphone Krymov ou Vorotyntsev, celui qui se trouverait le plus près; mais le câble avait de nouveau lâché.

Raison de plus pour s'occuper des corps d'armée centraux. Et bien qu'il ne fût que deux heures et quelques, il était temps, semblait-il, de commencer à rédiger les ordres d'opérations pour le lendemain : mieux vaut trop tôt que trop tard. Bien sûr, il eût été plus logique de donner ses instructions non pas vingt-quatre heures à l'avance, mais heure par heure, en fonction de la situation, mais c'était ainsi, on n'y était pour rien : toutes les vingt-quatre heures.

Sur la table ovale, devant le commandant en chef, on avait déroulé la carte, et Samsonov avec Filimonov et encore deux colonels, tout en rabattant les coins, se penchaient, se déplaçaient, faisaient glisser leurs doigts dessus, tandis que le colonel Vialov, pour leur information, lisait à haute voix des extraits des précédents rapports et ordres d'opérations.

Ce travail à plusieurs mains, Samsonov l'avait toujours considéré comme un rite. De circonstances fortuites telles que l'éclairage, un clignement d'yeux, le fait d'être assis ou debout devant la table, l'épaisseur du doigt, un crayon émoussé, pouvait dépendre le sort de bataillons, voire de régiments entiers. Harmonisant les lignes et les flèches, les ordres venus de ses supérieurs et ses propres considérations, Samsonov, consciencieusement, dans toute la mesure de ses moyens, essayait de parvenir à des décisions raisonnables. Des gouttes de sueur tombaient sur la carte et Samsonov s'épongeait le front — faisait-il si lourd, par cette journée torride, dans la salle de l'Hôtel de Ville aux petites fenêtres étroites?

L'ordre d'opérations s'ouvrait, comme toujours, sur la confirmation de ce qui déjà avait été atteint. Cela faisait assez bon effet : le 1er corps d'armée avait repoussé les attaques allemandes, la division de Mingin allait se maintenir coûte que coûte là où elle avait reçu l'ordre de prendre position, le 15e avait occupé Hohenstein et allait prendre Mühlen d'un instant à l'autre, le 13e était à Allenstein quant au 6e... oui, le 6e, eh bien, il pouvait encore s'amender.

Et pour demain? Il était clair que les corps d'armée centraux devaient virer de plus en plus vers la gauche, tandis que le corps d'armée immobile d'Artamonov servirait d'axe, en quelque sorte, à ce mouvement tournant. C'est ce qu'il faudrait lui écrire, avec diplomatie, sans lui suggérer l'offensive : « se maintenir *devant* Soldau », et ainsi la volonté du commandant suprême ne serait nullement transgressée. Et à Kliouïev, donner l'ordre de rejoindre Martos à marches forcées. Quant à Martos... là Filimonov avait insisté sur une formulation subtile : « glissant le long de son propre corps d'armée sur la gauche, rejeter l'adversaire vers l'aile ».

Il n'y avait qu'une chose qu'ils étaient incapables de préciser aux corps d'armée : la puissance de l'adversaire et la disposition de ses forces.

Et voilà, pratiquement terminé, l'ordre d'opérations général pour le lendemain était là, sur la table. Faire ce travail, c'était traverser des broussailles au crépuscule, et pourtant l'ordre avait été couché sur le papier sans rature, d'une belle écriture penchée.

Mais Samsonov n'était pas tellement sûr que tout fût réellement prêt. Et puis, il se sentait mal, il n'avait pas assez d'air.

— Messieurs, savez-vous, je vais aller faire un tour, prendre un peu l'air et nous signerons ensuite, nous avons le temps.

Filimonov et Vialov demandèrent la permission de l'accompagner. Et le chef du service de renseignement, avec sa tête en forme de potiron et sa calvitie étincelante, porta le projet à Postovski, qui était dans une autre salle, et qui, aussitôt, remarqua que cet ordre était en contradiction avec les dernières instructions du front nord-ouest qui ordonnaient de marcher rigoureusement vers le nord.

— Mais où donc avez-vous la tête? Ce n'est pas Kliouïev qui doit marcher vers Martos, mais Martos qui doit rejoindre Kliouïev! C'est ainsi que devrait se constituer un *poing* considérable!

Il était déjà plus de quatre heures, la chaleur tombait un peu, mais les pierres restaient brûlantes, et le commandant en chef trouva que dans la rue aussi on manquait d'air. Il ôtait sa casquette, s'épongeait de nouveau le front.

— Messieurs, allons jusqu'en bordure de la ville, il y a là un bosquet ou un cimetière.

Bien qu'il l'eût déjà vu la veille, et malgré le soleil, le commandant en chef s'arrêta devant le monument de Bismarck. Entouré d'une plate-bande de fleurs, un rocher brun, brut, se dressait sur une arête — l'autre arête abrupte étant tournée vers le haut. Et de ce rocher surgissait au tiers de son corps, tout en lignes aiguës et en angles, un Bismarck comme voilé d'une sombre pensée.

La rue qu'ils avaient prise menait à la route du nord-ouest, vers la division de Mingin, et ce n'était peut-être pas par hasard que le commandant en chef était attiré dans cette direction. Comme il aimait à le faire, il avançait les mains derrière le dos. Vu de devant, c'était imposant, mais de derrière, on aurait dit un prisonnier, d'autant plus qu'il baissait la tête. Il ne soutenait pas la conversation et les officiers marchaient un peu à l'écart.

Samsonov sentait qu'il ne faisait pas ce qu'il fallait.

Ou plus exactement, qu'il ne faisait pas quelque chose qu'il eût fallu faire, sans arriver à saisir ce que c'était, sans arriver à percer le voile. Il avait envie de monter à cheval et de filer droit devant lui en empoignant son sabre, mais c'eût été absurde et inconvenant, étant donné sa position.

Et il était mécontent de lui-même. Et Filimonov aussi était visiblement mécontent de lui depuis le début. Et il était douteux que les commandants des corps d'armée fussent contents de lui. Et le commandement du front le traitait de froussard. Et l'on ne pensait pas de bien de lui à la Stavka.

Mais que devait-il faire? Cela, personne ne pouvait le lui dire.

Après les dernières maisons de la rue commençait le bosquet. Ils étaient sur le point de tourner pour y pénétrer lorsque, sur la route, retentirent et apparurent, roulant à vive allure, une voiturette, une autre, puis un chariot attelé de deux chevaux. Les cochers fouettaient les chevaux, comme s'ils avaient eu quelqu'un à leurs trousses, et ils roulaient avec un sans-gêne qui n'était pas de mise dans le secteur de l'état-major. Ceux qui accompagnaient Samsonov s'élancèrent pour les arrêter et Filimonov, rajustant ses aiguillettes, le visage mauvais, alla se poster au milieu de la route. Samsonov, lui, sans attacher d'importance à l'épisode, avait pénétré dans le bosquet et s'était assis sur un banc.

Pourtant le bruit de la rue ne s'apaisait pas. Les roues s'étaient arrêtées, mais il en était survenu d'autres. On entendait un bruit de voix, qui se calmait à mesure qu'il se rapprochait. On entendait la voix sévère de Filimonov qui questionnait des soldats et ne voulait pas les laisser partir. Samsonov pria Vialov d'aller voir ce qui se passait. Vialov, homme très poli, revint très embarrassé, troublé, ne sachant comment rendre compte de ce qui se passait, tandis que Filimonov, là-bas, haussait la voix et tançait vertement quelqu'un.

Vialov expliqua. Il y avait là des restes très désorganisés du régiment d'Estonie (qui aurait dû *coûte que coûte* maintenir ses positions à dix verstes d'ici), ils se repliaient en désordre et voilà qu'ils étaient arrivés à Neidenburg sans savoir, bien sûr, que l'état-major s'y trouvait. Sur leur lancée, ils auraient même reflué bien au-delà.

Samsonov se leva, inquiet, respirant mal, et, oubliant de mettre sa casquette, la tenant distraitement à la main, il sortit dans la rue en plein soleil. Cela ressemblait vaguement à une formation régulière : quelques véhicules, quatre officiers d'une part, et puis ensuite quelque cent cinquante soldats, et il en arrivait d'autres. Ils avaient reçu l'ordre de se mettre sur quatre rangs, mais il fallait voir ces rangs! — des alignements sinueux encore fiévreux de visages enflammés. Beaucoup étaient tête nue, comme s'ils avaient été à la prière et non à l'alignement. Tel n'avait pas sa capote roulée, tel autre l'avait à ses pieds. Avaient-ils encore leurs fusils? Et là sur l'aile droite, un homme de base tout noir portait sa gamelle sur le côté, béante, avec le fond percé par un éclat, mais qu'il n'avait pourtant pas jetée. Il y avait une vingtaine de blessés dont certains avaient été soignés par un infirmier, d'autres s'étaient pansés tout seuls, d'autres encore étaient tout simplement couverts de taches de sang coagulé. Arrêtés, on aurait dit qu'ils fuyaient encore tant ils étaient entraînés, emportés dans la direction qu'ils avaient prise. Ils avaient l'air hagard et c'était même étonnant de les voir garder tant bien que mal leur alignement.

A l'approche du commandant en chef, Filimonov aboya : « Garde à vous! Fixe! » (Samsonov les mit au repos) et il commença son rapport, mais ce n'était pas un rapport, c'était une invective à l'adresse de ce troupeau de couards qui avaient perdu leur figure humaine de soldats... Jusqu'à présent le commandant en chef n'avait entendu parler son général quartier-maître que dans une pièce. Il ne s'attendait pas de sa part à tant d'éclat dans la voix, tant de rudesse et de furie. Filimonov, face à ces rangs, donnait libre cours à l'ambition rentrée d'un chef d'état-major, à quoi venait s'ajouter aussi l'ambition particulière aux généraux de petite taille.

Samsonov écoutait ces cris qui accusaient le régiment d'Estonie de trahison, de couardise, de désertion, tout en contemplant les visages crânes et fiévreux des soldats. C'était la crânerie du désespoir, du terme extrême où nul reproche de général ne pouvait plus frapper leurs oreilles, et c'était encore merveille qu'ils eussent accepté qu'on les arrêtât, eux qui en étaient au point où même une muraille de pierre n'aurait pu les retenir.

Mais cette crânerie désespérée, Samsonov la distingua aussitôt de la crânerie des mutins qu'il avait vus en 1905 dans le Transsibérien, quand bouillonnaient les meetings de soldats, quand les comités faisaient la loi, quand on entendait gronder : « A bas! » « Nous voulons rentrer! », quand les gares, les buffets étaient dévastés, les locomotives prises d'assaut pour être accrochées aux trains : « Nous sommes les premiers! A bas! Nous voulons rentrer! » Là les officiers ne signifiaient plus rien et, comme un seul homme, les mutins criaient « A bas! » — à bas vous tous, tant que vous êtes, bons ou mauvais. Bon Dieu, allez vous faire foutre! On n'a rien à faire de vos bontés, rendez-nous ce qui nous appartient.

Tandis qu'ici, sur ces visages défigurés qui revenaient à la vie après en avoir déjà perdu l'espoir, il y avait à l'adresse des officiers quelque chose de douloureux : ce qui nous appartient, Bon Dieu, on vous le donne, non? — et vous?! et vous?!

Et Samsonov, sentant qu'il rougissait, bien qu'il n'y parût peut-être pas au soleil, leva sa paume pattue, fit cesser le grondement du général quartier-maître qui se déversait sur eux et se mit à questionner à voix basse, d'abord les officiers, pris au hasard (un seul d'entre eux était capitaine de compagnie), puis les soldats.

Et eux, manquant d'habitude, fournissaient un récit décousu, malhabile et d'ailleurs, qu'avaient-ils compris là-bas à travers tout ce sifflement de mort? Sous le feu de centaines de batteries, sans le moindre fossé pour s'abriter, rien que les menus sillons d'un champ de betteraves. Et notre artillerie n'était pas là ou bien n'atteignait pas l'adversaire. Et les quelques canons qui s'étaient avancés avaient aussitôt été détruits. Et malgré tout, au fusil, à la mitrailleuse, en longues rafales, ils répondaient aux canons. Et ils étaient aussi montés à l'assaut. Et il leur était même arrivé d'atteindre les tranchées allemandes. Mais ils n'avaient plus de cartouches. Et là-dessus l'infanterie avait commencé à les cerner. Et là-dessus la cavalerie, par-derrière, avait amorcé un mouvement tournant (peut-être que non, au fond). Et un fracas pareil, il n'y en aurait même pas au Jugement dernier. Les vieux soldats n'avaient jamais rien entendu de semblable. Il devait bien y être passé quelque chose comme trois mille hommes de leur régiment. Oh, ça peut pas se raconter...

C'était lui. C'était lui le coupable. Il l'avait bien entendue, cette canonnade, hier, et ce matin, il avait voulu aller voir ce qui se passait — pourquoi n'y était-il pas allé? Il était coupable, ne serait-ce que d'avoir attendu qu'ils arrivent, eux, *ici*, et de ne pas être allé, lui, *là-bas*, les trouver dans leur infortune. D'ailleurs, il ne s'agissait pas de cela! Quelque chose avait percé clairement qui ne se laissait aucunement appréhender dans la salle du conseil : hier encore il leur indiquait, suivant les conseils de ce général, là, qui n'était jamais fatigué, quelle route allemande ils devaient aujourd'hui couper; à vol d'oiseau, ça leur faisait déjà vingt verstes. Et il leur envoyait cela dans la fournaise, au seul point où les Allemands avaient été repérés, avaient pris position et se battaient. Et aujourd'hui encore ils avaient l'ordre de tenir « *coûte que coûte* » avec ces épaves de régiment...

Tandis qu'ils parlaient, il y en avait d'autres qui survenaient, et le drapeau aussi sur sa hampe, avec la croix de Saint-Georges sur l'anneau supérieur et des décorations jubilaires. Il s'était approché et s'était placé en silence sur l'aile gauche, avec son ramassis de soldats dépareillés, blessés, déguenillés.

Et, haussant un peu sa voix posée que tous ceux qui étaient là entendaient bien déjà, mais enfin que les autres aussi l'entendissent, Samsonov leur demanda :

— Vous êtes combien du régiment de Reval?

Et l'adjudant-chef articula avec rudesse :

— Le drapeau et une section.

Et dans le rang arrière du régiment d'Estonie, sans attendre d'y avoir été invité, une voix impatiente, enrouée, cria :

— Excellence! Ça fait trois jours que nous n'avons pas eu nos rations!

— Comment? fit le commandant en chef en tournant la tête, surpris, encore plus sombre. Trois jours? Toute la journée d'hier ils avaient avancé à travers la fournaise, hachés par les obus, montant à l'assaut baïonnette au poing, neuf hommes sur dix trouvant la mort, et tout cela sans même recevoir leurs rations?...

— Sans rations!! lui confirmait-on de toutes parts d'une seule voix.

Le commandant en chef chancela vers l'avant de toute sa haute taille, de tout son corps massif. L'aide de camp accourut pour le soutenir, mais ce fut inutile, Samsonov s'était redressé.

(C'eût été pour lui une telle libération que de s'écrouler en s'écriant : « Pardon, mes braves, c'est moi qui ai causé votre perte. » Il aurait eu le cœur soulagé s'il avait pu tout prendre ainsi sur lui et se relever, déchargé de sa fonction de commandant en chef.)

Il se contenta cependant de donner ses ordres à voix basse.

— Qu'on leur donne tout de suite à manger et qu'on veille à les mettre au repos.

Et tout le poids était resté en lui.

Et il s'en retourna dans la ville, avançant lourdement avec le sentiment d'une malédiction.

Juste à côté du bloc de Bismarck, débouchant du tournant, apparurent, venant à sa rencontre, quelques cavaliers qu'accompagnait un officier d'état-major. Celui-ci leur désigna le commandant en chef. Ils le virent. Ils descendirent de cheval et se dirigèrent vers Samsonov de leur démarche bancale de cavaliers, tout en allongeant le pas.

Il y avait là : un général de cavalerie, un colonel de dragons et un colonel cosaque.

Le général-major Stempel (il y avait tant de généraux dans son armée, Samsonov plissa le front — ah oui, chef de brigade chez Ropp) annonça qu'il était arrivé à la tête d'un détachement composite constitué d'un régiment de dragons, de trois escouades et demie du 6ᵉ régiment du Don et d'une batterie d'artillerie à cheval. Le détachement avait été formé par le colonel Krymov au nom du commandant en chef de l'armée, avec mission de rétablir la liaison interrompue entre le 1ᵉʳ et le 23ᵉ corps d'armée.

Samsonov continuait d'avoir devant les yeux les régiments de Reval et d'Estonie. Le sentiment de leur misère se mêlait dans sa tête à celui de sa culpabilité, et sa mémoire retenait que les détachements provisoires et les changements de subordinations découlent toujours d'une situation mauvaise, mais le temps passait, et il fallait se remettre dans un autre état d'esprit et comprendre :

— Ah oui? Bien, très bien... Entre ces corps d'armée, effectivement...

Le commandant en chef serrait les mains. Mais il connaissait le colonel cosaque! Il reconnut aussitôt ce visage un peu grossier, modeste, sa brosse toute grise, sa petite barbiche toute grise, hérissée. Il l'avait connu à Novotcherkassk :

— Issaïev? Alexis Nikolaïtch si je ne m'abuse?

Il avait bientôt soixante-dix ans, et pourtant il ne dételait pas :

— C'est exact, Excellence.

Et pourquoi y avait-il trois escouades et demie? avait demandé Samsonov avec un malheureux petit sourire.

Et Issaïev, saisissant l'occasion qu'il avait ainsi de s'en plaindre — sait-on jamais, il arriverait peut-être à regrouper son régiment — donnait des explications. Mais il regardait Samsonov d'une drôle de façon.

Et Stempel aussi le reluquait d'une drôle de façon. Ils échangèrent un regard.

— Une mauvaise nouvelle ne fait pas honneur au messager, fit Issaïev de sa manière un peu simple, en se hérissant.

Samsonov en eut un coup au cœur :

— Qu'y a-t-il encore?

Stempel se redressa, accentuant sa maigreur, et tendit le message comme s'il devait en être puni :

— Nous avons vu le courrier du colonel Krymov avec ordre de transmettre.

— Qu'est-ce que c'est? demandait Samsonov, comme s'il eût été plus facile de l'apprendre oralement. Tandis que ses doigts déjà dépliaient le papier couvert de l'écriture tarabiscotée de Krymov :

« Excellence, Alexandre Vassilievitch!

« Le général Artamonov est un sot, un lâche et un menteur. Obéissant à ses ordres immotivés, le corps d'armée, depuis midi, se replie en pleine débandade. On vous le cache. La magnifique contre-attaque des régiments Pierre, de Neuschlott et des tirailleurs n'a servi à rien. Usdau a été livré à l'adversaire et il n'est pas dit que nous réussissions à nous maintenir à Soldau jusqu'à ce soir... »

S'il l'avait entendu dire, même sous serment, il n'aurait pu y croire. Mais Krymov n'était pas homme à raconter des histoires.

Samsonov avait soudain grandi, rougi, il tremblait, et sa poitrine se gonfla comme un soufflet de forge. Il s'était traîné jusqu'ici affaibli et coupable. Mais il avait à présent découvert un malfaiteur plus coupable que lui! Et avec la force que lui donnait le sentiment de son bon droit, il fit retentir à travers le carrefour :

— Je des-ti-tue cette canaille!

Et de sa main levée, il prit appui sur les aspérités du rocher de Bismarck :

— Il y a quelqu'un? Qu'on rétablisse immédiatement la liaison avec Soldau. Je destitue le général Artamonov du commandement du 1er corps d'armée. Je nomme le général Douchkievitch. Qu'on transmette au 1er corps d'armée et à l'état-major du front.

Il semblait s'appuyer au roc, de tout son bras gauche eût-on dit — mais il n'avait plus de bras gauche.

Celui-là aussi, on le lui avait tranché.

29

La veille encore, on faisait avancer vers le nord à marches forcées les régiments de Narva et de Koporié, sans leur laisser le temps de souffler un peu près des puits, et la nuit était tombée lorsque, toujours sur leur lancée en direction du nord, ils avaient installé leurs bivouacs dans l'obscurité. Le bruit courait que le lendemain, dans la ville d'Allenstein, il y aurait une distribution de pain frais. Mais le matin du 14, après les lenteurs et les retards habituels (les ordres ne venaient pas, ne se transmettaient pas et les bataillons s'engourdissaient dans l'inaction, tout en sachant d'ailleurs que ce serait de leurs jambes qu'il leur faudrait payer tout cela), on avait reçu l'ordre de faire faire demi-tour aux régiments de Narva et de Koporié, et de les diriger vers la gauche, tournant le dos à Allenstein et rendant ainsi en toute hâte aux Allemands invisibles les verstes parcourues la veille sur leur sol, pour foncer à la rescousse du voisin, comme ils l'avaient déjà fait trois jours plus tôt, et pour rien.

Peut-être que le commandant de la brigade avait reçu quelques éclaircissements. Peut-être que le commandant du régiment avait glané quelques bribes d'information. En tout cas, les officiers des bataillons, eux, n'avaient reçu aucune explication, et avec la meilleure volonté, il était difficile de rattacher la marche d'hier et celle d'aujourd'hui par autre chose que la bêtise ou une cruelle dérision. Et que devaient penser les soldats? Devant les soldats, Iaroslav Kharitonov avait tellement honte de ces va-et-vient qu'ils payaient de leur corps éreintés, que c'était comme s'il avait été lui-même ce méchant traître d'état-major que les soldats soupçonnent toujours du pire.

Mais une récompense attendait leurs régiments pour cette marche affamée et ce va-et-vient de deux semaines : à midi, par un soleil éclatant, depuis les hauteurs panoramiques de Grieslienen, ils virent pour la première fois apparaître devant eux une ville, et une heure après, ils pénétraient déjà sans obstacle dans la petite bourgade de Hohenstein qui devait faire en tout huit cents mètres sur huit cents et qui les frappait non seulement par la capacité compacte de ses toits en pentes raides, mais aussi par le vide absolu qui y régnait, ce qui la rendait même effrayante au prime abord : tout à fait déserte! — pas un seul soldat russe, pas un seul habitant, vieillard, femme ou enfant, pas même un chien, seuls quelques chats prudents. Par endroits, des volets fermés, et aussi des cadres de fenêtres arrachés de leurs gonds, des vitres en éclats. Le régiment de tête n'y avait pas cru tout d'abord, on s'attendait à livrer bataille pour prendre la ville, on avait pris les dispositions de combat, on avait envoyé des patrouilles. Non loin de là, dans la même direction, on entendait gronder l'artillerie, crépiter les mitrailleuses, mais la ville elle-même, avec ses toits pointus, par quelque caprice de la guerre, était entièrement déserte et intacte! Il était manifeste qu'il n'y avait pas eu de bataille avant leur passage et que, si la ville avait déjà été prise, ce ne pouvait être que déserte, sans combat, et c'est ainsi qu'on l'avait aussi abandonnée.

Les régiments, lorsqu'ils avaient quitté la route d'Allenstein et avaient pénétré dans la ville, étaient encore possédés par l'élan qui les poussait au combat, et prêts à couper à travers la ville pour continuer dans la direction qu'ils avaient reçu l'ordre de suivre; mais, comme dans un conte où le héros, dès ses premiers pas au-delà du cercle magique, perd ses forces, laisse tomber son épée, son javelot et son bouclier, et le voilà déjà ensorcelé, de même les premiers quartiers traversés avaient fait passer sur les bataillons quelque chose qui faisait que les pas perdaient la cadence, les têtes tournaient de tous côtés, que l'élan qui les poussait vers la rumeur du combat s'adoucissait et retombait. Et la volonté des chefs de brigade et de régiment cessa d'exister. Plus personne ne les pressait. Les officiers d'ordonnance n'arrivaient plus avec de nouveaux ordres. Et voilà que les bataillons s'étaient mis à prendre sur la gauche, sur la droite, chacun d'eux cherchant son propre espace, et la volonté commune qui fait l'unité d'un bataillon se trouva elle aussi paralysée. Les compagnies se détachèrent, indépendantes, puis elles aussi se divisèrent en sections. Et l'étonnant, c'était que personne n'en fût étonné. Et un charme se répandit dans l'air qui ôtait toute force.

Malgré cela, Iaroslav s'efforçait de garder sa lucidité, sachant qu'il ne devait point en être ainsi, qu'on attendait leur aide plus loin! Mais son pouvoir ne s'étendait pas au-delà de la section. Cependant, voilà que les sections, elles aussi, en silence, insensiblement, se défaisaient, étaient absorbées comme l'eau qui cherche elle-même un écoulement libre et des espaces inoccupés. Et la section de Kharitonov, composée des soldats les meilleurs, les plus stricts, n'allait tout de même pas rester, elle seule, armée sous le soleil. Ils avaient bien gagné le droit de faire une halte.

Et de manger? Après tant de journées épuisantes au régime d'une ration réduite, était-ce vraiment si mal que, poussés par le besoin irrésistible de se nourrir, ses soldats aussi, seuls ou par groupes de deux ou trois, se fussent éclipsés, certains après en avoir demandé l'autorisation, tel le noble Kramtchatkine qui s'était approché d'un pas lent et pesant, en roulant de gros yeux, soumis corps et âme à la volonté de son chef :

— Vous permettez, votre Excellence? Pourriez-vous m'autoriser à l'absenter pour besoins alimentaires?

Certains, sans rien demander à personne, disparaissaient soudain derrière un mur et réapparaissaient déjà chargés de sucre, de boîtes de gâteaux colorées, que, dans leur hâte, ils semaient, tout en essayant de ne pas être vus de leur commandant. C'était mal? Il aurait fallu punir? Mais c'est qu'ils avaient faim, c'est que c'était un besoin dont l'issue d'un combat pouvait dépendre. Pourquoi, après tout, faudrait-il prendre un tel soin des biens qui avaient été abandonnés? Il faudrait peut-être alors en discuter avec les autres officiers, mais on ne les voyait pas, et à qui d'autre demander conseil? Il était adulte, il était officier, il devait donc en décider seul.

Tiens, voilà qu'ils avaient trouvé des macaronis, chose que ces paysans n'avaient jamais vue de leur vie! Et plus drôle encore : dans des pots de verre, il y avait du veau, préparation maison. Nabiorkine, un soldat tout petit, dégourdi, aux yeux étincelants, venait vers son sous-lieutenant, heureux de lui faire plaisir :

— Votre Excellence! Goûtez-en je vous prie! Ce que ça peut être astucieux comme préparation!

Non, il n'y avait là aucun crime, l'âme du soldat était pure, ils l'avaient bien mérité. Et il faudrait bien aussi faire cuire ou réchauffer quelque chose, à l'intérieur ou dehors, en faisant un feu entre les briques. Et il y avait encore quelque chose de plus intéressant, qui étonnait même les officiers : la façon dont les Allemands conservaient les œufs. Ils les trempaient dans une eau blanchâtre, apparemment de l'eau de chaux, après quoi ils restaient tout frais, pendant combien de mois?

Sur leurs remises, les Allemands avaient mis des serrures légères. Ils sont bêtes les Allemands, ils croient que du moment qu'il y a une serrure, ça signifie qu'il ne faut pas y toucher. Et le bruit courait que, dans la ville, il y avait de grands entrepôts et que déjà les autres bataillons les avaient trouvés et y avaient précédé ceux-ci.

Non, décidément, quelque chose clochait... Non, ce n'était pas bien! Il fallait arrêter cela! Il fallait sur-le-champ les mettre en rangs et leur expliquer...

Là-dessus, un vieux sous-officier qui connaissait son affaire, le soutien de Iaroslav dans la section, lui fit savoir qu'en bordure de la ville il y avait des casernes et que, dans les bureaux, il y avait beaucoup de cartes. Iaroslav brûlait d'envie de les regarder avant qu'ils ne se remettent en marche! Et puis, à la fin des fins, il y avait de bons soldats dans sa section. Et ayant laissé à son sous-officier des instructions sévères, Kharitonov prit avec lui un petit soldat qui n'était pas très chaud et se hâta vers les casernes.

A travers les casernes, il errait quelques maraudeurs mais personne n'était tenté par des uniformes allemands et les effets des adjudants. Et, dans le bureau ouvert, parmi les piles de papiers, on voyait effectivement des cartes bien pliées de la Prusse orientale, avec les indications kilométriques, en allemand, et d'une impression très nette qui les rendait bien plus claires que celles qui, dans le régiment de Narva, n'étaient distribuées qu'à raison d'une par bataillon. Ayant dressé le soldat à les lui présenter et à ranger celles qu'il avait déjà consultées, Iaroslav s'occupait de trouver les cartes des lieux qu'ils avaient traversés et où ils avaient toutes les chances d'aller. C'est que la guerre prend un tout autre aspect quand on possède un assortiment complet de cartes! Et les cartes qui couvraient l'espace à parcourir jusqu'à la Vistule, il les regardait avec fièvre. C'était l'enchantement pénétrant de la topographie des lieux où l'on n'a jamais été et où l'on *sera* bientôt! Kharitonov s'en fit un important assortiment qui comprenait le passage de la Vistule, et trois assortiments de celles qui couvraient les lieux les plus proches (il fallait absolument qu'il en offrît un à Grokholets!).

Mais, tandis qu'il était là à trier activement, habilement, rapidement, plus rapidement encore, quelque chose en lui le dévastait : le bonheur que lui procuraient ces cartes était, eût-on dit, incomplet, irréel, alors que réelle était la tristesse grise qui se répandait en lui, ou bien peut-être était-ce même la peur — la peur d'être en retard pour rejoindre le régiment, de voir le régiment parti? Non, une autre peur — le pressentiment d'un malheur peut-être? Et bien qu'il fût occupé là à une besogne extrêmement utile, il n'eut de cesse qu'il l'abandonnât pour revenir au plus vite au régiment et il n'eut plus le temps d'examiner les casernes allemandes pour voir comment y étaient installés les gradés qui, apparemment, étaient mieux lotis que nos élèves officiers. Il sentait se tendre en lui une étendue déserte faite d'angoisse, et il n'avait plus aucune envie de trier, de choisir, d'examiner : ce qu'il voulait, c'était retrouver au plus vite les siens.

Le soldat portait la pile de cartes ficelée, Iaroslav se hâtait vers sa section, et il voyait combien la ville avait changé en ce bref espace d'une heure : le lieu étranger, enchanté, était devenu nôtre, familier. Les soldats à la main lourde grouillaient un peu partout, comme s'ils avaient été dans leur village, en pays de connaissance, et leurs officiers ne les reprenaient pas — ce n'était pas à Iaroslav d'y mettre son nez. On transportait un tonneau de bière. On avait également trouvé de la volaille dans la ville, et déjà les plumes ensanglantées voltigeaient dans les rues, emportées par un petit vent qui agitait les papiers d'emballage colorés et les boîtes vides. Les débris, les provisions renversées craquaient sous les bottes. Et là, à travers une baie, on voyait un appartement saccagé où il restait encore quelque chose de l'ordre amoureux qui y régnait naguère, mais où les commodes avaient été vidées et où nappes, chapeaux, linge traînaient maintenant sur le sol.

Et l'inquiétude le gagnait de plus en plus : sa section

à *lui?* est-ce que vraiment sa section à lui, elle aussi?...

Deux gradés faisaient en quelque sorte office de sentinelles devant les portes d'un magasin. Ils ne laissaient pas entrer les soldats, s'écartaient devant les officiers. Et un officier y pénétra. Pour une raison ou pour une autre, Kharitonov, qui le connaissait, y pénétra à sa suite. C'était un magasin de vêtements. Dans un premier local qui servait de boutique, près de la vitrine, on voyait grouiller les gradés parmi lesquels Iaroslav reconnut l'ordonnance de Kozèko. Dans l'arrière-boutique, les officiers se changeaient, essayaient des imperméables, des tricots, des sous-vêtements chauds, des guêtres, des gants. Et tout cela sans bruit, activement, en utilisant les chaises, en se faisant aider de leurs ordonnances. D'autres tournaient, retournaient, examinaient des tapis, des manteaux de dames.

Kozèko était là, tout près, en caleçons chauds de couleur fauve. Il s'exclama, tout réjoui :

— Kharitonov, Kharitonov! Profitez de l'occasion, choisissez des vêtements chauds! Il ne va pas tarder à faire froid, vous avez vu, il fait déjà froid la nuit! L'homme ne peut perpétuellement penser à la mort, il doit aussi s'occuper de...

Iaroslav ne distinguait pas ceux qui se trouvaient là et il les connaissait peut-être. Privé de la lumière de l'unique fenêtre, il restait planté là, à moitié aveugle, et il voyait moins Kozèko, moins son visage ou sa silhouette trapue que ces caleçons chauds, de laine jaune. Et il dit, s'adressant à lui, mais peut-être un peu plus fort, peut-être dans l'espoir que d'autres aussi l'entendraient :

— C'est honteux.

Kozèko s'anima et répliqua aussitôt, avec son âpreté habituelle et ses arguments irréfutables, saisissant même Iaroslav par la courroie de son uniforme afin qu'il ne pût s'en aller, qu'il l'écoutât jusqu'au bout :

— Et pourquoi serait-ce honteux, Kharitonov? Discutons-en un peu. Ni vous ni moi n'avons de vêtements chauds, et quand en recevrons-nous? Vous connaissez aussi bien que moi l'intendance russe. Et pendant ce temps-là, vous et moi nous avons froid, vous et moi nous dormons dans nos capotes, à même le sol. On a vite fait d'attraper un refroidissement. Et les nuits fraîchissent. Ce n'est même pas nous personnellement qui en avons besoin, c'est l'armée qui en a besoin, nous combattrons mieux. Prenez donc aussi un tricot!

Et Kharitonov se sentit envahi non pas par l'exaspération, ni par la hâte qui l'avait poussé à venir ici redresser la situation, non, c'était la fatigue des visites de musées, celle des jambes, des yeux, de l'âme. Il aurait fallu ne plus marcher, ne plus voir. Il aurait fallu que cette ville opulente s'écroulât. Il eût mieux valu, vrai, être en train de peiner dans les sables comme tous ces jours derniers. Les *choses* lui étaient devenues répugnantes. Et comme il était bon de vivre sans ces choses!...

— Oui, mais pas de cette façon-là..., répondit Kharitonov, morne, fatigué.

Il essayait de dégager sa courroie, mais il n'était pas si facile de faire lâcher prise à Kozèko.

— Et de quelle façon alors? Hein, de quelle façon? Acheter? C'est ce que nous avons fait : nous sommes entrés pour acheter, mais à qui payer? Le propriétaire a fui. Qu'à cela ne tienne, qui vous empêche de laisser de l'argent, mais ce sera pour qui? Et à ce propos, avec ce que nous touchons, vous et moi, eh bien, nous n'irions pas loin.

— Bon, je ne sais pas.

Iaroslav ne savait que dire, mais il était submergé par la répugnance des visites de musées. Il se dégagea, se tourna vers la sortie, Kozèko fit un pas pour le suivre et le retenait encore par l'épaule. Le visage tout fripé, comme s'il avait pleuré, lui parlant à voix basse, presque à l'oreille, il voulait se faire entendre jusqu'au bout :

— D'accord, ce n'est pas bien. Quand on pense que le front pourrait refluer jusqu'à Vilna et que l'ennemi s'engouffrerait alors dans la chaumière où j'ai laissé mon cœur, et qu'il la dévasterait, comme ont été dévastés les merveilleux appartements d'ici... Mais vous savez bien que je ne demande rien, que je ne cherche aucune récompense, vous le savez bien, non! — Il implorait presque avec des larmes dans la voix. — Mais ce qui est sûr, c'est qu'on ne nous lâchera pas, tant qu'on ne se sera pas fait arracher un bras, ou une jambe. Alors, je vous donne un conseil : habillez-vous chaudement, parce que, ce qui est sûr, c'est qu'il y aura une campagne d'hiver, Kharitonov! Prenez du linge! Et un tricot!...

Au plus vite retrouver sa section. Iaroslav continuait malgré tout à croire que *sa* section à *lui*... S'il n'y avait eu que les choses qui l'eussent dégoûté! Il en avait perdu l'envie de boire et de manger.

Le pressentiment du malheur grandissait.

Quelque part dans la ville, il y avait le feu — les

flammes jaillissaient, épaisses, montant haut, obstinées. A chaque instant, d'autres incendies pouvaient s'allumer : çà et là les soldats avaient allumé des braseros, des fourneaux entre lesquels ils erraient tels des Gitans, traînant Dieu sait quoi. En deux heures le régiment de Narva avait bien changé!

Sur un chariot, par-dessus d'autres objets, par-dessus une caisse de parfumerie, on fixait un vélocipède, tandis qu'un lieutenant en caressait les pièces nickelées et prodiguait ses encouragements :

— Trrrès bien! Il aura de quoi circuler mon petit Boris!

Eh oui, il y avait des officiers pareils dans leur régiment! Mais les soldats — c'est en eux que reposait la force morale de la nation, ils comprendraient tout de suite, eux, personne ne leur avait rien expliqué. C'était Iaroslav qui était coupable, il avait goûté des conserves et les avait appréciées. C'était là que tout avait commencé. Iaroslav n'osait pas espérer que sa section se comportait différemment, et pourtant il l'espérait, car sinon, était-ce possible de faire la guerre? Il sentait qu'il n'avait pas la force, qu'il n'avait pas le droit, lui, imberbe, d'initier des pères de famille aux fondements mêmes de la vie, et pourtant c'était son devoir car sinon, à quoi bon ses épaulettes?

Il s'égara, fit un crochet, et sans même avoir reconnu son emplacement, il aperçut en premier lieu Viouchkov, un soldat de très haute taille au dos étroit, qui ployait sous un baluchon noué dans un drap qu'il portait sur l'épaule.

Mais était-ce bien Viouchkov? Peut-être avait-il fait erreur?... Il le rattrapa, s'écria :

— Viouchkov!!

C'était parti d'une voix un peu cassée, mais cinglante, et Viouchkov avait lâché le baluchon, avait déjà fait un pas pour s'enfuir, mais n'avait pas fui, non, tête basse, il s'était retourné. Et il ne levait pas les yeux, il détournait la tête.

Et c'était là ce conteur intarissable du wagon, si souriant, si sympathique, l'âme même de la région d'Orel? Comme il avait le visage fuyant, faux, hypocrite, fermé! Comme il était mauvais, cet homme!...

— Qu'est-ce qu'il t'arrive? essayait de lui faire comprendre Iaroslav, faisant appel à toute sa force de persuasion. Où veux-tu aller avec ça? A qui veux-tu le donner? Tu ne sais pas que nous partons à l'instant même au-devant des balles, et que demain peut-être nous serons morts? Tu es devenu fou? — Et puis, avec un reste d'espoir, douloureusement, il ajouta : Qu'est-ce qui t'a pris, Viouchkov?

Toujours aussi fermé, sans le regarder, les yeux baissés, le regard fuyant, l'autre fit entendre :

— Pardonnez-moi, votre Noblesse. C'est le Malin qui m'a tenté.

— Allez viens, viens avec moi!

Mais Viouchkov semblait avoir pris racine, ses pieds ne parvenaient pas à s'écarter du baluchon.

Mais c'était Kramtchatkine qui arrivait sur eux, le meilleur élément de la section. Non, ce n'était pas Kramtchatkine! Pourquoi était-il tout rouge, pourquoi cette démarche vacillante, qu'a-t-il à chanter ou à marmonner? Si, c'était bien Kramtchatkine qui venait d'apercevoir son officier et qui se redressait, régularisait son pas, et même avançait gravement sur les dalles plates, mais pourquoi ses pieds se gênaient-ils l'un l'autre, pourquoi avait-il les yeux si étrangement saillants, quoique la main se fût levée en un salut strictement réglementaire :

— Vvvot' Nob-Nob-Noblesse, vous permettez? Soldat de deuxième classe Kramtchatkine Ivan Feofanovitch.

Mais une force oblique le fit tournoyer en même temps que son salut et l'envoya impitoyablement s'affaler sur le trottoir, tandis que sa casquette roulait sur le côté.

Frère cadet! Ivan Feofanovitch, ma fierté!

Avec épouvante, mais aussi semble-t-il avec colère, Iaroslav avait maintenant repris son chemin en toute hâte. Ils avaient été prévenus, après tout : les pillards seraient fouettés sans pitié, seraient soumis aux châtiments corporels! Mais les *pillards*, on se les représentait comme des malfaiteurs étrangers, lointains, et non pas sous les traits du soldat d'un régiment de Narva, pas sous les traits du soldat de sa section!

Sur-le-champ, il fallait les mettre en rangs, avec leurs armes, en plein soleil. Et les tancer, leur faire une de ces leçons! Et voir ce que chacun d'eux avait pris! Et obliger chacun à jeter...

Voilà, c'était cette maison-là. La grille était grande ouverte et l'on voyait dans la cour un chaudron enfumé immergé dans le souffle brûlant des braises, bien calé sur des barres. Et tout autour il y avait, assis sur des briques, sur des caisses ou n'importe comment, une quinzaine de soldats de la section de Kharitonov. Par terre et à leurs pieds, ils avaient des boîtes de conserves. On voyait aussi traîner de la nourriture, mais ils ne s'en régalaient plus guère. Ils buvaient surtout, puisant dans le chaudron avec des gamelles, des gobelets.

Aussitôt Iaroslav pensa qu'ils étaient ivres! Ils allaient puiser de l'alcool dans le chaudron!?... Mais alors, pourquoi ce feu?...

Non, la griserie qu'on lisait sur les visages n'était pas de l'ivresse, mais de la félicité, la bienveillance mutuelle du premier repas pascal après le jeûne du carême. Au rythme lent d'un repas de civils, ils se souriaient les uns aux autres, ils bavardaient, racontaient. Sur le côté, en petits faisceaux, il y avait les fusils devenus inutiles.

Ils aperçurent leur sous-lieutenant, n'en furent point effrayés mais bien au contraire s'en réjouirent, et lui faisaient déjà de la place :

— Votre Noblesse!... Votre Noblesse, par ici, venez avec nous! — tandis que deux soldats s'affairaient déjà auprès des gobelets, l'un d'eux les rinçant, et l'autre comme ça, pour rien. C'était à qui puiserait, c'était à qui lui porterait le gobelet rempli à ras bord, tout brûlant, avec les sourires qu'on a le jour de Pâques.

— Votre Noblesse, vous avez vu ce cacao! et ce fut Nabiorkine, tout petit, tout rond, mais rapide sur ses jambes, qui avait tout de même devancé tous les autres et de sa petite voix criarde il lui disait :

— Buvez, votre Excellence! Voilà avec quoi les Allemands se remontent, ces salauds!

Et... non, il n'était pas question de crier. Il n'était pas question de sermonner. Ni de faire mettre en rangs. Pas même d'écarter ce qu'on lui tendait de bon cœur émerveillé.

Kharitonov essaya d'avaler sa salive, sa gorge était sèche. Et puis il but le cacao.

Le mur arrière de la cour n'était pas très haut, il y avait de l'autre côté un espace vide et plus loin, une maison de deux étages avec mansarde brûlait. Les tuiles craquaient au feu avec de petites détonations. Tout d'abord, une épaisse fumée noire jaillissait de la mansarde, puis, d'un seul coup, quelques langues d'un feu puissant et régulier apparurent.

On le regardait, mais personne ne courait l'éteindre.

Avec fracas, la fumée et les flammes rejetaient, projetaient dans les airs tout un matériel étranger, inutile, tout un labeur étranger, inutile, et l'on entendait le feu chuchoter, gémir qu'à présent tout était fini, qu'il ne pouvait plus y avoir désormais ni paix ni vie possibles.

30

N'ayant reculé au cours de la nuit que de vingt-cinq verstes depuis Bischofsburg, et protégé des Allemands par l'arrière-garde reconstituée de Nietchvolodov — toujours lui! —, Blagoviechtchenski, fortement secoué, s'était arrêté au matin du 14 août dans la petite ville de Mensguth, et de toute la journée, ni lui ni son état-major n'avaient donné aucun ordre général. L'arrière-garde restait en position tant qu'elle l'estimait nécessaire. Les unités appartenant aux divisions d'infanterie et de cavalerie se repliaient lorsque cela leur était plus commode, sans en demander la permission et sans en référer au commandant du corps d'armée. Le général d'infanterie Blagoviechtchenski n'avait jamais commandé en opérations, fût-ce même une simple compagnie, et voilà que d'un seul coup il se trouvait à la tête d'un corps d'armée! Il avait dirigé le service des mouvements de troupe par voie ferrée, commandé les communications de l'armée, et pendant la guerre russo-japonaise, il avait été officier de permanence de l'état-major, où il établissait des feuilles de route pour les déplacements ferroviaires et rédigeait un guide scientifique permettant de déterminer comment, dans quelles circonstances et par qui ces feuilles de route devaient être établies. Or sa vie avait reçu la veille un coup destructeur, et l'âme du général avait maintenant besoin de paix pour en rassembler et en recoller les morceaux.

Du reste, la journée entière avait été calme : ils s'étaient repliés si loin pendant la nuit que les Allemands ne les gênaient pas. Mais en temps de guerre, les moments d'accalmie sont comptés, et ils n'eurent même pas leurs vingt-quatre heures de repos! A six heures du soir, des bruits de bataille se firent entendre vers le nord, du côté où se trouvait l'arrière-garde. Les fougasses de lointains canons allemands commencèrent à atteindre Mensguth. L'inquiétude, de nouveau, troubla le cœur du général Blagoviechtchenski, et son état-major s'assombrit.

Et là-dessus — il ne manquait plus que ça! —, surgissant du côté opposé, un messager arriva au galop à Mensguth, envoyé par l'escadron cosaque qui avait été disposé en flanc-garde. Ce qui était écrit dans son rapport était parfaitement juste : son escadron s'était heurté à l'ennemi à quinze verstes de là. Mais il grillait d'impatience de raconter que lui aussi, il y était! Que lui aussi, tout à l'heure, tiens, il s'était battu avec les Allemands! Et, apercevant près de Mensguth un autre escadron de son régiment.

écran

il ralentit l'allure de son cheval, le hardi petit Cosaque,
et, agitant son message
et désignant la direction d'où il venait, comme pour dire : on s'est battu! il cria joyeusement à ses pays :

— *Les Allemands!... Les Allemands!...*

Et repartit au galop — il n'avait pas le droit de traîner en route, il devait remettre le rapport à l'état-major.

= Mais ses pays, réunis dans une vaste cour, derrière une clôture, bondirent : les Allemands?!... Ils arrivent, les Allemands?! Saints du Paradis, mais nos chevaux ne sont même pas sellés!
Et de s'agiter, et de seller,

et de sortir en courant les chevaux de leurs
  écuries,
et de sortir leurs affaires de la maison,
et de les attacher aux arçons,
de sauter en selle —
et dehors, ouste, dehors!

Piétinement de sabots.

= Allez-y donc! Tout l'escadron, ma parole, au galop dans la rue!

Piétinements

dans la rue!

= Un lieutenant (du même régiment : il a les
  mêmes épaulettes) dès qu'il aperçut
de loin

= d'une rue transversale, la cavalerie qui passait,
  qui passait à toute allure,
= voilà qu'il fait demi-tour, et qu'il court, et
  qu'il court!
L'état-major est là, dans les parages.
Voilà qu'il va trouver le colonel des dragons.
  Celui-ci est justement en train de lire
le message apporté par le premier Cosaque.

= Le lieutenant :

— M'col'nel, vous permettez?... Dans la rue d'à côté, il y a des forces de cavalerie allemande, l'équivalent d'un escadron!

Il n'est pas effrayé du tout, le lieutenant :

— *Puis-je déployer la garde de l'état-major pour repousser la cavalerie ennemie?*

Le colonel des dragons, sans perdre un instant, commande à pleine voix :

— *L'officier de permanence! Armez la garde!*

Et l'officier de permanence, un capitaine, en courant :

— *Aux a-a-armes!!... Aux a-a-armes!!!...*

Il faut voir cet empressement! — voici déjà l'infanterie qui bondit hors de ses quartiers, le fusil à la main.

Et il y en a! Deux compagnies!

Les intrépides officiers lancent les commandements réglementaires :

— *En colonne de section... marche!... Répartissez-vous!*

Mais ce n'est pas le moment de se répartir. Les voilà déjà qui sortent, au pas de course, par le portail grand ouvert, et tournent aussitôt

dans la direction que leur indique le lieutenant : par là, par là!

Et dans la pièce, le colonel de dragons fait son rapport

au général à cheveux blancs, fourbu, exténué, qui, à chaque mot, s'affaisse, un peu plus affaibli :

— Excellence! La cavalerie ennemie a réussi à pénétrer dans la localité de Mensguth! J'ai pris ...

Oh, comme il souffre, ce vieillard malade! Quelle horreur! C'était bien ce qu'il craignait! Ah, qu'il serait bien couché en toute sécurité dans un grand lit de gentilhomme... ou même sur un simple poêle russe...
C'est qu'il est malade, lui! Il est à bout de forces, le pauvre général-martyr!... Qu'on le présente à des médecins!... Qu'on le mette sur un lit d'hôpital!... Jusqu'à ses lèvres qui se défont, incapables de garder la forme d'une bouche :

— A Ortelsburg... à Ortelsburg...

= Le colonel de dragons agit avec énergie.

= On emballe! On s'en va!

= Les officiers de l'état-major s'apprêtaient à suspendre une carte au mur —
heureusement que ce n'était pas encore fait, on pouvait de nouveau la rouler!

= L'état-major — il ne lui fallait pas longtemps pour faire ses paquets! On court, chacun sait ce qu'il doit emporter,

— L'automobile, elle, est prête, elle est avancée!

= Et le général, donc! Il se hâte tant qu'il peut, on lui donne le bras.
Et déjà l'automobile est remplie! Et en avant! Accompagnés d'une escorte de cavaliers cosaques, bien sûr, et, derrière, des voitures à cheval, des voiturettes à deux roues, chacun se débrouillant comme il peut — sortir de la ville! Partir!
Partir! Vite!

= La route.
Une route? Non : un torrent d'hommes en train de courir ;
de courir? non (il y a trop peu de place pour courir) : de couler. Oh, comme chacun a envie de vivre, de ne pas être fait prisonnier —
et la bonne vieille infanterie
et les conducteurs des caissons d'artillerie,
et ceux des canons eux-mêmes — tout le monde se sauve et pas nous? Il n'y a pas de raison!
et le cuistot avec sa roulante, et son tuyau de cheminée au côté;
et ceux du train! Surtout ceux du train! C'est à eux de battre en retraite les premiers; et on leur coupe le chemin!

Bourdonnement confus de cette masse en mouvement.

= Et dans ce fleuve d'hommes, comment pourrait passer l'automobile du commandant, mais de façon à dépasser tout le monde, à aller plus vite que les autres? — Car il doit particulièrement se dépêcher, lui; sa vie, à lui, est la plus précieuse!

Corner?

Inutile.

= Mais voici la solution : les Cosaques qui le précèdent
dégagent la route,
Tu dois descendre sur l'accotement ? La belle affaire, eh, ballot!
et l'automobile occupe la place vide
tandis que derrière, la route se referme aussitôt.

= Quant au général, il arrive à peine à tenir sa tête droite : à présent, tout lui est égal — allez-y, avancez, avancez toujours.

= Le soleil, pendant ce temps-là, se couche.

Et au loin

= on ne distingue plus très bien. On voit couler une masse grise.
D'ailleurs, là-bas, devant eux, il y a le feu.
Plus gros.
Un grand feu.
Encore plus gros, plus près.
Mais c'est Ortelsburg. Ortelsburg en flammes.
Ortelsburg saisi tout entier par l'incendie.

Les tuiles éclatent les unes après les autres, sans arrêt.

Comme on le voit de la tête de la colonne :

= il est absolument impossible de continuer dans cette direction, il faudrait traverser la ville.

= La colonne s'arrête, petit à petit.

= Seule l'automobile du commandant, assistée par les Cosaques agitant leurs sabres

— *Eh bien, bande de moutons ? Place !*

vient à bout des derniers mètres du bouchon formé sur la route, puis oblique pour contourner l'obstacle.
Elle part en cahotant sur les bosses, elle montre le chemin à prendre pour éviter la ville. Et les autres s'ébranlent à sa suite. (L'éclairage est celui que projette l'incendie.)
Derrière, il fait déjà sombre.
Mais loin derrière, plus loin là-bas — quelque chose bouge.
Un mouvement rapide, inquiétant, qui vient par ici !

Des vociférations stridentes :

— *La ca-va-le-rie !...*
— *Ils nous tournent !*

= C'est la panique ! Quitter la route, mais pour aller où ?

Un bouchon!
Effroi et terreur sur les visages (ceci, vu à la lueur de l'incendie).

= Allez, advienne que pourra! Une voiture à deux roues oblique sur le côté —
franchit le caniveau, roule sur le terrain bosselé —
se renverse!

= Ça ne fait rien! Ceux qui le peuvent tournent, quittant la route!

Derrière, des coups de feu.

= C'est notre colonne. Ils tirent derrière eux, sur la cavalerie!
Celle-ci, du reste, on ne la voit pas. Des ombres qui ont disparu.

= Et voici qu'un cheval s'emballe,
renverse quelqu'un, le piétine :

— *A-a-a!...*

et plus loin

on entend :

— *Hourra-a-a-a!...*

Les coups de feu redoublent.

= On ne sait plus même d'où ils viennent. Tiens, là, il y en a qui tirent en l'air.

Un ordre parcourt les rangs :

— *Compagnie! en li-igne! plaquez-vous au sol!*

= Des silhouettes se couchent à plat ventre des deux côtés de la route. On voit jaillir au ras du sol les lueurs des coups de feu.

= On a blessé des chevaux! L'attelage d'un caisson s'emballe! Et il fonce
en plein sur les hommes! Et d'en écraser!

— *ra-a-a?... a-a-a!...*

Un convoi fou! Les hommes sautent de côté, s'éloignent de la route en courant. Ce qu'ils portaient, ce qu'ils tenaient, tout est abandonné.

= Ah! Un canon qui fonce! Il renverse un chariot! un autre!

Les brancards craquent, se brisent.

= Et ici, on coupe les traits de l'attelage! Le chariot, dans le caniveau — et à cheval!
Tout cela, on le voit tantôt illuminé par l'incendie qui embrase la ville, tantôt se détachant sur sa lueur.

= Un caisson d'artillerie est lancé sur la route, les gens s'écartent précipitamment devant lui, il n'y a plus un seul homme sur la route, rien

que des chevaux qui piétinent ce que les hommes ont jeté,
des roues qui bondissent, qui écrasent...

Craquements.

= Et voilà un fourgon sanitaire qui passe à toute allure! et soudain — il s'en détache une roue! une roue se détache en marche — et toute seule! dépassant le fourgon! voilà qu'elle roule droit devant elle!
UNE ROUE!? Et, Dieu sait pourquoi, de plus en plus grande,

Elle est de plus en plus grande!
Elle occupe tout l'écran!

UNE ROUE! — elle roule, illuminée par l'incendie!
— indépendante!
irrésistible!
écrasant tout sur son passage!
UNE ROUE!!!!

Fusillade frénétique, furieuse! Salves de mitrailleuses!! Coups de canons!!!

Roule la ROUE colorée par l'incendie!

= L'incendie joyeux!!

= Pourpre la ROUE!!

= Et sur le visage des hommes, petits, pleins de frayeur : pourquoi roule-t-elle toute seule? Pourquoi est-elle si grande?

= Non, plus maintenant. Elle diminue.

La voilà qui diminue.

= C'est une roue normale, celle d'un fourgon sanitaire, et la voilà déjà au bout de sa course. Elle s'écroule.

= Et le fourgon sanitaire roule à toute allure sur ses trois roues, raclant le sol de son essieu...
et derrière lui, la cuisine roulante, avec sa cheminée au tuyau cassé, qui a l'air de vouloir se détacher.

Fusillade.

= Couchés à plat ventre, en ligne, les hommes tirent par là-bas, vers l'arrière.

= Et de là-bas, émergeant des ténèbres, à côté de la route — ils arrivent au galop!
Oui, des cavaliers arrivent au galop, en plein sur nous!
allons, nous sommes fichus, rien ne peut plus nous sauver! — et ils crient,
les dragons nous crient :

— Amis! Amis, nom de Dieu! Vous êtes fous de nous tirer dessus!

DU MÊME AUTEUR

Aux éditions du Seuil :

LES DROITS DE L'ÉCRIVAIN.

Chez d'autres éditeurs :

UNE JOURNÉE D'IVAN DENISSOVITCH (*Éd. Julliard*).

LA MAISON DE MATRIONA, *suivi de* L'INCONNU DE KRETCHETOVKA *et* POUR LE BIEN DE LA CAUSE (*Éd. Julliard*).

LE PAVILLON DES CANCÉREUX (*Éd. Julliard*).

LE PREMIER CERCLE (*Éd. Laffont*).

COLLECTION FOLIO

Dernières parutions

361. Eugène Ionesco	*Le Roi se meurt.*
362. Marie Susini	*C'était cela notre amour.*
363. S. de Beauvoir	*Le sang des autres.*
364. Truman Capote	*Petit déjeuner chez Tiffany.*
365. Jean Giono	*Noé.*
366. Boileau/Narcejac	*Sueurs froides.*
367. José Cabanis	*Les jardins de la nuit.*
368. Jean Freustié	*Isabelle ou l'arrière-saison.*
369. Mirabeau	*Discours.*
370. Montherlant	*La petite infante de Castille.*
371. Elsa Triolet	*Le premier accroc coûte deux cents francs.*
372. Henri Queffélec	*Tempête sur Douarnenez.*
373. Romain Gary	*La promesse de l'aube.*
374. Boris Vian	*Vercoquin et le plancton.*
375. Jean Anouilh	*Le rendez-vous de Senlis* suivi de *Léocadia.*
376. J.-J. Rousseau	*Les Confessions,* tome I.
377. J.-J. Rousseau	*Les Confessions,* tome II.
378. Mikhaïl Boulgakov	*Le roman de monsieur de Molière.*
379. Marcel Proust	*Les plaisirs et les jours.*
380. Honoré de Balzac	*Le Cousin Pons.*
381. René Fallet	*Comment fais-tu l'amour, Cerise ?*
382. Vitia Hessel	*Le temps des parents.*

383. Paul Morand	*Fermé la nuit.*
384. Armand Salacrou	*L'Inconnue d'Arras.*
385. Boileau/Narcejac	*Les louves.*
386. Charles Dickens	*Les Aventures d'Olivier Twist.*
387. Rabelais	*Pantagruel.*
388. Claude Simon	*Histoire.*
389. L.-F. Céline	*D'un château l'autre...*
390. Nathalie Sarraute	*Les Fruits d'Or.*
391. P. Schœndœrffer	*La 317e section.*
392. Stendhal	*Chroniques italiennes.*
393. Tchekhov	*La Mouette, Ce fou de Platonov, Ivanov, Les Trois Sœurs.*
394. A. Burgess	*Un agent qui vous veut du bien.*
395. Roald Dahl	*Bizarre! Bizarre!*
396. Théophile Gautier	*Mademoiselle de Maupin.*
397. Henri Bosco	*Malicroix.*
398. Jean Anouilh	*Colombe.*
399. Günter Grass	*Les années de chien.*
400. W. Gombrowicz	*Cosmos.*
401. Eugène Ionesco	*Les chaises* suivi de *L'impromptu de l'Alma.*
402. George Sand	*La Mare au Diable.*
403. Alphonse Boudard	*La cerise.*
404. Georges Duhamel	*Vue de la Terre promise.*
405. Honoré de Balzac	*Splendeurs et Misères des courtisanes.*
406. Franz Kafka	*L'Amérique.*
407. Pieyre de Mandiargues	*La motocyclette.*
408. Michel Mohrt	*La prison maritime.*
409. Nathalie Sarraute	*Entre la vie et la mort.*
410. Paul Vialar	*La Rose de la Mer.*
411. Alexandre Dumas	*La Reine Margot.*
412. A. Robbe-Grillet	*Le voyeur.*
413. Italo Calvino	*La journée d'un scrutateur.*
414. John Le Carré	*L'espion qui venait du froid.*
415. Longus	*Daphnis et Chloé.*
416. Joseph Conrad	*Typhon.*

417. Jacques de Lacretelle — *Silbermann.*
418. Luc Dietrich — *L'apprentissage de la ville.*
419. Erskine Caldwell — *Le petit arpent du Bon Dieu.*
420. William Faulkner — *L'intrus.*
421. Francis Iles — *Préméditation.*
422. Montherlant — *Le Chaos et la Nuit.*
423. Sempé - Goscinny — *Le petit Nicolas.*
424. Gustave Flaubert — *Trois Contes.*
425. Nicolas Gogol — *Les Ames mortes.*
426. Louise de Vilmorin — *La lettre dans un taxi.*
427. J. de Bourbon Busset — *L'amour durable.*
428. John Steinbeck — *La perle.*
429. Philippe Hériat — *La foire aux garçons.*
430. Diderot — *Jacques le Fataliste.*
431. Jean-Paul Sartre — *Nekrassov.*
432. Marcel Aymé — *Derrière chez Martin.*
433. André Chamson — *Le chiffre de nos jours.*
434. Sacha Guitry — *Mémoires d'un tricheur.*
435. Michel Leiris — *L'âge d'homme.*
436. André Gide — *Paludes.*
437. René Fallet — *Les vieux de la vieille.*
438. Erskine Caldwell — *La route au tabac.*
439. Italo Svevo — *La conscience de Zeno.*
440. Georges Duhamel — *La nuit de la Saint-Jean.*
441. Jules Michelet — *Jeanne d'Arc.*
442. Raymond Queneau — *Le dimanche de la vie.*
443. Félicien Marceau — *Bergère légère.*
444. Jean Anouilh — *La répétition ou l'amour puni.*
445. Wolinski — *Ils ne pensent qu'à ça.*
446. Léon Trotsky — *Ma vie.*
447. Stendhal — *Vie de Henry Brulard.*
448. Julio Cortázar — *Les armes secrètes.*
449. Angelo Rinaldi — *La maison des Atlantes.*
450. John Dos Passos — *Manhattan Transfer.*
451. André Maurois — *Bernard Quesnay.*
452. *** — *Tristan.*
453. François Boyer — *Jeux interdits.*
454. Michel Mohrt — *La campagne d'Italie.*
455. Hemingway — *Pour qui sonne le glas.*

456.	Jean Giono	*Ennemonde et autres caractères.*
457.	Jack Kerouac	*Les anges vagabonds.*
458.	August Strindberg	*Le fils de la servante.*
459.	P. Drieu la Rochelle	*Gilles.*
460.	Philippe Hériat	*Le temps d'aimer.*
461.	Montherlant	*Fils de personne* suivi de *Un incompris.*
462.	Rabelais	*Le Tiers Livre.*
463.	José Giovanni	*Les grandes gueules.*
464.	Cesare Pavese	*Avant que le coq chante.*
465.	Hemingway	*Paris est une fête.*
466.	Horace Mac Coy	*On achève bien les chevaux.*
467.	Blaise Cendrars	*L'homme foudroyé.*
468.	Honoré de Balzac	*Une ténébreuse affaire.*
469.	Félicien Marceau	*Les années courtes.*
470.	Philip Roth	*Portnoy et son complexe.*
471.	Guy de Maupassant	*Bel-Ami.*
472.	Robert Margerit	*Mont-Dragon.*
473.	Georges Duhamel	*Le Désert de Bièvres.*
474.	Antoine Blondin	*Les enfants du bon Dieu.*
475.	Montesquieu	*Lettres Persanes.*
476.	Alfred de Musset	*La Confession d'un enfant du siècle.*
477.	Albert Camus	*Les justes.*
478.	Maurice Genevoix	*Bestiaire enchanté.*
479.	Henry James	*Les Bostoniennes.*
480.	Jean Cocteau	*Thomas l'imposteur.*
481.	L.-F. Céline	*Rigodon.*
482.	Paul Léautaud	*Amours.*
483.	Violette Leduc	*La folie en tête.*
484.	P. Drieu la Rochelle	*L'homme à cheval.*
485.	René Barjavel	*Le voyageur imprudent.*
486.	Dostoïevski	*Les Frères Karamazov,* tome I.
487.	Dostoïevski	*Les Frères Karamazov,* tome II.
488.	Robert Musil	*L'Homme sans qualités,* tome I.

489.	Robert Musil	*L'Homme sans qualités*, tome II.
490.	Robert Musil	*L'Homme sans qualités*, tome III.
491.	Robert Musil	*L'Homme sans qualités*, tome IV.
492.	Bernard Pingaud	*L'amour triste.*
493.	Jean Genet	*Journal du voleur.*
494.	Roger Nimier	*Les épées.*
495.	Georges Duhamel	*Confession de minuit.*
496.	Gœthe	*Les Souffrances du jeune Werther.*
497.	Armand Salacrou	*La terre est ronde.*
498.	Le Sage	*Histoire de Gil Blas de Santillane*, tome I.
499.	Le Sage	*Histoire de Gil Blas de Santillane*, tome II.
500.	Marcel Aymé	*Travelingue.*
501.	Philippe Hériat	*La main tendue.*
502.	Curzio Malaparte	*La peau.*
503.	Rudyard Kipling	*L'homme qui voulut être roi.*
504.	Guy de Maupassant	*Boule de suif, La Maison Tellier*, suivi de *Madame Baptiste* et de *Le Port.*
505.	Roger Vailland	*La fête.*
506.	Jean Dutourd	*Les taxis de la Marne.*
507.	William Irish	*La sirène du Mississipi.*
508.	Alberto Moravia	*La désobéissance.*
509.	Vladimir Nabokov	*Pnine.*
510.	Jean Giono	*L'oiseau bagué.*
511.	Paul Nizan	*La conspiration.*
512.	Marcel Aymé	*Le bœuf clandestin.*
513.	Louis Bromfield	*La Colline aux Cyprès.*
514.	Benjamin Constant	*Adolphe* suivi de *Le Cahier rouge* et *Cécile.*
515.	Stendhal	*Lucien Leuwen*, tome I.
516.	Stendhal	*Lucien Leuwen*, tome II.
517.	Jean Guéhenno	*Journal des années noires (1940-1944).*

518. Benoîte et Flora Groult — *Journal à quatre mains.*
519. Jules Vallès — *L'Enfant.*
520. Marcel Achard — *Jean de la Lune.*
521. Tchekhov — *La Cerisaie, Le Sauvage, Oncle Vania* et neuf pièces en un acte.
522. Prévert/Pozner — *Hebdromadaires.*
523. Armand Salacrou — *Un homme comme les autres.*
524. Thérèse de Saint Phalle — *La mendigote.*
525. Georges Duhamel — *Les maîtres.*
526. Alexandre Dumas — *Les Trois Mousquetaires,* tome I.
527. Alexandre Dumas — *Les Trois Mousquetaires,* tome II.
528. Reiser — *Ils sont moches.*
529. Cabu — *Le journal de Catherine.*
530. Alan Sillitoe — *La solitude du coureur de fond.*
531. André Chamson — *La neige et la fleur.*
532. Ovide — *L'Art d'aimer.*
533. S. de Beauvoir — *Tous les hommes sont mortels.*
534. Marcel Arland — *Zélie dans le désert.*
535. Maurice Genevoix — *Bestiaire sans oubli.*
536. Paul Guimard — *L'ironie du sort.*
537. Chrétien de Troyes — *Perceval ou le Roman du Graal.*
538. Léon Daudet — *Le voyage de Shakespeare.*
539. Ernst Jünger — *Orages d'acier.*
540. R. Martin du Gard — *Vieille France.*
541. Henri Queffélec — *Un homme d'Ouessant.*
542. Pouchkine — *La Dame de pique* et autres récits.
543. Philippe Hériat — *L'innocent.*
544. Guy de Maupassant — *Une Vie.*
545. Jean Anouilh — *Ornifle ou le courant d'air.*
546. John Steinbeck — *Rue de la Sardine.*
547. Félicien Marceau — *Chair et cuir.*
548. René Fallet — *Banlieue sud-est.*
549. Victor Hugo — *Notre-Dame de Paris.*

550.	Raymond Roussel	*Locus Solus.*
551.	Jean Cayrol	*Le froid du soleil.*
552.	Philippe Erlanger	*Diane de Poitiers.*
553.	Georges Duhamel	*Cécile parmi nous.*
554.	Cavanna	*Le saviez-vous ?*
555.	Honoré de Balzac	*La Peau de chagrin.*
556.	Jean Cau	*La pitié de Dieu.*
557.	Michel Déon	*Les gens de la nuit.*
558.	Roger Vrigny	*La nuit de Mougins.*
559.	Rudyard Kipling	*Kim.*
560.	Mérimée	*Carmen* et treize autres nouvelles.
561.	Albert Cohen	*Le livre de ma mère.*
562.	Pieyre de Mandiargues	*Le Musée noir.*
563.	Sébastien Japrisot	*Compartiment tueurs.*
564.	Edgar Poe	*Nouvelles histoires extraordinaires.*
565.	Jack Kerouac	*Les clochards célestes.*
566.	François Mauriac	*Nouveaux Mémoires intérieurs.*
567.	Alexandre Dumas	*Georges.*
568.	Louise de Vilmorin	*Le lit à colonnes.*
569.	Frederick Forsyth	*Chacal.*
570.	James Joyce	*Dedalus.*
571.	Marcel Proust	*Un amour de Swann.*
572.	Alphonse Boudard	*L'hôpital.*
573.	Jean Giono	*L'Iris de Suse.*
574.	Dostoïevski	*Les Possédés*, tome I.
575.	Dostoïevski	*Les Possédés*, tome II.
576.	Eugène Ionesco	*Tueur sans gages.*
577.	Paul Morand	*Hécate et ses chiens.*
578.	Henry James	*Washington Square.*
579.	D. H. Lawrence	*Love.*
580.	Claude Roy	*Le malheur d'aimer.*
581.	Wolinski	*Georges le tueur* suivi de *Ma voisine est une salope.*
582.	André Dhôtel	*Le village pathétique.*
583.	Robert Merle	*L'île.*
584.	José Giovanni	*Les aventuriers.*
585.	Paul Wagner	*Graine d'ortie.*

586. Michel Lermontov — *Un héros de notre temps* précédé de *La Princesse Ligovskoï.*
587. H. G. Wells — *La machine à explorer le temps.*
588. Raymond Queneau — *Le chiendent.*
589. Hemingway — *Au-delà du fleuve et sous les arbres.*
590. Poirot-Delpech — *Le grand dadais.*
591. Roger Vailland — *La truite.*
592. Richard Wright — *Black Boy.*
593. Honoré de Balzac — *Le Colonel Chabert, El Verdugo, Adieu, Le Réquisitionnaire.*
594. Georges Duhamel — *La pierre d'Horeb.*
595. Andrée Martinerie — *Les autres jours.*
596. René Fallet — *Paris au mois d'août.*
597. Jonathan Swift — *Voyages de Gulliver.*

Cet ouvrage
a été achevé d'imprimer
sur les presses de l'Imprimerie Bussière
à Saint-Amand (Cher), le 10 septembre 1974.
Dépôt légal : 3e trimestre 1974.
N° d'édition : 19074.
Imprimé en France.
(470)

19074